Книги *Джонатана Сафрана Фоера*

ПОЛНАЯ ИЛЛЮМИНАЦИЯ

ЖУТКО ГРОМКО И ЗАПРЕДЕЛЬНО БЛИЗКО

ЖУТКО ГРОМКО & ЗАПРЕДЕЛЬНО БЛИЗКО

ДЖОНАТАН САФРАН ФОЕР

Перевод Василия Арканова

Москва

Эксмо

2007

УДК 82(1-87)
ББК 84(7США)
Ф 74

Jonathan Safran Foer

EXTREMELY LOUD & INCREDIBLY CLOSE

© 2005 by Jonathan Safran Foer

3 9082 11747 7268

Фоер Дж. С.

Ф 74   Жутко громко и запредельно близко / Джонатан Сафран Фоер; пер. с англ. Василия Арканова. — М.: Эксмо, 2007. — 416 с.: ил. — (Интеллектуальный бестселлер).

УДК 82(1-87)
ББК 84(7США)

ISBN 978-5-699-22808-9

НИКОЛЬ,
*воплощающей
мое представление
о прекрасном*

ЖУТКО ГРОМКО И ЗАПРЕДЕЛЬНО БЛИЗКО

ТЫ ЧЁ?

Что бы придумать с чайником? Что если бы его носик открывался и закрывался под напором пара и был бы тогда как рот: он мог бы насвистывать зыкинские мелодии, или декламировать Шекспира, или раскалываться со мной за компанию? Я мог бы изобрести чайник, читающий голосом папы, чтобы наконец-то заснуть, или даже набор чайников, подпевающих вместо хора в *Yellow Submarine* — это песня «Битлз», что значит «жучки», а я жучков обожаю, потому что энтомология — один из моих *raisons d'être*, а это — французское выражение, которое я знаю. Или еще одна фишка: я мог бы научить анус разговаривать, когда пержу. А если б захотел отмочить жуткую пенку, то научил бы его говорить «Не я!» во время запредельно ядерных залпов. А если б я дал запредельно ядерный залп в Зеркальном зале, который в Версале, который рядом с Парижем, который, само собой, во Франции, то мой анус мог бы сказать: *«Ce n'étais pas moi!»*

Что бы придумать с микрофончиками? Что, если бы мы их проглатывали и они воспроизводили бы бой наших сердец в мини-динамиках из карманов наших комбинезонов? Катишься вечером по улице на скейтборде и слышишь сердцебиение всех, а все слышат твое, по принципу гидролокатора. Одно непонятно: интересно, станут ли наши сердца биться синхронно, по типу того, как у женщин, которые живут вместе, месячные происходят синхронно, о чем я знаю, хотя, по правде, не хочу знать. Полный улет — и только в одном отделении больницы, где рожают детей, будет стоять звон, как от хрустальной люстры на моторной яхте, потому что дети не успеют сразу синхронизировать свое сердцебиение. А на финише нью-йоркского марафона будет грохотать, как на войне.

И еще: сколько раз бывает, когда надо аварийно эвакуироваться, а своих крыльев у людей нет, во всяком случае пока, а что если придумать спасательный жилет из птичьего корма?

Ладно.

Мое первое занятие джиу-джитсу состоялось три с половиной месяца назад. Самообороной я жутко заинтересовался по понятным причинам, а мама решила, что мне будет полезна еще одна физическая нагрузка в дополнение к тамбуриниванью, поэтому мое первое занятие джиу-джитсу состоялось три с половиной месяца назад. В группе было четырнадцать детей, и на всех — клевенькие белые робы. Мы порепетировали поклоны, а потом сели по-турецки, а потом Сенсей Марк попросил меня подойти. «Ударь меня между ног», — сказал он. Я закомплексовал. *Excusez-moi?* — сказал я. Он расставил ноги и сказал: «Я хочу, чтобы ты изо всех сил врезал мне между ног». Он опустил руки по бокам, сделал глубокий вдох и закрыл глаза, — это убедило меня, что он не шутит. «Бабай», — сказал я, но про себя подумал: *Ты чё?* Он сказал: «Давай, боец. Лиши меня потомства». — «Лишить вас потомства?» Глаза он не открыл, но здорово раскололся, а потом сказал: «У тебя все равно не получится. Зато вы сможете посмотреть, как хорошо подготовленное тело способно амортизировать удар. А теперь бей». Я сказал: «Я пацифист», а поскольку большинство моих сверстников не знают значения этого слова, обернулся и сообщил остальным: «Я считаю, что лишать людей потомства — неправильно. В принципе». Сенсей Марк сказал: «Могу я задать тебе вопрос?» Я обернулся к нему и сказал: ««Могу я задать тебе вопрос?» — это уже вопрос». Он сказал: «Разве ты не мечтаешь о том, чтобы стать мастером джиу-джитсу?» «Нет», — сказал я, хотя о том, чтобы возглавить ювелирный бизнес нашей семьи, я тоже перестал мечтать. Он сказал: «А хочешь знать, когда ученик джиу-джитсу становится мастером джиу-джитсу?» «Я все хочу знать», — сказал я, хотя и это уже неправда. Он сказал: «Ученик джиу-джитсу становится мастером джиу-джитсу, когда лишает своего мастера потомства». Я сказал: «Обалдеть». Мое последнее занятие джиу-джитсу состоялось три с половиной месяца назад.

Как же мне сейчас не хватает моего тамбурина, потому что даже после всего у меня на сердце остались гири, а на нем сыграешь — и гири кажутся легче. Мой самый коронный номер на тамбурине — «Полет шмеля» композитора Николая Римского-Корсакова, его же я закачал и на свой мобильник, который у меня после смерти папы. Это довольно удивительно, что я исполняю «Полет шмеля», потому что в некоторых местах там надо бить запредельно быстро, а мне это пока жутко трудно, потому что у меня еще запястья недоразвиты. Рон предложил мне купить установку из пяти барабанов. Деньгами, само собой, любовь не купишь, но я, на всякий случай, спросил, будут ли на ней тарелки Zildjian. Он сказал: «Все, что захочешь», а потом взял с моего стола йо-йо и начал «прогуливать пса»[1]. Я знал, что он хотел подружиться, но разозлился запредельно. «Йо-йо *moi*!» — сказал

---

[1] Одна из «фигур» в игре в йо-йо, когда катушка раскручивается и закручивается параллельно полу, как если бы была поводком, который потянула собака. (*Здесь и далее примечания переводчика*).

я, отбирая у него йо-йо. Но по правде мне хотелось ему сказать: «Ты мне не папа и никогда им не будешь».

Прикольно, да, как число покойников растет, а размер земли не меняется, и значит ли это, что скоро в нее вообще никого не похоронишь, потому что кончится место? На мое девятилетие в прошлом году бабушка подарила мне подписку на *National Geographic*[1], который она называет «Национальная география». Еще она подарила мне белый пиджак, потому что я ношу только белое, но он оказался великоват, так что его надолго хватит. Еще она подарила мне дедушкин фотик, который мне нравится по двум причинам. Я спросил, почему он не забрал его с собой, когда от нее ушел. Она сказала: «Может, ему хотелось, чтобы он достался тебе». Я сказал: «Но мне тогда было минус тридцать лет». Она сказала: «Все равно». Короче, самое крутое, что я вычитал в *National Geographic*, это что число людей, живущих сейчас на земле, больше, чем число умерших за всю историю человечества. Другими словами, если все одновременно захотят сыграть «Гамлета», кому-то придется ждать, потому что черепов на всех не хватит!

Что если придумать небоскребы для покойников и строить их вглубь? Они могли бы располагаться прямо под небоскребами для живых, которые строят ввысь. Людей можно было бы хоронить на ста этажах под землей, и мир мертвых оказался бы прямо под миром живых. Иногда я думаю, было бы прикольно, если бы небоскребы сами ездили вверх и вниз, а лифты стояли бы на месте. Хотите вы, допустим, подняться на девяносто пятый этаж, нажимаете на кнопку 95, и к вам подъезжает девяносто пятый этаж. Это может жутко пригодиться, потому что если вы на де-

---

[1] Популярный иллюстрированный ежемесячный журнал о странах и континентах.

вяносто пятом этаже, а самолет врезался ниже, здание само опустит вас на землю, и никто не пострадает, даже если спасательный жилет из птичьего корма вы забыли в этот день дома.

Я всего два раза в жизни был в лимузине. Первый раз был ужасный, хотя сам лимузин был прекрасный. Дома мне не разрешают смотреть телек, и в лимузинах тоже не разрешают, но все-таки было клево, что там оказался телек. Я спросил, не можем ли мы проехать мимо школы, чтобы Тюбик и Минч посмотрели на меня в лимузине. Мама сказала, что школа не по пути и что нам нельзя опоздать на кладбище. «Почему нельзя?» — спросил я, что, по-моему, было хорошим вопросом, потому что, если вдуматься, то действительно — почему нельзя? Хоть сейчас это уже не так, раньше я был атеистом, то есть не верил в вещи, не доказанные наукой. Я считал, что, когда ты умер, — ты полностью мертв, и ничего не чувствуешь, и сны тебе не снятся. И не то чтобы теперь я поверил в вещи, не доказанные наукой, — вовсе нет. Просто теперь я верю, что это жутко сложные вещи. И потом, по-любому, — это ж не так, как если бы мы его по-настоящему хоронили.

Хотя я очень старался, чтобы меня это недоставало, меня стало доставать, что бабушка постоянно меня трогает, поэтому я перелез на переднее сиденье и стал тыкать водителя в плечо, пока он на меня не покосился. «Какова. Твоя. Функция», — спросил я его голосом Стивена Хокинга[1]. «Чего-чего?» — «Он хочет познакомиться», — сказала бабушка с заднего сиденья. Он протянул мне свою визитку.

---

[1] Знаменитый ученый-астрофизик, культовая фигура в науке. После того как его разбил паралич, общается с помощью компьютерного устройства, которое делает его голос похожим на голос роботов из научно-фантастических фильмов.

2-1239

Я дал ему свою визитку и произнес: «Приветствую. Джеральд. Я. Оскар». Он спросил, почему я так разговариваю. Я сказал: «Центральный процессор Оскара — искусственная нейронная сеть. Это обучающийся компьютер. Чем больше он вступает в контакт с людьми, тем больше он познает». Джеральд сказал: «О» и потом добавил «Кей». Трудно было понять, понравился я ему или нет, поэтому я сказал: «У вас темные очки на сто долларов». Он сказал: «Сто семьдесят пять». — «Вы много ругательств знаете?» — «Кое-какие знаю». — «Мне не разрешают ругаться». — «Облом». — «Что значит «облом»? — «Досада». — «Вы знаете «какашка»?» — «А это разве не ругательство?» — «Нет, если сказать задом наперед — «акшакак». — «Вот оно что». — «Упож енм ижилоп, акшакак». Джеральд затряс головой и немного раскололся, но не по-плохому, то есть не надо мной. «Мне даже «кисонька» нельзя говорить, если только речь не идет о настоящей кошке[1]. Клевые перчатки для вождения». — «Спасибо». А потом я кое о чем подумал и поэтому сказал: «*Между прочим, если сделать жутко длинные лимузины, то тогда водители вообще не понадобятся. Люди будут заходить*

---

[1] В английском языке один из многочисленных эвфемизмов вагины.

в них сзади, проходить по салону и выходить спереди — и как раз там, куда хотели попасть. В данном случае — на кладбище». — «А я бы целыми днями смотрел бейсбол». Я похлопал его по плечу и сказал: «Если заглянуть в словарь на слово «оборжацца», там будет ваша фотография».

На заднем сиденье мама сжимала что-то внутри своей сумочки. Я это заключил, потому что видел на ее руке мускулы. Бабушка вязала белые варежки, раз белые — значит, для меня, хотя было еще не холодно. Мне хотелось спросить у мамы, что она сжимает и почему она это прячет. Помню, как я подумал, что даже если буду умирать от гипотермии, *ни за что на свете* не надену эти варежки.

«Если на то пошло, — сказал я Джеральду, — можно изготовить запредельно длинный лимузин, чтобы задняя дверца была напротив маминой ПЗ, а передняя — у входа в твой мавзолей, лимузин длиною в жизнь». Джеральд сказал: «Да, но если у всех будет по такому лимузину, никто никогда ни с кем не встретится, правильно?» Я сказал: «Ну и?»

Мама все сжимала, бабушка все вязала, а я сказал Джеральду: «Встречаются на парижской улице две курицы», — мне хотелось, чтобы он по-настоящему раскололся, потому что, если бы у меня получилось по-настоящему его расколоть, гири на сердце стали бы чуть-чуть полегче. Он ничего не сказал, может, просто потому, что не услышал, поэтому я сказал: «Я *сказал:* на парижской улице встречаются две курицы». — «А?» — «Одна нормальная, а у другой две головы и восемь крыльев. И та, которая нормальная, говорит: *Bonjour, ma tante*». — «Ну и что?» — «Это шутка такая. Рассказывать следующую или вы тоже *ma tante?*» Он посмотрел на бабушку в зеркальце и сказал: «Что он говорит?» Она сказала: «Его дедушка любил животных больше, чем людей». Я сказал: «Дошло? *Мутант?*»

Я перелез назад, потому что вести одновременно разговор и машину небезопасно, особенно на хайвее, где мы как

раз и находились. Бабушка опять принялась меня трогать, что меня доставало, хоть я этого и не хотел. Мама сказала: «Лапуль», и я сказал: «*Oui*», и она сказала: «Это ты дал запасной ключ от нашей квартиры почтальону?» Тогда меня удивило, что она вдруг затеяла этот разговор, потому что он вообще ни к чему не имел отношения, но теперь я думаю, что ей просто нужно было заговорить о чем-нибудь неочевидном. «Не почтальону, а почтальонше». Она кивнула, но как-то рассеянно, и спросила, давал ли я ключ почтальонше. Я кивнул утвердительно, потому что никогда не обманывал ее до всего происшедшего. Мне было незачем. «С какой стати?» — спросила она. Ну, я и сказал: «Стэн...» А она сказала: «Кто?» А я сказал: «Стэн, наш швейцар. Иногда он уходит пить кофе, и тогда некому принимать бандероли, а я хочу быть уверенным, что не пропущу ни одной, ну, я и подумал: если у Алиши...» — «У кого?» — «Это почтальонша. Если у нее будет наш ключ, она сможет заносить посылки прямо в квартиру». — «Ключи существуют не для того, чтобы раздавать их посторонним». — «К счастью, Алиша не посторонняя». — «У нас в квартире много ценных вещей». — «Я знаю. Некоторые — просто суперценные». — «Иногда люди, о которых думаешь хорошо, на поверку оказываются не такими хорошими, понимаешь? А вдруг она украдет что-нибудь из твоих вещей?» — «Не украдет». — «А вдруг?» — «Ну, не украдет она». — «Обрати внимание: ключ от своей квартиры она тебе почему-то не предложила». Было ясно, что она на меня сердится, но я не понимал, за что. Я не сделал ничего плохого. А если и сделал, то не знал, что именно. И уж, конечно, не нарочно.

Я переместился на бабушкину половину лимузина и сказал маме: «Зачем мне ключ от ее квартиры?» Ей было ясно, что я застегиваюсь на все «молнии» внутри самого себя, а мне было ясно, что она меня ни капельки не любит. Я знал правду, и правда состояла в том, что если бы она могла выбирать,

то мы бы сейчас направлялись на мои похороны. Я посмотрел на люк лимузина и представил, как выглядел мир до изобретения потолков, отчего у меня возник вопрос: что правильнее — считать, что у пещеры нет потолка или что там нет ничего, кроме потолка? «В другой раз, пожалуйста, спрашивай сначала у меня, договорились?» — «Не сердись», — сказал я и, перегнувшись через бабушку, пощелкал замком на дверце. «Я не сержусь», — сказала она. «Ни капельки?» — «Нет». — «Ты меня не разлюбила?» Сейчас был явно не самый подходящий момент, чтобы сообщить ей про запасные ключи, которые я заказал для разносчика пиццы из «Пиццы хат», и для служащего *UPS*[1], и еще для группы ребят из «Гринписа», чтобы они могли оставлять мне статьи про ламантинов и других животных, находящихся под угрозой исчезновения, пока Стэн заправляется кофе. «Я тебя еще никогда так сильно не любила».

«Мам?» — «Да». — «Есть вопрос». — «Слушаю». — «Что ты сжимаешь в сумочке?» Она вынула руку и разжала кулак, и там было пусто. «На автомате», — сказала она.

Несмотря на запредельно грустный день, она была ну очень красивая. Я искал способ как-нибудь ей об этом сказать, но все мои способы выглядели дурацкими и неправильными. На ней был браслет, который я для нее изготовил, и от этого я себя чувствовал на сто долларов. Я люблю изготавливать для нее украшения, потому что это ее радует, а радовать ее — еще один из моих *raisons d'être*.

Сейчас это уже не так, но очень долгое время я мечтал о дне, когда смогу возглавить ювелирный бизнес нашей семьи. Папа мне постоянно говорил, что я слишком умен для розничной торговли. Я никогда не мог этого понять, потому что он был умнее меня, а значит, если я был слишком умен для розничной торговли, то он был *тем более* слишком

---

[1] Одна из частных почтовых компаний США, экспресс-почта.

умен для розничной торговли. Я сказал ему об этом. «Во-первых, — сказал он, — я не умнее тебя, а просто больше знаю, поскольку я старше. Родители всегда знают больше детей, зато дети всегда умнее родителей». — «Если только ребенок не дегенератор», — сказал я. На это ему нечего было возразить. «Ты сказал «во-первых», а что во-вторых?» — «Во-вторых, если я такой умный, то что я делаю в розничной торговле?» — «Верно», — сказал я. Но тут же кое-что сообразил: «Погоди, ведь наш ювелирный бизнес не мог бы быть семейным, если бы никто в семье им не занимался?» Он сказал: «Конечно, мог бы. Просто им владела бы другая семья». Я спросил: «А как же наша семья? Открыла бы новый бизнес?» Он сказал: «Мы бы нашли себе занятие». Я думал об этом в мой второй раз в лимузине, когда мы с жильцом ехали выкапывать пустой папин гроб.

Крутейшая игра, в которую мы с папой иногда играли по воскресеньям, называлась «Разведывательная экспедиция». Иногда «Разведывательные экспедиции» были жутко простые, как когда он сказал, чтобы я принес ему что-нибудь из каждого десятилетия двадцатого века (я проявил сообразительность и принес камень), а иногда запредельно сложные и могли тянуться неделями. В нашу последнюю экспедицию, которая так и не кончилась, он дал мне карту Центрального парка. Я сказал: «И?» Он сказал: «Что «и»?» Я сказал: «Подскажи ключ». Он сказал: «Кто сказал, что он есть?» — «Ключ всегда есть». — «Это наукой не доказано». — «Значит, никакого ключа?» Он сказал: «Если только отсутствие ключа не ключ». — «Отсутствие ключа — это ключ?» Он пожал плечами, как будто понятия не имел, о чем я его спрашиваю. Я это обожал.

Я ходил по парку весь день, надеясь найти какой-нибудь намек на какую-нибудь подсказку, но это было типа «найди то — не знаю что». Я подходил к незнакомым людям и спрашивал у них, потому что иногда папа устраивал «Разведывательные экспедиции» с таким расчетом, чтобы мне приходилось заговаривать с незнакомыми. Но все, к кому я подходил, были типа *Ты чё?* Я надеялся найти ключ у резервуара[1]. Прочел все объявления на всех фонарных столбах и деревьях. Изучил описания животных в зоопарке. Я даже упросил пускателей воздушных змеев смотать лески, чтобы обследовать змеев вблизи, хотя и понимал, что шансов немного. Но с папой никогда не известно. Я не нашел ни одной подсказки, прямо хоть плачь, если только отсутствие подсказок не было ключом. Могло ли отсутствие подсказок быть ключом?

В тот вечер мы заказали на ужин глютен Генерала Цао[2], и я обратил внимание на то, что папа ест вилкой, хотя он прекрасно умеет палочками. «Погоди!» — сказал я и встал. Я указал на его вилку. «Эта вилка — ключ?» Он пожал плечами, из чего я заключил, что вилка — важнейший ключ. Я подумал: *Вилка, вилка.* Я побежал в свою лабораторию и извлек из коробки в шкафу металлодетектор. Поскольку вечером мне не разрешают находиться в парке одному, со мной пошла бабушка. Я начал от входа на Восемьдесят шестой улице и стал двигаться жутко ровными линиями, как если бы был одним из тех мексиканцев, которые стригут лужайку: мне важно было ничего не пропустить. Я знал, что должны гудеть насекомые, потому что было лето, но я их не слышал, потому что был в наушниках. Я был один на один с металлом под землей.

Каждый раз, когда гудки учащались, я просил бабушку посветить на землю фонариком. Затем я надевал белые перчатки, вынимал лопатку из своего набора и копал, но жутко осторожно. Как только я находил какой-нибудь предмет, я

---

[1] Небольшое озеро в Центральном парке, хранилище пресной воды.

[2] Вегетарианская модификация популярного китайского блюда Курица Генерала Цао (General Tso's Chicken), в котором вместо кусочков курицы в кисло-сладком остром тесте запекают глютен.

брал кисточку и смахивал с него землю, как настоящий археолог. Хоть в тот вечер мне удалось обследовать лишь маленький участок парка, я отрыл квотер[1], и несколько скрепок, и что-то похожее на цепочку от лампы, за которую дергают, чтобы зажечь свет, и магнит на холодильник в форме суши, про которые я знаю, хотя лучше бы не знал. Я сложил все вещественные доказательства в пакет и пометил на карте место, где они были найдены.

Придя домой, я изучил вещественные доказательства в моей лаборатории под микроскопом, каждое в отдельности: погнутая столовая ложка, несколько винтиков, ржавые ножницы, игрушечная машинка, ручка, кольцо для ключей, сломанные очки кого-то с запредельно фиговым зрением...

Я принес это папе, который читал «Нью-Йорк Таймс» за столом на кухне, помечая ошибки красной ручкой. «Вот что я нашел», — сказал я, сталкивая мою кисоньку со стола подносом с вещественными доказательствами. Папа заглянул в него и кивнул. Я спросил: «Ну и?» Он пожал плечами, как будто понятия не имел, о чем я говорю, и уткнулся в газету. «Скажи хотя бы, тепло или холодно». Бакминстер замурлыкал, а папа снова пожал плечами. «Как же я узнаю, что прав, если ты мне ничего не подсказываешь?» Он обвел в кружочки какие-то слова в статье и сказал: «К проблеме можно подойти и иначе: как ты узнаешь, что неправ?»

Он встал, чтобы налить себе воды, а я изучил его пометки в газете, потому что с папой никогда не известно. Статья была про то, как исчезла одна девушка и как все считали, что ее убил конгрессмен, который с ней трахался. Через пару месяцев ее тело нашли в Рок Крик парке, который в Вашингтоне, но к тому времени многое изменилось, и про нее все забыли, кроме ее родителей.

---

[1] Монета достоинством в двадцать пять центов.

заявлении, прочитанном сотням собравшихся представителей прессы в импровизированном медиацентре на задворках их дома, отец мисс Леви снова выразил непоколебимую уверенность в том, что его дочь найдут. «Мы не прекратим поиск, пока не будем иметь достаточных оснований прекратить поиск, то есть до возвращения Чандры». В ходе последовавшей за этим краткой сессии вопросов и ответов корреспондент газеты El Pais попросил г-на Леви уточнить, имел ли он в виду любое возвращение или только благополучное. От избытка чувств г-н Леви был не в состоянии ответить, и микрофон взял его адвокат. «Мы продолжаем надеяться и молимся о благополучии Чандры, и мы сделаем все, от нас

Это не была ошибка! Это была подсказка мне!

В следующие три дня я ходил в парк каждый вечер. Я отрыл заколку для волос, и рулон пенсов, и чертежную кнопку, и вешалку, и девятивольтовую батарейку, и складной нож Swiss Army, и миниатюрную рамку, и бирку собаки по кличке Турбо, и квадратик алюминиевой фольги, и колечко, и лезвие бритвы, и жутко старые карманные часы, остановившиеся в 5:37 (только я не знал, утра или вечера). Но я по-прежнему не мог сообразить, что все это значит. Чем больше вещей я находил, тем меньше понимал.

Я разложил карту на столе в гостиной и придавил ее концы баночками V8[1]. Точки, которыми я помечал места своих находок, были похожи на звезды галактики. Я соединил их, как астролог, и сощурился, как китаец, и увидел, что получилось слово «хрупкий». Хрупкий. К чему бы оно могло относиться? К Центральному парку? К природе? К вещам, которые я нашел? Чертежную кнопку хрупкой не назовешь. А погнутую столовую ложку? Я все стер и соединил точки по-другому, чтобы получилось «дверь». Хрупкий? Дверь? Потом я вспомнил про *porte*, а это тоже дверь, только, само собой, по-французски. Я все стер и соединил точки так, чтобы получилось *porte*. Тут мне было озарение, что точки можно соединить в «киборг», и в «утконос», и в «сиськи», и даже в «Оскар», если жутко закосить под китайца. Я мог соединять их, как хочу, а значит, был ничуть не ближе к разгадке. А теперь мне уже никогда не узнать, что я искал. И это еще одна причина, из-за которой у меня бессоница.

Ладно.

Мне не разрешают смотреть телек, зато разрешают брать напрокат документальные фильмы, одобренные для моего возраста, а читать я могу все, что захочу. Моя любимая книга — «Краткая история времени»[2], хотя я ее еще не закончил, потому что там запредельно сложная математика, а мама не помогает. Больше всего мне нравится начало первой главы, там, где Стивен Хокинг рассказывает об известном ученом, который читал лекцию про то, как Земля вращается вокруг Солнца, а Солнце вращается вокруг Солнечной системы, и все такое. Потом женщина из последних рядов подняла руку и сказала: «Все, что вы тут нам наговорили, — чепуха. На самом деле мир — это плоская тарелка, которая стоит на спине гигантской черепахи». Тогда ученый спросил

---

[1] Название сока из восьми овощей.

[2] «Краткая история времени: от большого взрыва до черных дыр» — книга Стивена Хокинга.

ее, на чем стоит черепаха. И она сказала: «Черепаха — на другой черепахе, та на третьей, и так до самого низа!»

Я обожаю эту историю, потому что она показывает, до чего люди бывают невежественными. И еще потому, что я обожаю черепах.

Через несколько недель после наихудшего дня я стал писать кучу писем. Не знаю, почему, но это было почти единственное занятие, от которого гири на сердце казались чуточку легче. Что странно, вместо обычных марок я зачем-то наклеивал на конверты марки из моей коллекции, включая ценные, и теперь думаю, что просто хотел избавиться от вещей. Первым делом я написал Стивену Хокингу. Я наклеил на его конверт марку с изображением Александра Грэхема Белла[1].

Уважаемый Стивен Хокинг!
Можно я буду вашим протеже?
Спасибо,
Оскар Шелл

Я думал, он не ответит, потому что он исключительный человек, а я самый обыкновенный. Но однажды я вернулся домой из школы, и Стэн протянул мне конверт со словами: «Вам письмо!» голосом из «Америки онлайн»[2], которому я его научил. Я пробежал 105 ступеней до нашей квартиры, и влетел в свою лабораторию, и залез в кладовку, и включил карманный фонарик, и вскрыл конверт. Письмо, само собой, было напечатано, потому что Стивен Хокинг не может пользоваться руками, потому что он болен боковым амеотрофическим склерозом, о чем мне известно, к сожалению.

---

[1] Физик, изобретатель телефона.

[2] Один из наиболее популярных в США интернет-провайдеров. Приход каждого электронного сообщения сопровождается в нем характерным восклицанием электронного голоса «You've got mail!» («Вам письмо!»), ставшего благодаря этому расхожим.

Спасибо за Ваше письмо. Ввиду огромного количества получаемой корреспонденции я не в состоянии вести личную переписку. Но знайте, что я прочитываю и сохраняю все письма в надежде, что когда-нибудь смогу ответить на каждое так, как автор того заслуживает. До той поры

искренне Ваш,
Стивен Хокинг

Я позвонил маме на мобильник. «Оскар?» — «Еще не было гудков, а ты уже ответила». — «Все в порядке?» — «Мне необходим ламинатор». — «Ламинатор?» — «Есть одна запредельно важная вещь, которую надо сохранить».

Папа всегда укладывал меня спать, и рассказывал крутейшие истории, и мы вместе читали «Нью-Йорк Таймс», а иногда он насвистывал *I am the Walrus*[1], потому что это его любимая песня, хоть он так и не смог объяснить, о чем она, что обидно. Что было круто, так это как он всегда находил ошибки в статьях, которые мы читали. Иногда это были грамматические ошибки, иногда ошибки по географии или по фактам, а иногда статья просто не давала полной картины. Я обожал, что мой папа умнее целой «Нью-Йорк Таймс», и что можно чувствовать щекой волосы под майкой на его груди, и что он всегда пахнет бритьем, даже в конце дня. Рядом с ним мой мозг успокаивался. Мне ничего не нужно было изобретать.

Когда в тот вечер папа укладывал меня спать — в вечер накануне наихудшего дня, — я спросил, правда ли, что мир — это плоская тарелка, которая стоит на спине гигантской черепахи. «Ты это всерьез?» — «Нет, ну а почему тогда Земля

---

[1] Песня «Битлз».

остается на месте, а не падает сквозь галактику?» — «Неужели этого мальчика зовут Оскар? Не украл ли его мозг инопланетный пришелец для каких-нибудь экспериментов?» Я сказал: «Мы не верим в инопланетян». Он сказал: «Земля *падает* сквозь галактику. И ты, старина, об этом знаешь. Она постоянно падает в направлении Солнца. В этом и состоит движение по орбите». Тогда я сказал: «Само собой, но зачем тогда гравитация?» Он сказал: «Что значит: зачем гравитация?» — «С какой целью?» — «Кто сказал, что должна быть цель?» — «Никто, в сущности». — «Это был риторический вопрос». — «Что это значит?» — «Это значит, я задал его не для того, чтобы получить ответ, а для того, чтобы подчеркнуть свою мысль». — «Какую мысль?» — «Что не во всем обязательно должна быть цель». — «Но если нет цели, зачем тогда вообще существует галактика?» — «Потому что этому благоприятствуют обстоятельства». — «А почему тогда я твой сын?» — «Потому что мы с мамой занимались любовью, и один из моих сперматозоидов оплодотворил одну из ее яйцеклеток». — «Я щас срыгну». — «А я-то думал, ты взрослый». — «Нет, чего я не понимаю, так это почему мы существуем? Не как, а почему». Я наблюдал, как светлячки его мыслей движутся по орбите вокруг его головы. Он сказал: «Мы существуем, потому что мы существуем». — «Ты чё?» — «Мы можем сколько угодно воображать галактики, не похожие на нашу, но иных у нас нет».

Я понял, что он пытается сказать, и не стал спорить, но и не согласился. Даже когда ты атеист, это еще не значит, что тебе не может хотеться, чтобы у вещей была цель.

Я включил свой коротковолновый приемник, и папа помог мне настроиться на волну, где кто-то говорил по-гречески, что было клево. Мы ни слова не понимали, но лежали, глядя в потолок, обклеенный светящимися созвездиями, и слушали. «Твой дед говорил по-гречески», — сказал он. «В смысле, *говорит*», — сказал я. «Именно. Только не с нами». —

«Может, мы как раз его сейчас и слушаем». Газетная страница укрывала нас, как одеяло. На ней было фото теннисиста на спине, который, кажется, выиграл, хотя было непонятно, обрадован он или огорчен.

«Пап?» — «Ау?» — «Можешь что-нибудь рассказать?» — «Легко». — «Только интересное». — «То есть не как обычно». — «Ага». Я придвинулся запредельно близко к нему, так что нос уткнулся в его подмышку. «И ты не будешь меня перебивать?» — «Я постараюсь». — «Потому что иначе трудно рассказывать». — «И достает». — «И достает».

Больше всего я обожал тишину за миг до начала.

«В давние времена был в Нью-Йорке Шестой муниципальный округ». — «Что такое округ?» — «Кто-то обещал не перебивать». — «Да, но как же я пойму твою историю, если не знаю, что такое округ?» — «Это все равно что район. Или несколько районов». — «Но если был шестой, то какие пять остались?» — «Манхэттен, само собой, Бруклин, Квинс, Статен Айленд и Бронкс». — «А я бывал где-нибудь, кроме Манхэттена?» — «Ну, начинается». — «Мне просто интересно». — «Пару лет назад мы с тобой ходили в зоопарк в Бронксе. Помнишь?» — «Нет». — «И еще мы ездили в Бруклин смотреть на розы в ботаническом саду». — «А в Квинсе я когда-нибудь бывал?» — «Сомневаюсь». — «А в Статен Айленде?» — «Нет». — «А Шестой округ *по правде* был?» — «Ты же не даешь мне рассказать». — «Больше не перебиваю. Честное слово».

Когда рассказ кончился, мы снова включили радио и нашли кого-то, кто говорил по-французски. Это было особенно клево, потому что напомнило мне про каникулы, с которых мы недавно вернулись, хотя мне так хотелось, чтобы они никогда не кончились. Потом папа спросил, не уснул ли я. Я сказал, что уснул, потому что знал, что он не любит уходить, пока я не усну, а мне не хотелось, чтобы завтра утром он пошел на работу невыспавшимся. Он поцеловал меня в лоб и пожелал спокойной ночи, и потом я его помню уже в дверях.

«Пап?» — «Что, старина?» — «Ничего».

В следующий раз я услышал его голос, когда было уже завтра и я вернулся домой из школы. Из-за всего происшедшего нас отпустили раньше. Я вообще не напрягся, потому что мама с папой работали в другой части города, а бабушка, само собой, на работу не ходила, так что никому из тех, кого я любил, ничего не угрожало.

Я знаю, что пришел домой ровно в 10:18, потому что у меня привычка все время посматривать на наручные часы. В квартире было как-то слишком пусто и тихо. По дороге на кухню я успел изобрести такой тумблер на входной двери, который бы запускал здоровенное колесо со спицами в гостиной, а оно бы, вращаясь, задевало металлические зубья, свисающие с потолка, и получалась бы красивая мелодия, вроде *Fixing a hole* или *I want to tell you*[1], и вся квартира была бы как одна громаднейшая музыкальная шкатулка.

Несколько секунд я гладил Бакминстера, чтобы показать ему, как я его обожаю, а потом проверил автоответчик. Тогда у меня еще не было мобильника, а перед уходом из школы Тюбик обещал позвонить и сказать, идти ли мне в парк смотреть на его скейтбордистские трюки или мы пойдем смотреть «Плейбой» в магазин, где в проходах не видно, какой журнал ты листаешь, что мне, вообще-то, не очень хотелось, но все-таки.

Сообщение первое. Вторник, 8:52. *Кто-нибудь дома? Алло? Это папа. Если вы дома, возьмите трубку. Я только что звонил в офис, но там никто не подходит. Тут что-то случилось. Я в порядке. Но всех просят оставаться на местах и ждать пожарных. Уверен, что ни-*

---

[1] Песни «Битлз».

чего страшного. Я позвоню позже, как только пойму, что к чему. Просто хотел сказать, что жив и чтобы вы не волновались. Скоро позвоню.

Кроме этого, от него было еще четыре сообщения: одно в 9:12, одно в 9:31, одно в 9:46 и одно в 10:04. Я прослушал их раз, потом другой, а потом, не дав мне времени осознать не только того, что я должен делать, но что я должен думать, что чувствовать, — зазвонил телефон.

Было 10:22:27.

Я посмотрел на определитель номера и увидел, что это был он.

ПОЧЕМУ Я НЕ ТАМ, ГДЕ ТЫ
21/5/63

Моему нерожденному сыну: я не всегда был нем, когда-то я говорил, и говорил, и говорил, и говорил, рта не мог закрыть, безмолвие одолело меня, как рак, это случилось вскоре после моего приезда в Америку, в кафе, я хотел сказать официантке: «Вы сейчас подали мне этот нож совсем как...», но я не смог закончить предложения, ее имя не произнеслось, я еще раз попробовал, оно опять не произнеслось, она была закупорена во мне, как странно, подумал я, как неловко, как горько, как грустно, я достал из кармана ручку и написал на салфетке «Анна», это повторилось два дня спустя, и еще через день, ни о чем, кроме как о ней, я говорить не хотел, это стало происходить регулярно, когда под рукой не оказывалось ручки, я писал ее имя в воздухе, «Анна» — от конца к началу и справа налево, — чтобы собеседник мог прочитать, а говоря по телефону, набирал цифры — 2, 6, 6, 2, — чтобы он услышал то, что сам я был не в состоянии произнести. «И» было следующим словом, которое я потерял, возможно потому, что оно всегда присоседивалось к ее имени, такое коротенькое словечко, такая невос-

3-1239

полнимая утрата, вместо него теперь приходилось говорить «амперсанд»[1], ужасно нелепо, а какой выход: «Будьте добры, кофе амперсанд что-нибудь сладкое», — кто согласится на это по своей воле. Слово «хочу» я потерял одним из первых, из чего вовсе не следует, что я перестал хотеть, хотел я даже сильнее, чем прежде, просто мои желания больше нечем было выразить, вместо «хочу» я стал говорить «жажду», «Я жажду две булочки», — говорил я продавцу, но это было не совсем то, смысл моих намерений начал уплывать от меня, как листья, слетевшие с дерева в реку, я был деревом, мир был рекой. Я потерял «ко мне» на вечерней прогулке с собаками, я потерял «славно», пока цирюльник разворачивал меня лицом к зеркалу, я потерял «стыд» — существительное и одновременно сразу все производные от него, вот уж действительно стыдоба. Я потерял «носить», потерял вещи, которые носил: «ежедневник», «карандаш», «карманную мелочь», «бумажник», — я даже «потеря» потерял. Со временем в моем арсенале осталось всего несколько слов, если мне делали приятное, я говорил: «То, что предшествует «пожалуйста», проголодавшись, я показывал себе на живот и говорил: «Я прямо противоположен сытости», я потерял «да», но сохранил «нет», поэтому на вопрос: «Вы Томас?», отвечал «Не нет», но потом потерял и «нет», я пошел к татуировщику и попросил его написать ДА на ладони моей левой руки и НЕТ на моей правой ладони, ну, что сказать, сказкой свою жизнь я бы после этого не назвал, но она стала сносной, потирая руки в разгар зимы, я согреваюсь от трения ДА о НЕТ, аплодируя, я выражаю восторг путем объединения и разделения ДА и НЕТ, я говорю «книга»,

---

[1] Амперсанд является графическим сокращением латинского союза *et* (и). Обозначается значком «&».

34

раскрывая сдвинутые вместе ладони, каждая моя книга — зыбкий баланс между ДА и НЕТ, даже эта, моя последняя, особенно эта. Рвет ли мне это сердце, еще бы, каждую секунду каждого дня на столько кусочков, что, кажется, их уже не составить вместе, разве мог я подумать, что стану молчаливым, тем более — немым, я вообще о многом не задумывался, все изменилось, клин между мной и моей способностью радоваться был вколочен не миром, не бомбами и горящими зданиями, а мной самим, моими мыслями, раковой опухолью моего нежелания что-либо забыть, блаженно ли неведение, я не знаю, но как же мучительно размышлять, и вот скажи мне, что дали мне мои размышления, в какие божественные дали завели? Я думаю, и думаю, и думаю, мои мысли миллион раз уводили меня прочь от радости, но ни разу к ней не приблизили. «Я» было последним словом, которое я еще мог произносить вслух, что ужасно, а какой выход, я бродил по улицам, повторяя: «Я, я, я, я». «Налить тебе чашечку кофе, Томас?» — «Я». — «И что-нибудь сладкое?» — «Я». — «Как тебе эта погодка?» — «Я». — «Ты какой-то расстроенный. Что-нибудь не так?» Мне хотелось сказать: «Конечно», мне хотелось спросить: «А разве что-нибудь так?» Мне хотелось разорвать узелок, распустить шарф моей немоты и начать все снова, начать все с чистого листа, но вместо этого я говорил: «Я». Я знаю, что не одинок в своей болезни, вон сколько на улице стариков, и некоторые из них просто причитают: «А-яй-яй-яй», а другие причитают, потому что цепляются за свое последнее слово, за «я», они его повторяют в отчаянии, это не жалоба, это молитва, а потом я потерял «я», и немота стала полной. Я начал всюду носить с собой пустые тетради, вроде этой, и записывал в них то, что не мог сказать, отсюда все и пошло, если мне хотелось купить две булочки в булочной, я открывал тетрадь на чистом листе, писал: «Дайте две булочки» и показывал продавцу, если мне требовалась помощь, я писал «Помогите», если что-то меня смешило, я писал «Ха-ха-ха!», а вместо того чтобы петь под душем, я писал слова своих любимых песен, от чернил вода становилась синей, или красной, или зеленой, музыка стекала у меня по ногам, в конце каждого дня я укладывался с тетрадью в постель и перечитывал страницы собственной жизни:

Дайте две булочки

От сладкого я еще никогда не отказывался

Извините, но мельче у меня нет

Start spreading the news...[1]

То, что обычно, пожалуйста

Спасибо, но я и так скоро лопну

Точно не скажу, но уже поздно

Помогите

Ха-ха-ха!

То, что чистые листы заканчивались раньше, чем истекал день, было в порядке вещей, поэтому, когда требовалось заговорить с кем-нибудь на улице, или в булочной, или на автобусной остановке, единственное, что мне оставалось, — пролистнуть тетрадь от конца к началу и найти запись, которую уместно было бы пустить в оборот по второму разу, если кто-нибудь спрашивал меня: «Как самочувствие?», для ответа вполне могло сгодиться «То, что обычно, пожалуйста» или «От сладкого я еще никогда не отказывался», когда мой единственный друг мистер Рихтер предложил: «А не попробовать ли тебе вновь заняться скульптурой? Чем ты рискуешь?», я порылся в исписанной тетради и нашел где-то посередине: «Точно не скажу, но уже поздно». Я извел сотни тетрадей, тысячи, они заполонили собой квартиру, я использовал их вместо дверных упоров и пресс-папье, я складывал их в стопки, когда не на что было встать, чтобы до чего-нибудь дотянуться, я подсовывал их под ножки шатких столов, мастерил из них поддоны и кормушки, выравнивал ими птичьи клетки и прихлопывал насекомых, у коих вымаливал прощение, я никогда не думал, что записываю что-то особенное, только необходимое, я мог вырвать страницу — «Извините, но мельче у меня нет», — чтобы вытереть грязь, а мог выпотрошить весь день, чтобы завернуть запасные лампочки, помню, как однажды мы с мистером Рихтером провели вечер в зоопарке Центрального парка, я пришел, нагруженный провизией для зверей, только тот, кто сам никогда не был зверем, мог придумать таблички, запрещающие их кормить, мистер Рихтер рассказал анекдот, я бросил гамбургер львам, от его хохота задребезжали клетки, звери разбрелись по углам, мы хохотали и хохотали, вместе и по отдельности, безмолвно и во весь голос, мы задались целью забыть все, что никак не удавалось забыть, создать новый мир в пустоте, раз ничего, кроме пустоты, от прежнего мира не осталось, это был один из лучших

дней моей жизни, день, когда я просто проживал жизнь и совсем не думал о ней. В том же году, но позднее, когда снег уже припорашивал нижние ступени крыльца, когда утро превратилось в вечер, застав меня на тахте под спудом всего, что было безвозвратно потеряно, я развел огонь, пустив свой смех на растопку: «Ха-ха-ха!», «Ха-ха-ха!», «Ха-ха-ха!», «Ха-ха-ха!» Когда мы встретились с твоей матерью, все слова уже были в прошлом, только это и сделало наш брак возможным, ей ничего не пришлось обо мне узнать. Мы встретились в кафетерии Колумбийской булочной на Бродвее, до Нью-Йорка мы оба добрались одинокими, сломленными и в смятении, я сидел в углу, вмешивая сливки в кофе, круг за кругом — эдакая крошечная вселенная, было много свободных столиков, но она подсела за мой. «Ты все потерял, — сказала она, точно у нас на двоих была одна тайна, — это сразу видно». Будь я другим человеком в другом мире, я бы поступил как-нибудь иначе, но я оставался собой, и мир оставался миром, поэтому я промолчал. «Это ничего, — прошептала она, ее рот возле самого моего уха. — Я тоже. Ты бы это наверняка заметил, даже если бы я села вон там. Мы ведь не как итальянцы. У нас все на лбу написано. Видишь, как они смотрят. Вряд ли ведь знают, что мы все потеряли, но чувствуют — что-то не так». Она была одновременно и деревом, и рекой, струившейся мимо дерева. «Есть вещи и похуже, — сказала она. — Хуже, чем быть, как мы. Согласись: мы-то хоть живы». Я увидел, что эти слова она бы предпочла взять обратно, но течение было слишком сильным. «А зато погода сегодня на сто долларов, давно собираюсь сказать». Я еще помешал кофе. «Но я слышала, к вечеру запаршивит. Во всяком случае, так ведущий по радио сказал». Я пожал плечами. Я не знал, что значит «запаршивит». «Я тут собиралась за тунцом забежать в A&P[1]. Купоны

---

[1] Сеть супермаркетов Atlantic & Pacific Tea Company.

вырезала из утреннего «Поста»[1]. Пять банок по цене трех. Это ж почти задаром! Так-то я тунца не люблю. У меня от него, откровенно говоря, живот крутит. Но за такую цену!» — она старалась меня рассмешить, но я только пожал плечами и помешал кофе. «Прямо не знаю, как быть, — сказала она. — Погода на сто долларов, а по радио говорят, что к вечеру запаршивит, так может, мне лучше в парк сходить, хотя я на солнце сгораю в два счета. И еще ладно бы я тунца себе на ужин покупала, а то ведь нет, правильно? Я его вообще есть не собиралась, если быть откровенной. У меня от него живот крутит, откровенно говоря. Так что никакой спешки по части консервов. А вот погода точно долго не продержится. Она никогда долго не держится. Если хочешь знать, мне мой врач вообще рекомендовал прогулки. У меня глаза паршивят, и он говорит, что я слишком мало гуляю и что если бы я гуляла побольше, а боялась поменьше...» Она протягивала ко мне руку, которую я не знал, как взять, и поэтому поломал ей пальцы своим молчанием, она сказала: «Ты со мной общаться не хочешь, да?» Я достал тетрадь из своего рюкзака и открыл ее на чистой странице, предпоследней от конца. «Я не говорю, — написал я. — Прости». Она посмотрела на листок, потом на меня, потом опять на листок, она закрыла глаза руками и разрыдалась, слезы просачивались у нее между пальцев, собирались в крошечных перемычках, она рыдала, и рыдала, и рыдала, салфеток нигде поблизости не было, и поэтому я вырвал из тетради страницу — «Я не говорю. Прости» — и стал вытирать ей щеки, мой ответ и мое извинение потекли по ее лицу, как тушь, она взяла ручку из моих рук и написала на следующей чистой странице, на последней:

---

[1] Газета «Нью-Йорк Пост» публиковала несколько полос купонов, по предъявлении которых можно приобрести товар со скидкой.

Пожалуйста, женись на мне

Я отлистнул назад и показал на «Ха-ха-ха!». Она перелистнула вперед и показала на «Пожалуйста, женись на мне». Я отлистнул назад и показал на «Извините, но мельче у меня нет». Она перелистнула вперед и показала на «Пожалуйста, женись на мне». Я отлистнул назад и показал на «Точно не скажу, но уже поздно». Она перелистнула вперед и показала на «Пожалуйста, женись на мне», только на этот раз надавила на «Пожалуйста» пальцем, точно хотела удержать страницу на месте, или положить конец разговору, или прорваться сквозь слово к тому, что по-настоящему пыталась сказать. Я подумал о жизни, о своей жизни — замешательства, крошечные совпадения, тени будильников на ночных столиках. Я подумал о своих ничтожных победах и обо всем, что было разрушено на моих глазах, я плескался в море норковых шуб на постели родителей, развлекавших внизу гостей, я потерял единственного человека, с которым мог бы разделить свою единственную жизнь, я оставил нетронутыми тысячи тонн мрамора, я мог бы высвободить из них скульптуры, я мог бы высвободить из мрамора и себя. Я познал радость, хотя ее было слишком мало, но разве радости бывает достаточно? Конец страданий не оправдывает страданий, потому-то у страданий и не бывает конца, во что я превратился, подумал я, ну и дурак, какой глупый и ограниченный, какой никчемный, какой нищий и жалкий, какой беспомощный. Даже мои домашние животные не знают своих имен, что я после этого за человек? Я приподнял ее палец, как иголку проигрывателя, и стал перелистывать тетрадь назад, страницу за страницей:

Помогите

ГУГОЛПЛЕКС

А браслет, в котором мама была на похоронах, я изготовил так: я преобразовал последнее папино сообщение на автоответчике в азбуку Морзе и использовал небесно-голубой бисер для тишины, темно-бордовый — для пауз между буквами, фиолетовый — для пауз между словами, а длинные и короткие участки лески между бусинами — для длинных и коротких гудков, которые вообще-то называются импульсами, кажется, или типа того. Папа бы точно знал. Я провозился с браслетом девять часов и сначала хотел подарить его Сонни — бомжу, которого иногда вижу у входа в «Альянс Франсез»[1], потому что у меня из-за него гири на сердце, или, может быть, Линди — опрятной старушке, которая водит бесплатные экскурсии по Музею естественной истории, чтобы стать для нее особенным, или просто кому-нибудь в инвалидной коляске. Но вместо этого я подарил его маме. Она сказала, что лучшего подарка в жизни не получала. Я спросил, лучше ли он, чем сдобное цунами, которое я ей подарил в период моего увлечения сдобными метеорологическими явлениями. Она сказала: «Их нельзя сравнивать». Я спросил, любит ли она Рона. Она сказала: «Рон — замечательный че-

---

[1] Некоммерческая общественная организация, предлагающая популярные курсы изучения французского языка и французской культуры.

ловек», что было ответом на вопрос, который я не задавал. Поэтому я спросил снова. «Истинно или ложно: ты любишь Рона». Она провела рукой с обручальным кольцом по своим волосам и сказала: «Оскар, Рон мой *друг*». Мне хотелось спросить, трахается ли она со своим другом, и если бы она сказала «да», я бы убежал, а если бы она сказала «нет», я бы спросил, занимаются ли они глубоким петтингом, про который я знаю. Мне хотелось сказать, что ей еще рано играть в скрэбл. Или смотреться в зеркало. Или включать музыку громче, чем очень тихо. Это нечестно по отношению к папе и нечестно по отношению ко мне. Но все это я запрятал поглубже. Я изготовил для нее еще несколько украшений из морзянки папиных сообщений — цепочку на шею, цепочку на щиколотку, сережки-висюльки, обруч для волос, — но браслет был точно самым красивым, возможно, потому, что я его изготовил последним, и из-за этого он был мне особенно дорог. «Мам?» — «Что?» — «Ничего».

Даже спустя год мне по-прежнему жутко трудно делать некоторые вещи — типа принимать душ (почему-то) и ездить на лифте (само собой). Есть целая куча вещей, которые меня напрягают, типа подвесные мосты, микробы, самолеты, салют, арабы в метро (хоть я и не расист), арабы в ресторанах, кафе и других общественных местах, строительные леса, решетки водостоков и сабвеев, оставленные сумки, обувь, люди с усами, дым, узлы, высокие здания, тюрбаны. Часто у меня такое чувство, будто я в центре огромного черного океана или в открытом космосе, но не как когда балдеешь. Просто все становится запредельно далеким. Хуже всего по ночам. Я начал изобретать разные вещи и потом не смог остановиться, как бобры, про которых я знаю. Люди думают, что бобры подпиливают деревья, чтобы строить плотины, а на самом деле из-за того, что у них зубы всю жизнь растут, и если бы они их постоянно не стачивали, подпиливая деревья, то зубы постепенно врастали бы им в морды, и тогда бы бобрам конец. Так было и с моим мозгом.

Как-то ночью после целого гуголплекса изобретений я зашел в папину кладовку. Когда-то мы с ним там боролись по греко-римски и рассказывали уморительные анекдоты, а однажды привесили маятник к потолку и разложили костяшки домино на полу по кругу, чтобы доказать, что Земля вертится. Но после его смерти я туда ни разу не заходил. Мама и Рон были в гостиной — слушали слишком громкую музыку и играли в настольные игры. Мама не скучала по папе. Я взялся за ручку двери, но не сразу ее повернул.

В отличие от гроба, в котором папы не было, в кладовке он был. И хоть прошло уже больше года, там по-прежнему пахло бритьем. Я потрогал его белые майки. Я потрогал его крутейшие наручные часы, которые он никогда не носил, и запасные шнурки от его кроссовок, которые никогда больше не побегут вокруг резервуара. Я обследовал карманы всех его пиджаков (нашел чек за такси, обертку мини-«Крэкла»[1] и визитку какого-то поставщика алмазов). Я влез в его тапочки. Я посмотрелся в его металлический рожок для обуви. В среднем, чтобы заснуть, человеку требуется не больше семи минут, а я не могу уснуть часами, но гирь на моем сердце стало поменьше, когда я оказался среди его вещей и потрогал то, до чего он дотрагивался, и поправил вешалки, чтобы ровнее висели, хотя это уже не имело значения.

Его смокинг висел на стуле, на который он обычно садился, когда завязывал шнурки, и я подумал: *Странно*. Почему он не висит вместе с другими костюмами? Может, в свой последний вечер он вернулся с какой-нибудь пафосной

---

[1] Название хлебцев из питы.

55

вечеринки? Но тогда почему, раздевшись, он не повесил его на место? Может, собирался сдать в чистку? Но я не помнил пафосной вечеринки. Я помнил, как он укладывал меня спать, и как кто-то говорил по-гречески на коротких волнах радиоприемника, и историю про Шестой округ. Если бы больше ничего странного я не заметил, я бы не напрягся из-за смокинга. Но я кучу всего заметил.

На полке, на самом верху, стояла зыкинская синяя ваза. Зачем ставить зыкинскую синюю вазу под самый потолок? Дотянуться до нее, само собой, я не смог, поэтому придвинул стул со смокингом, а потом сходил в комнату за собранием сочинений Шекспира, которое мне подарила бабушка, когда узнала, что я буду Йориком, и перетаскал его в кладовку по четыре трагедии за раз, пока не получилась солидная стопка. Я на все это встал, и вроде было нормально. В первую секунду. Но когда я уже почти коснулся вазы, трагедии закачались, и еще этот смокинг запредельно отвлекал, ну а дальше все было уже на полу, включая меня и включая вазу, которая кокнулась. «Это не я!» — крикнул я, но они не услышали, потому что музыка играла слишком громко и тусовка там шла по полной. Я застегнулся на все «молнии» внутри самого себя, но не потому, что ударился, и не потому, что что-то разбил, а потому, что там шла тусовка. Хоть я и знал, что не стоит, я наставил себе синяк.

Я решил все убрать и тогда заметил еще одну подозрительность. Среди осколков лежал маленький конверт размером с карточку для беспроводного Интернета. *Ты чё?* Я открыл его, и внутри оказался ключ. *Ты чё, ты чё?* Он был странной формы и, само собой, открывал что-нибудь жутко важное, потому что был толще и короче, чем обычный ключ. Я терялся в догадках: короткий толстый ключ в маленьком конверте в синей вазе на верхней полке его кладовки.

Мое первое решение было логичным, потому что я решил быть суперскрытным и проверить этот ключ во всех замочных скважинах в квартире. Я знал, что он не от входной двери, потому что ключ от входной двери я ношу на шее на веревочке, чтобы попадать домой, когда никого нет дома, и он совсем другой. Для скрытности я пошел на цыпочках и проверил, не отопрет ли этот ключ дверь в ванную, и разные двери в спальне, и ящички маминого комода. Я проверил, не отопрет ли он конторку на кухне, за которой папа выписывал чеки, или шкаф рядом с бельевым шкафом, в котором я любил прятаться, когда мы играли в прятки, или мамину шкатулку с драгоценностями. Но он никуда не подходил.

В ту ночь, лежа в кровати, я изобрел специальную дренажную систему, которая одним концом будет подведена под каждую подушку в Нью-Йорке, а другим соединена с резервуаром. Где бы люди ни заплакали перед сном, слезы всегда будут стекать в одно место, а утром метеоролог сообщит, возрос или опустился уровень воды в резервуаре слез, и всем будет ясно, сколько гирь у ньюйоркцев на сердце. А когда случится что-нибудь *действительно* ужасное — типа нейтронная бомба или даже атака с применением биологического оружия, — заработает жутко громкая сирена, и все бросятся в Центральный парк, чтобы обкладывать резервуар мешками с песком.

Ладно.

На следующее утро я сказал маме, что не могу пойти в школу, потому что заболел. Я соврал первый раз в жизни. Она положила ладонь на мой лоб и сказала: «Да, ты немного горячий». Я сказал: «Я померил температуру — у меня сорок два». Я соврал во второй раз. Она повернулась ко мне спиной и попросила помочь ей с «молнией» на платье, которую, вообще-то, могла застегнуть и сама, но знала, что я это обожаю. Она сказала: «У меня весь день совещания, но, если понадобится, бабушка может зайти в любую минуту, а я буду звонить каждый час». Я сказал: «Если я не подхожу, значит, заснул или в туалете». Она сказала: «Лучше подходи».

Стоило ей уйти, как я тут же оделся и пошел вниз. Стэн подметал тротуар перед домом. Я попробовал пройти мимо, чтобы он не заметил, но он заметил. «А по виду не скажешь, что заболел», — сказал он, смахивая охапку листьев с тротуара на мостовую. Я сказал: «Это внутренняя болезнь». Он спросил: «И куда же наш больной направляется?» Я сказал: «В аптеку на Восемьдесят четвертой улице, купить сосулек от кашля». Ложь № 3. На самом деле я пошел в мастерскую «Фрейзер и сыновья», в которой ремонт замков, на Семьдесят девятой.

«Опять за запасными ключами?» — спросил Уолт. Я ответил на его хай-файв, достал ключ и спросил, что он мне может про него рассказать. «Это от какого-то ящичка», — сказал он, держа его перед лицом и рассматривая поверх очков. «Даже, пожалуй, сейфа. Это ясно по форме». Он указал на панель с крючками на стене мастерской, где висела куча разных ключей. «Видишь, эти совсем другие. Твой значительно толще. Его труднее сломать». Я провел рукой по всем ключам на стене, до которых смог дотянуться, и от этого мне почему-то стало спокойнее. «Но вряд ли от встроенного сейфа. Что-нибудь не слишком большое. И наверняка переносное. Может быть, даже касса. Старого образца. Или какой-нибудь допотопный генератор». Тут я немного раскололся, хотя и знаю, что нет ничего смешного, когда человек — дегенератор. «Это старый ключ, — сказал он. — Ему лет двадцать, а то и все тридцать». — «Откуда вы знаете?» — «Я про ключи все знаю». — «Клево». — «Многие сейфы теперь вообще без ключей». — «Как это?» — «Ключами уже почти никто не пользуется». — «Я пользуюсь», — сказал я и показал ему ключ от нашей квартиры. «Я знаю, что ты пользуешься, — сказал он. — Но таких, как ты, скоро совсем не останется. Сегодня все замки электронные. Открываются дистанционно. Или распознают отпечаток пальца». — «Но это же круто». — «Мне ключи больше нравятся». Я задумался на минуту, а потом у меня возникли гири на сердце. «Если таких, как я, скоро не останется, что же будет с вашим бизнесом?» — «Придется перепрофилироваться, — сказал он. — Как магазин пишущих машинок. Пока мы нужны, а скоро станем достопримечательностью». — «Может, вам открыть другой бизнес?» — «Мне этот нравится».

Я сказал: «У меня вопрос, но он совсем про другое». Он сказал: «Валяй». — «Валять?» — «Валяй. Не стесняйся. Задавай». «Вы Фрейзер или вы сын?» — «Строго говоря, внук. Эту мастерскую открыл еще мой дед». — «Клево». — «Но, выходит, что я и сын, потому что пока был жив отец, всеми делами здесь ведал он. И я же, пожалуй, Фрейзер, потому что летом со мной вместе работает мой сын».

Я сказал: «У меня еще вопрос». — «Валяй». — «Вы думаете, я смогу узнать, кто изготовил этот ключ?» — «Его кто угодно мог изготовить». — «Вообще-то я другое хотел спросить: как мне найти замок, который он открывает?» — «Только методом тыка. Пробуй открывать им разные замки. А понадобится запасной ключик — я тебе его всегда сделаю». — «Мне может понадобиться гуголплекс запасных ключей». — «Гуголплекс?» — «Гугол в степени гугол». — «Гугол?» — «Это единица с сотней нолей». Он положил руку мне на плечо и сказал: «Тебе нужен всего один замок». Я изо всех сил удлинился вверх, и положил руку ему на плечо, и сказал: «Ага».

Когда я уходил, он спросил: «А что это ты не в школе?»

Моя реакция была мгновенной: «Сегодня день рождения доктора Мартина Лютера Кинга-младшего[1]». Ложь № 4. «Это же, вроде, в январе». — «Так раньше было». Ложь № 5.

Когда я возвратился домой, Стэн сказал: «Вам письмо!»

Дорогой Оск!

Здорово, дружище! Спасибо за славное письмецо и пуленепробиваемые барабанные палочки, которые, надеюсь, мне не понадобятся! Скажу откровенно, у меня никогда не было желания давать уроки...

Надеюсь, тебе понравится эта майка, на которой я без твоего разрешения рискнул поставить автограф.

Твой друг,
Ринго

Майка мне не просто *понравилась*. Я от нее *заторчал*! Хотя она, к сожалению, не была белой, поэтому носить ее я не мог.

Я заламинировал письмо Ринго и прикнопил его к стене. Затем я полазил в Интернете и нарыл кучу полезной информации про замки в Нью-Йорке. Например, что в нем 319 отделений связи и 207 352 абонентных ящика. В каждом ящике, само собой, есть замок. Я также узнал, что в Нью-Йорке около 70 571 гостиничного номера, и в большинстве из них имеется основной замок, замок в ванной,

---

[1] Лидер движения за гражданские права чернокожего населения. Родился 15 января 1929 года, убит 4 апреля 1968-го. Праздник его имени отмечается в США каждый третий понедельник января и является нерабочим днем для большинства государственных и учебных учреждений.

замок в шкафу и замок на мини-баре. Я не знал, что такое мини-бар, поэтому позвонил в отель «Плаза», про который знал, что он знаменитый, и поинтересовался. После этого я уже знал, что такое мини-бар. В Нью-Йорке более 300 000 автомобилей, не считая 12 187 такси и 4425 автобусов. Еще я вспомнил, что в метро, которым я раньше пользовался, у проводников есть ключи, чтобы открывать и закрывать двери, — значит, эти замки тоже следовало учесть. В Нью-Йорке живет более 9 миллионов человек (каждые 50 секунд в Нью-Йорке кто-то рождается), и все они где-нибудь проживают, а в большинстве квартир — два замка на входной двери, и, по крайней мере, в некоторых — замки на дверях в ванную, и, может быть, в другие комнаты и, само собой, на комодах и шкатулках с драгоценностями. Помимо этого есть офисы, и художественные студии, и склады, и банки с сейфами, и ворота в частные сады, и автостоянки. Я прикинул, что если сложить все — от велосипедных замков и щеколд на чердаке до защелок на коробках для запонок, — то на каждого жителя Нью-Йорка приходится, в среднем, по 18 замков, а это значит, что всего в Нью-Йорке около 162 миллионов замков, а это до фигищи.

«Квартира Шеллов... Привет, мам... Немного полегче, но пока еще плохо... Нет... Угу... Угу... Наверное... Я закажу в индийском... Ну и что... О'кей... Угу... Буду... Я знаю... Я *знаю*... Пока».

Я засек время и установил, что на отпирание замка у меня ушло 3 секунды. Затем я подсчитал, что если каждые 50 секунд в Нью-Йорке рождается ребенок, а на каждого жителя приходится по 18 замков, то значит, каждые 2,777 секунды в Нью-Йорке прибавляется по замку. Таким образом, даже если бы я ничего больше не делал, а только отпирал замки, я бы все равно отставал на 0,333 замка в секунду. И это если не переходить от замка к замку, не есть и не спать, что было самым легким «если», потому что я и так не спал. Мне нужен был план получше.

В ту ночь я надел свои белые перчатки, подошел к мусорной корзине в папиной кладовке и открыл пакет, в который ссыпал осколки вазы. Я надеялся отыскать еще один ключ — тот, который подтолкнул бы меня к разгадке. Надо было быть жутко осторожным, чтобы не повредить вещественные доказательства, не попасться маме, не порезаться и при этом найти конверт из-под ключа. Только теперь я увидел то, на что опытный сыщик первым делом обратил бы внимание: на обратной стороне конверта было написано слово «Black»[1]. От злости, что не заметил его сразу, я наставил себе небольшой синяк. Папин почерк выглядел странно. Он выглядел небрежно, как если бы папа писал второпях, или разговаривая по телефону, или просто думая о чем-то другом. Интересно, о чем он думал?

Я порыскал в «Гугле» и обнаружил, что ни у одной из компаний, производящих сейфы, в названии нет слова «Black». Это меня немного огорчило, потому что лишало логического объяснения, которое всегда самое лучшее, хотя, к счастью, не единственное. Затем я обнаружил, что в каждом штате нашей страны и почти во всех странах мира есть место под названием Black. Например, во Франции есть место под названием Noir. Но кому от этого легче. Я еще немного порыскал, хотя знал, что будет только хуже, но уже не мог остановиться. Я распечатал несколько попавшихся по ходу фоток (акула, нападающая на девочку; какой-то человек, идущий по канату между башнями-близнецами; та актриса, которой делает минет ее нормальный бойфренд; солдат, которого обезглавливают в Ираке; пустая стена, на которой раньше висела знаменитая украденная картина) и добавил

---

[1] Черный.

их ко «Всякой всячине, которая со мной приключилась», — это мой альбом, в который я собираю все, что со мной приключается.

На следующее утро я сказал маме, что опять не смогу пойти в школу. Она спросила, что на этот раз. Я сказал: «То же, что всегда». — «Куксишься?» — «Грущу». — «О папе?» — «Обо всем». Она присела ко мне на кровать, хотя я знал, что она торопится. «Что тебя огорчает?» Я начал загибать пальцы: «Мясные и молочные продукты у нас в холодильнике, кулачные разборки, аварии на дорогах, Ларри...» — «Кто такой Ларри?» — «Бездомный у Музея естественной истории. Он еще всегда говорит: «Честное слово, на еду», когда просит денег». Она повернулась ко мне спиной, и я застегнул «молнию» на ее платье, продолжая перечислять: «То, что ты не знаешь, кто такой Ларри, хотя наверняка видела его сто тысяч раз, то, что Бакминстер только спит, ест и ходит в туалет *без всякого raison d'être*, уродливый коротышка без шеи, который проверяет билеты на входе в кинотеатр IMAX, то, что солнце рано или поздно взорвется, то, что каждый год на свой день рождения я обязательно получаю в подарок хотя бы одну вещь, которая у меня уже есть, бедняки, которые жиреют, потому что едят жирную еду, потому что она дешевле...» Здесь у меня закончились пальцы, хотя я был еще в самом начале списка, а мне хотелось сделать его подлиннее, потому что я знал, что она не уйдет, пока я не остановлюсь. «...Домашние животные, то, что у меня *есть* домашнее животное, ночные кошмары, «Майкрософт Виндоуз», старики, которые целыми днями сидят одни, потому что про них все забыли, а им неудобно попросить, чтобы про них вспомнили, секреты, телефоны с крутящимся диском, то, что китайские официантки улыбаются, даже когда им не смешно, и еще, что китайцы владеют мексиканскими ресторанами, а мексиканцы китайскими — никогда, зеркала, кассетники, то, что со мной никто не хочет дружить в школе, бабушкины купоны, вещехранилища, люди, которые не знают про Интернет, плохой почерк, красивые песни, то, что через пятьдесят лет на земле не будет людей...» — «Кто сказал, что через пятьдесят лет не будет людей?» Я спросил: «Ты оптимист или пессимист?» Она посмотрела на часы и сказала: «Я настроена *оптимистично*». — «Тогда у меня для тебя плохие новости, потому что люди уничтожат друг друга при первой возможности, а это скоро». — «А почему тебе грустно от красивых песен?» — «В них все неправда». — «Так уж и все?» — «Красота и правда несовместны». Она улыбнулась, но не особенно радостно, и сказала: «Ты звучишь, совсем как папа».

«В каком смысле я звучу, как папа?» — «Он часто так говорил». — «Типа?» — «Типа то-то и то-то *несовместно*. Или то-то и то-то *гениально*. Или *само собой*». Она засмеялась. «Он все всегда обобщал». — «Что значит «обобщал»?» — «Это значит — объединял вместе. От слова «общий». — «Что плохого в обобщательности?» — «Просто очень часто папа за лесом не различал деревьев». — «За каким лесом?» — «Неважно».

«Мам?» — «Да». — «Мне вообще-то не очень приятно, когда ты говоришь, что я делаю некоторые вещи, совсем как папа». — «Да? Прости. А я часто так говорю?» — «Постоянно». — «Представляю, как это может быть неприятно». — «А бабушка всегда говорит, что я делаю некоторые вещи, совсем как дедушка. Мне от этого не по себе, потому что их нет. И еще мне кажется, что я для вас ничего не значу». — «Вот уж этого ни бабушка, ни я точно не имеем в виду. Разве ты не знаешь, как много ты для нас значишь?» — «Ну, знаю». — «Ты *все* для нас значишь».

Некоторое время она гладила меня по голове, и ее пальцы забирались за ухо, в то место, до которого почти никогда не дотрагиваешься.

Я спросил, можно ли еще раз застегнуть ей платье. Она сказала: «Конечно» и повернулась ко мне спиной. Она сказала: «Мне кажется, будет правильно, если ты все-таки постараешься пойти в школу». Я сказал: «Я стараюсь». — «Сходи хотя бы на первый урок». — «Я даже с кровати встать не могу». Ложь № 6. «Доктор Файн сказал, что я должен к себе прислушиваться. Он сказал, что если не хочется, лучше себя не заставлять». Тут я не совсем соврал, но и не совсем справдивил. «Мне бы не хотелось, чтобы это вошло в привычку», — сказала она. «Не войдет», — сказал я. Положив руку на одеяло, она, видимо, кое-что заподозрила, потому что спросила, лежу ли я в постели одетым. Я сказал: «Да, и это потому, что мне холодно». № 7. «Не считая того, что жарко».

Как только она ушла, я собрал все необходимое и спустился вниз. «Сегодня ты выглядишь лучше», — сказал Стэн. Я сказал, что это не его дело. Он сказал: «Тоже мне». Я сказал: «Просто сегодня я чувствую себя хуже».

Я дошел до магазина художественных принадлежностей на Девяносто третьей улице и спросил женщину у входа, могу ли я поговорить с менеджером, потому что папа всегда так делал, когда у него был важный вопрос. «Я могу чем-нибудь помочь?» — спросила она. «Мне нужен менеджер», — сказал я. «Понимаю. Я могу чем-нибудь помочь?» — «Вы запредельно красивая», — сказал я, потому что она была толстая, и я решил, что ей это будет особенно приятно услышать, и еще для того, чтобы ей снова понравиться, хоть я и вел себя, как сексист. «Спасибо», — сказала она. Я сказал: «Вы просто звезда экрана». Она покачала головой, типа *Ты чё?* «Ладно», — сказал я, и показал ей конверт, и объяснил, как я нашел ключ, и как теперь пытаюсь найти замок, ко-

65

торый он открывает, и как слово «Black» может что-нибудь означать. Я хотел знать все, что она может рассказать мне про черное, поскольку она наверняка является экспертом по цвету. «Ну, — сказала она, — не знаю, какой из меня *эксперт*. Но одно могу отметить: немного необычно, что слово «Black» написано красной ручкой». Я спросил, что в этом необычного, потому что у папы всегда была под рукой красная ручка для «Нью-Йорк Таймс». «Иди сюда», — сказала она и подвела меня к витрине с десятью ручками. «Смотри». Она показала мне блокнот, который был рядом с витриной.

brown cow?

how cow,

ORANGE

Yellow.

blue

green

Purple

Orange green Orange

blue brown RED. purple

TOM Bridget Lee

purple RED. black

Tom Rita Martanardi

GRE TOM EN b.lue

tom orange Red

purple Tom

Nat brown MIKE

Nat green

red

purple pink

GREEN.

green

orange

brown brown

gren purple BLUE Black

Rita M/artanardi.

«Видишь, — сказала она, — большинство людей пишут название цвета той ручки, которую они пробуют». — «Почему?» — «Откуда я знаю. Небось какая-нибудь психологическая заморочка». — «Психологическая значит умственная?» — «Практически». Я над этим задумался, и мне было озарение, что если бы я захотел попробовать синюю ручку, то, скорее всего, написал бы слово «синий». «Не так-то просто сделать, как твой папа, — написать название одного цвета другим цветом. Не у всех получится». — «Правда?» — «А это еще труднее», — сказала она и написала что-то на следующей странице блокнота, и попросила меня прочесть это вслух. Она была права: прочесть оказалось еще труднее, потому что одна часть меня хотела произнести название цвета, а другая часть меня хотела произнести то, что им было написано. В итоге я не произнес ничего.

Я спросил, что бы это могло значить, по ее мнению. «Ну, — сказала она, — не знаю, *значит* ли это вообще что-нибудь. Но смотри: когда человек пробует ручку, он, чаще всего, пишет либо название ее цвета, либо свое имя. То, что «Black» написано красным, наводит меня на мысль, что Блэк — это фамилия». — «Возможно, даже женская». — «И я тебе больше скажу». — «Что?» — «*Б* — у тебя заглавная. А название цветов мы ведь обычно пишем со строчной». — «Бабай!» — «Прошу прощения?» — «*Black написал Блэк*». — «Что?» — «*Black написал Блэк*. Я должен найти этого Блэка». Она сказала: «Если я еще чем-нибудь могу помочь — обращайся». — «Я вас люблю». — «Только не тряси так своим тамбурином — ты в магазине».

Она отошла, а я еще немного постоял, стараясь угнаться за работой своего мозга. Я пролистал блокнот от конца к началу, раздумывая над тем, как бы поступил на моем месте Стивен Хокинг.

Orange
Sarah
black
Dave Stanley
PURPLE
pink
blue
orange
black
red
orange
Dave Stanley
blue
blue
PURPLE
green
green
BLUE
green
brown
8
Wendy
Yellow
Yellow
Yellow
pink
MARCO
purple
blue
Kally Rica
YELLOW
Sarah
orange
GREEN
orange
RED
blue
pink
blue
Sarah
Trisha Grand

green
Beth Feiya
Yellow
black
orange
red
pink
John
black
Thomas Schell
purple
Purple
Purple
Jeremy
GREEN
orange
pink
Fred
BLUE
BLUE
brown
Pink
orange
blue
green
red
GREEN
John
DENNIS
Purple
RED
BROWN
brown
blue
green
green
John
yellow
Nick

Я вырвал из блокнота последний лист и снова побежал за менеджером. Она помогала кому-то выбирать кисточки, но я решил, что не будет невежливым ее прервать. «Это мой папа, — сказал я, тыча пальцем в его имя. — Томас Шелл!» — «Какое совпадение», — сказала она. Я сказал: «Но только он не покупал художественные принадлежности». — «Может, он купил, а тебе не сказал». — «Может, он просто зашел за ручкой». Я обежал весь магазин, от витрины к витрине, проверяя, не оставил ли свой след и в других отделах. Так я смог бы определить, покупал ли он здесь разные художественные принадлежности или только ручку.

Трудно было поверить в то, что я обнаружил.

Его имя было *повсюду*. Он перепробовал маркеры, и тюбики с маслом, и цветные карандаши, и мелки, и ручки, и пастели, и акварели. Он даже процарапал свое имя на куске формовочной глины, и я нашел мастихин с желтым на конце, поэтому я точно знал, чем именно он это сделал. Было похоже, что он затевал крупнейший художественный проект в истории. Только я не понял: ведь все это должно было быть больше года назад.

Я опять нашел менеджера. «Вы сказали, что если вы еще можете чем-нибудь помочь, чтобы я обращался». Она сказала: «Сначала я закончу с покупателем, а потом буду в твоем полном распоряжении». Я стоял и ждал, пока она заканчивала с покупателем. Она повернулась ко мне. Я сказал: «Вы сказали, что если вы еще можете чем-нибудь помочь, чтобы я обращался. Мне необходимо просмотреть ведомости продаж». — «Зачем?» — «Чтобы узнать, когда мой папа здесь был и что именно он купил». — «Зачем?» — «Чтобы знать». — «Но зачем?» — «У вас папа не умер, поэтому вы все равно не поймете». Она сказала: «У тебя умер папа?» Я сказал да. И добавил: «Я очень ранимый». Она подошла к одной из касс, которая на самом деле была компьютер, и понажимала пальцем на экран. «Продиктуй по буквам его фамилию». — «Ш.Е.Л.Л». Она еще понажимала, и пошевелила лицом, и сказала: «Ничего». — «Ничего?» — «Либо он ничего не купил, либо расплатился наличными». — «Акшакак, я щас». —

«Прошу прощения?» — «Оскар Шелл... Привет, мам... Потому что я в туалете... Потому что он был в кармане... Угу... Угу... Немного, но можно я тебе перезвоню, когда я не в туалете... Типа через полчаса?.. Не по телефону... Наверное... Угу... У-гу. О'кей, мам... Да... Пока».

«Тогда у меня еще вопрос». — «Ты со мной разговариваешь или по телефону?» — «С вами. Эти блокноты у витрин давно там лежат?» — «Я не знаю». — «Он умер больше года назад. Это ведь уже давно, да?» — «Так долго они бы точно не пролежали». — «Вы абсолютно уверены?» — «Не абсолютно, но уверена». — «Процентов на семьдесят пять или больше?» — «Больше». — «На девяносто девять?» — «Меньше». — «На девяносто?» — «Около того». Я на несколько секунд сконцентрировался. — «Это ж до фигищи процентов».

Я побежал домой, и еще полазил в Интернете, и обнаружил, что в Нью-Йорке 472 человека по фамилии Блэк. Адресов было 216, потому что некоторые Блэки, само собой, жили вместе. Я подсчитал, что если каждую субботу заходить к двум, что казалось посильным, плюс праздники, минус репетиции «Гамлета» и другие дела, типа геологических и нумизматических конвенций, то у меня уйдет около трех лет, чтобы обойти всех. Но не могу же я ждать три года. Я написал письмо.

Cher Marcel!

Allô. Я мама Оскара. Я тут пораскинула мозгами и пришла к выводу, что не понимаю, зачем Оскару этот французский, поэтому больше он не будет ходить к вам по воскресеньям, как раньше. Я вам очень благодарна за все, чему вы его научили, особенно за условное время, которое полнейший прикол. Само собой, не звоните мне, когда Оскар не придет на урок, потому что я уже об этом знаю,

*потому что я так решила. И еще я буду
по-прежнему оплачивать его занятия,
поскольку вы клевый.*

*Votre ami dévoée
Mademoiselle Шелл*

Это и был мой гениальный план. Находить по выходным
людей с фамилией Блэк и выяснять у них все, что они знают про ключ и вазу из папиной кладовки. Через полтора года я буду знать все. Или хотя бы, что нужен новый план.

Конечно, мне хотелось поговорить с мамой уже в ту
ночь, когда я решил начать свой поиск, но я не мог. Не потому, что думал, что мне влетит за то, что сую нос, куда не
надо, и не потому, что боялся, что она разозлится из-за вазы, и даже не потому, что сам злился на нее за то, что она
столько тусуется с Роном, хотя ей следует пополнять резервуар слез. Не могу объяснить, почему, но я был уверен, что
она не знает ни про вазу, ни про конверт, ни про ключ. Замок был только наш с папой.

Поэтому, если в те восемь месяцев, что я ходил по Нью-
Йорку, она спрашивала, куда я иду и когда вернусь, я отвечал
только: «По делам. Буду позже». Что было особенно странно, и
в чем стоило разобраться — так это почему она никогда ничего не уточняла, типа «По каким делам?» или «Когда позже?»,
хотя обычно очень за меня волновалась, особенно после смерти папы. (Она мне купила мобильник, чтобы мы всегда могли
друг друга найти, и велела ездить на такси, а не на метро. Она
даже водила меня в полицейский участок на отпечатки пальцев, что вообще было суперски.) Так почему же она вдруг стала обо мне забывать? Уходя на поиск замка, я становился чуточку легче, потому что приближался к папе. Но и чуточку тяжелее, потому что я чувствовал, как удаляюсь от мамы.

В ту ночь, лежа в кровати, я не переставая думал про
ключ и как каждые 2,777 секунды в Нью-Йорке рождается
новый замок. Я достал «Всякую всячину, которая со мной
приключилась» из зазора между кроватью и стеной и немного ее полистал, надеясь, что это мне поможет заснуть.

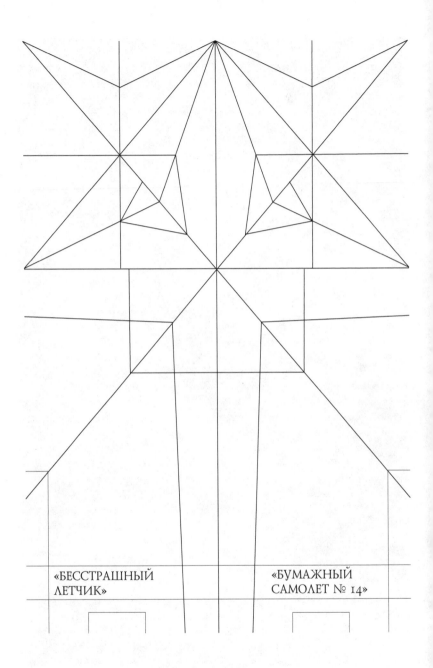

«БЕССТРАШНЫЙ ЛЕТЧИК»

«БУМАЖНЫЙ САМОЛЕТ № 14»

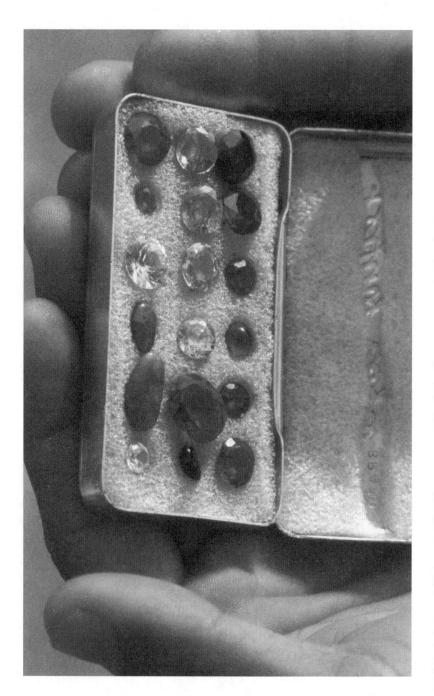

81

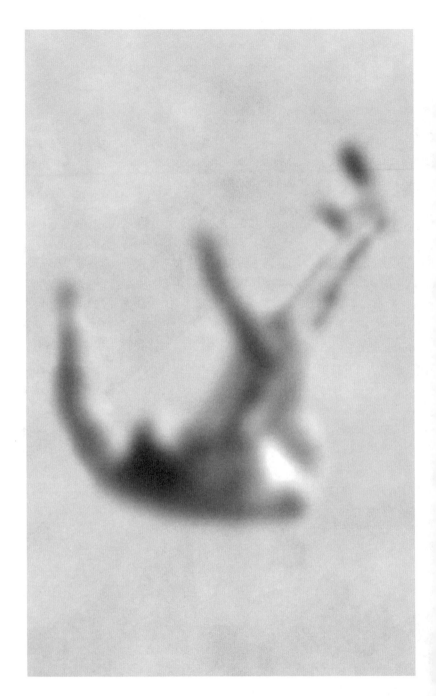

Purple

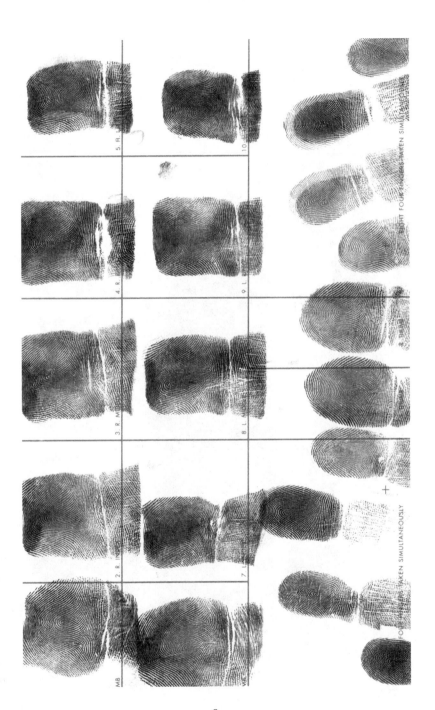

87

Спустя вечность я встал и подошел к шкафу, в котором был спрятан телефон. После наихудшего дня я его оттуда ни разу не вынимал. Это было просто невозможно.

Я часто думаю про те четыре с половиной минуты между тем, когда я пришел домой, и тем, когда позвонил папа. Стэн погладил меня по лицу, чего раньше никогда не делал. Я в последний раз поднялся на лифте. Я открыл дверь в квартиру, поставил на пол сумку и снял ботинки, как будто все зашибись, потому что я ведь не знал, что на самом деле все просто ужас, потому что откуда мне было знать? Я погладил Бакминстера, чтобы показать ему, как я его обожаю. Я подошел к телефону проверить сообщения и прослушал их одно за другим.

Сообщение первое: 8:52
Сообщение второе: 9:12
Сообщение третье: 9:31
Сообщение четвертое: 9:46
Сообщение пятое: 10:04

Я подумал о том, чтобы позвонить маме. Я подумал о том, чтобы схватить мою рацию и радировать бабушке. Я отмотал сообщения к началу и прослушал их снова. Я посмотрел на часы. Было 10:22:21. Я подумал о том, чтобы убежать из дома и больше никогда ни с кем не разговаривать. Я подумал о том, чтобы спрятаться под кровать. Я подумал о том, чтобы поехать к башням-близнецам и посмотреть, не смогу ли как-нибудь спасти его сам. И тогда зазвонил телефон. Я посмотрел на часы. Было 10:22:27.

Я знал, что нельзя допустить, чтобы мама услышала эти сообщения, потому что оберегать ее — один из моих наипервейших *raisons d'être*, поэтому я поступил вот как: я взял деньги из папиного НЗ на комоде и пошел в «Радио шек»[1]

---

[1] Сеть магазинов электроники и электротоваров.

на Амстердам[1]. Там я увидел по телеку, как падает первая башня. Я купил новый телефон, который был в точности такой же, как наш, и примчался домой, и переписал на него наше приветствие со старого телефона. Я замотал старый телефон шарфом, который бабушка так и не довязала из-за моей несговорчивости, и положил его в целлофановый пакет, а пакет положил в коробку, а коробку — в другую коробку, а ее — к себе в шкаф под кучу барахла, типа набора моих ювелирных инструментов и альбомов с иностранными монетами.

В ту ночь, когда я решил, что поиск замка — мой самый главный *raison d'étre* — *raison,* перед которым меркнут все другие *raisons,* — мне было необходимо его услышать.

Я жутко старался не нашуметь, вынимая из тайника телефон. Хоть громкость была почти нулевая, чтобы папин голос не разбудил маму, он все равно заполнил комнату, типа как свет, даже когда он тусклый.

Сообщение второе. 9:12. *Это опять я. Ты там? Алло? Прости, если. Здесь немного. Дымно. Я надеялся, что застану. Тебя. Дома. Не знаю, слышал ли ты уже, что произошло. Но. Я. Просто хотел дать знать, что в порядке. Все. Нормально. Когда прослушаешь, позвони бабушке. Скажи ей, что я в порядке. Я скоро еще позвоню. Пожарные, наверное, будут. Здесь вот-вот. Я позвоню.*

Я снова завернул телефон в недовязанный шарф и положил его обратно в пакет, а пакет положил обратно в коробку, а коробку — в другую коробку, и все это — в шкаф под кучу барахла.

Я до бесконечности пялился на фальшивые звезды.

Я изобретал.

---

[1] Название одной из авеню в Манхэттене.

Я наставил себе синяк.

Я изобретал.

Я встал, подошел к окну и взял рацию. «Бабушка? Бабушка, как слышишь меня? Бабушка? Бабушка?» — «Оскар?» — «Я в порядке. Прием». — «Так поздно. Что случилось? Прием». — «Я тебя разбудил? Прием». — «Нет. Прием». — «Что ты делала? Прием». — «Болтала с жильцом. Прием». — «Он до сих пор не спит? Прием». Мама сказала, чтобы я не задавал бабушке вопросов про жильца, но часто это само собой получалось. «Нет, — сказала бабушка, — он только что ушел. У него были дела по хозяйству. Прием». — «В 4:12 утра? Прием».

Жилец поселился у бабушки сразу после смерти папы, но хоть я и бывал у нее в квартире практически каждый день, я ни разу его не встретил. Он постоянно бегал по хозяйственным делам, или дремал, или принимал душ, даже когда вода не шумела. Мама сказала: «Мне кажется, бабушке очень одиноко, ты не думаешь?» Я ей ответил: «Мне кажется, всем людям одиноко». — «Но у бабушки нет ни мамы, ни таких друзей, как Даниэль и Джейк, ни хотя бы Бакминстера». — «Это правда». — «Может, ей нужен воображаемый друг». — «Но я-то настоящий», — сказал я. «Да, и она любит, когда ты у нее бываешь. Но у тебя ведь есть еще школа, и друзья, и репетиции "Гамлета", и кружки...» — «Пожалуйста, не называй их кружками». — «Я только хотела сказать, что ты не можешь быть с ней постоянно. И еще ей, наверное, хочется, чтобы у нее был друг ее возраста». — «Откуда ты знаешь, что ее воображаемый друг старый?» — «Ты прав, я этого не знаю».

Она сказала: «Каждому человеку нужен друг». — «Это ты про Рона?» — «Нет. Это я про бабушку». — «Хотя, на самом деле, про Рона». — «Нет, Оскар. Не про Рона. И мне не нравится твой тон». — «Обычный тон». — «Не обычный, а инкриминирующий». — «Я даже не знаю, что значит "инкриминирующий», — как это может быть мой тон?» — «Ты хотел, чтобы мне стало стыдно за то, что у меня есть друг». — «Нет, не хотел». Она провела рукой с обручальным кольцом по своим волосам и сказала: «Ты знаешь, я действительно *говорила* только про бабушку, Оскар, но это правда. Мне тоже нужны друзья. Что в этом плохого?» Я пожал плечами. «Разве ты не думаешь, что и папе хотелось бы, чтобы у меня были друзья?» — «Обычный тон».

Бабушка живет в доме через дорогу. Мы на пятом этаже, а она на третьем, но разница практически незаметна. Иногда она мне пишет записки на окне, которые я читаю в бинокль, а однажды мы с папой потратили весь вечер, проектируя бумажный самолет, который можно было бы запускать из нашей квартиры в ее. Стэн стоял на улице и подбирал наши неудавшиеся попытки. Я помню одну записку, которую она написала вскоре после того, как умер папа: «Не уходи».

Бабушка высунулась в окно и приложила рацию запредельно близко к губам, отчего у нее поплыл голос. «Ты в порядке? Прием?» — «Бабушка? Прием?» — «Да? Прием». — «Почему спички такие короткие? Прием». — «В каком смысле? Прием». — «Всегда кажется, что они сгорят целиком. Под конец все торопятся, а иногда даже обжигают пальцы. Прием». — «Я не специалист, — сказала она, как всегда принижая себя, прежде чем высказать свое мнение, — но я думаю, спички короткие для того, чтобы умещаться в кармане. Прием». — «Ага, — сказал я, балансируя подбородком на руке, а локтем на подоконнике. — Мне тоже так кажется. А что, если сделать карманы поглубже? Прием». — «Я в этом мало что смыслю, но думаю, что людям будет трудно доставать вещи, если сделать их очень глубокими. Прием». — «Точно, — сказал я, меняя руки, потому что одна затекла. — А что если придумать переносной карман? Прием». — «Переносной карман? Прием». — «Ага. Он будет типа как носок, но только с липучкой снаружи, чтобы его можно было ко всему прицепить. Не совсем сумка, потому что он все-таки часть одежды, но и не совсем карман, потому что снаружи, и еще съемный, а в этом куча преимуществ: во-первых, из него легче перекладывать вещи, когда меняешь одежду, а во-вторых, в нем можно носить большие вещи, поскольку карман всегда можно отцепить и достать их даже из глубины. Прием». Она приложила руку к той стороне ночной рубашки, под которой сердце, и сказала: «Звучит на сто долларов. Прием». — «Переносной карман убережет много пальцев от обжигания короткими спичками, — сказал я, — и не даст потрескаться губам из-за короткого «Чапстика»[1]. А кстати, почему шоколадные батончики такие маленькие? У тебя когда-нибудь было, чтобы ты один съела — и больше не захотелось? Прием». — «Мне нельзя шоколад, — сказала она. — Но я тебя прекрасно понимаю. Прием». — «В нем можно будет носить длинные расчески, чтобы их хватало сразу на весь пробор, и большие кармандаши». — «Кармандаши?» — «Карандаши для переносных карманов». — «Да-да». — «Большие кармандаши удобнее держать, когда у тебя пальцы, как мои — толстые, а еще можно было бы натренировать спасательных птиц, чтобы они использовали этот карман, как сранец». — «Я не поняла». — «Если его прицепить к *спасательному жилету из птичьего корма*».

«Оскар? Прием». — «Я в порядке. Прием». — «Почему ты не спишь, лапонька? Прием». — «В каком смысле? Прием». — «Почему ты не спишь? Прием?» — «Я скучаю по папе. Прием». — «Я тоже. Прием». — «Я очень по нему скучаю. Прием». — «И я. Прием». — «Все время. Прием». — «Все время. Прием». Я не мог ей объяснить, что скучаю по нему больше — больше, чем она, больше, чем все на свете,

---

[1] Лечебная защитная помада для губ.

потому что я не мог рассказать ей про телефон. Эта тайна была дырой в моем сердце, в которую проваливалась любая радость. «Я тебе когда-нибудь рассказывала, как дедушка останавливался и гладил встречных животных, всегда, даже если очень спешил? Прием?» — «Ты мне об этом рассказывала гуголплекс раз. Прием». — «А про то, как у него руки были такие огрубевшие и красные от скульптур, что иногда я ему говорила — в шутку, конечно, что это не он лепит скульптуры, а они его? Прием». — «Про это тоже. Но можешь по новой рассказать, если хочешь. Прием». Она рассказала по новой.

По улице, которая нас разделяла, проехала «Скорая», и я представил того, кто внутри, и что с ним случилось. Как он, типа, сломал лодыжку, выполняя навороченный трюк на скейтборде. Или как умирает от ожогов третьей степени, покрывающих девяносто процентов его тела. А вдруг я его знаю? А вдруг кто-то смотрит на эту «Скорую» и думает, что внутри я?

Что если сделать прибор, распознающий всех, кого ты знаешь? Тогда у едущей по улице «Скорой» на крыше могла бы загораться надпись:

НЕ ВОЛНУЙСЯ! НЕ ВОЛНУЙСЯ!

если прибор того, кто внутри, не распознал приборы тех, кто снаружи. А если *распознал*, то на «Скорой» могло бы загораться имя того, кто внутри, и либо:

НИЧЕГО СЕРЬЕЗНОГО! НИЧЕГО СЕРЬЕЗНОГО!

либо, если это что-то серьезное:

ЭТО СЕРЬЕЗНО! ЭТО СЕРЬЕЗНО!

Еще можно распределить всех, кого ты знаешь, по тому, как сильно их любишь, и если прибор того, кто в «Скорой», распознал прибор того, кого он больше всех любит, или того, кто больше всех любит его, и если у того, кто в «Скорой», по-настоящему тяжелая травма, и он может даже умереть, на «Скорой» могло бы загораться:

ПРОЩАЙ! Я ЛЮБЛЮ ТЕБЯ! ПРОЩАЙ! Я ЛЮБЛЮ ТЕБЯ!

Еще может быть так, что кто-нибудь окажется первым номером в списках сразу многих людей, и когда он будет умирать, а «Скорая» — ехать по улицам в больницу, на ней постоянно будет гореть:

ПРОЩАЙ! Я ЛЮБЛЮ ТЕБЯ! ПРОЩАЙ! Я ЛЮБЛЮ ТЕБЯ!

«Бабушка? Прием?» — «Что, лапонька? Прием?» — «Если дедушка был такой хороший, почему он тогда от тебя ушел? Прием». Она сделала полшага назад и пропала из вида. «Он не хотел уходить. Ему просто пришлось. Прием». — «Но *почему* пришлось? Прием». — «Я не знаю. Прием». — «И ты не сердишься? Прием». — «На него? За то, что он ушел? Прием». — «На себя. За то, что не знаешь, почему. Прием». — «Нет. Прием». — «И не расстраиваешься? Прием». — «Очень расстраиваюсь. Прием». — «Не отключайся», — сказал я, и подбежал к своему походному набору, и схватил дедушкин фотик. Я подошел с ним к окну и щелкнул ее окно. Вспышка осветила улицу, которая нас разделяла.

10. *Уолт*

9. *Линди*

8. *Алиша*

Бабушка сказала: «Я только надеюсь, что ты никого не будешь любить так же сильно, как я тебя. Прием».

7. Фарлей

6. Минч/Тюбик (поровну)

5. Стэн

Я услышал, как она поцеловала кончики своих пальцев, а потом подула на них.

4. Бакминстер

3. Мама

Я тоже послал ей воздушный поцелуй.

2. Бабушка

«Отбой», — сказал кто-то из нас.

1. Папа

Нам нужны карманы побольше, размышлял я уже в постели, поджидая, когда истекут семь минут, необходимых нормальному человеку, чтобы заснуть. Нам нужны громаднейшие карманы — такие, чтобы в них умещались наши семьи, и наши друзья, и даже люди, которых нет в наших списках, незнакомые, которых мы все равно хотим защитить. Нам нужны карманы для муниципальных округов и целых городов, карманы, способные вместить всю Вселенную.

Восемь минут тридцать две секунды...

Но я знал, что карманы не бывают такими большими. В конце концов все потеряют всех. Нет такого изобретения, чтобы это предотвратить, и поэтому в ту ночь я чувствовал себя, как та самая последняя черепаха, на которой держались все остальные.

Двадцать одна минута, одиннадцать секунд...

Ну, а ключ я повесил на веревочку рядом с ключом от квартиры и носил, как колье.

7-1239

Ну, а сам я не мог заснуть еще долго-долго. Бакминстер свернулся рядышком, и я поспрягал немного, чтобы не думать о другом.

Je suis

Tu es

Il/elle est

Nous sommes

Vous êtes

Ils/elles sont

Je suis

Tu es

Il/elle est

Nous

Ночью я проснулся только один раз, потому что Бакминстер положил мне лапы на веки. Он, наверное, почувствовал, что мне снятся кошмары.

МОИ ЧУВСТВА

12 сентября 2003 года

Дорогой Оскар!

Я пишу из аэропорта.

Мне так много нужно тебе сказать.   Я хочу начать сначала, потому что другого ты не заслуживаешь.   Я хочу рассказать тебе все, не пропуская ни одной мелочи.   Но где начало?   И что значит все?

Сейчас я старая, а когда-то была девчонка.   Это правда. Я была, как ты.   В мои обязанности входило доставать из почтового ящика почту. Однажды там оказалась записка. На ней был наш адрес, но не было имени адресата.   Значит, она и мне, подумала я.   Я ее развернула. Многие слова были вымараны из текста цензором.

14 января 1921 года

Получателю этого письма:

Меня зовут ХХХХХХ ХХХХХХХХХ, и я ХХХХХХХ в турецком исправительно-трудовом лагере, барак ХХ.   Я знаю, что мне повезло ХХ ХХХХХХ, что я вообще жив.   Я решил написать тебе, не зная, кто ты.   Мои родители ХХХХХХХ ХХХ.   Мои братья и сестры ХХХХХ ХХХХ, но главное ХХХХХ ХХ ХХХХХХХХ!   Я пишу ХХХ ХХ ХХХХХ ХХХХХХХ каждый день с тех пор, как я здесь.   Я обмениваю хлеб на марки, но ответа пока не получил.   Я утешаю себя тем, что наши письма просто не отправляются. ХХХ ХХ ХХХХХХ, или хотя бы ХХХ ХХХХХХХХХХ?

XX XXXXX X XX на протяжении XXXXX XX.

XXX XXX XX XXXXX и XXXXX XX XXXXX XX XXX, но ни разу XXX XX XXXXXX, XXX XXXXXXXX XXX XXXXX кошмаре?

XXX XXX, XX XXXXX XX XXXXX XX!   XXXXX XX XXX XX XXX XX XXXXXX написать мне пару слов, я буду признателен до небес.   Некоторые из XXXXXX XXXX получают почту, поэтому я знаю, что XX XX XXXXXXXX.   Пожалуйста, вложи свое фото и напиши, как тебя зовут.   Ничего не забудь.

С огромной надеждой

Искренне твой,

XXXXXXXX XXXXXXXXX

Я примчалась с письмом к себе в комнату.   Я спрятала его под матрас.   Я никогда не сказала о нем ни отцу, ни матери.   Много ночей подряд я не могла уснуть, строя догадки.   За что его отправили в турецкий исправительно-трудовой лагерь?   Почему письмо пришло через пятнадцать лет после того, как он его написал?   Где оно находилось все эти годы?   Почему никто ему не ответил? Он ведь сказал, что другие получают почту. Почему он отправил письмо нам?   Откуда он знает название моей улицы?   Откуда он знает про Дрезден?   Где он выучил немецкий? Что с ним стало потом?

Я попробовала составить его портрет по письму.   Слова были совсем простые.   Хлеб всегда значит хлеб.   Почта есть почта.   Огромная надежда — это огромная надежда, и ничего больше.   Но еще был почерк.

И вот я попросила отца, твоего прадеда, которого считала самым лучшим, самым добрым человеком на свете, написать мне письмо.   Я сказала, что неважно, о чем оно будет.   Только напиши, — сказала я.   Что угодно.

Родная моя!

Ты хотела, чтобы я написал тебе письмо, и вот я пишу тебе письмо.   Я понятия не имею, ни зачем его пишу, ни о чем мне следует написать, но это все равно, потому что я слишком тебя люблю и уверен, что ты попросила из лучших побуждений.   Надеюсь, что когда-нибудь и тебе доведется узнать, как приятно сделать для любимого то, чего сам не понимаешь.

Твой отец

Ничего, кроме этого письма, у меня от отца не осталось. Даже фотографии.

Дальше я пошла в тюрьму.   Мой дядя был там охранником.   Мне удалось заполучить образец почерка убийцы. Дядя попросил его написать ходатайство о досрочном освобождении.   Это была злая шутка.

В Тюремное управление:

Меня зовут Курт Шлютер.   Я заключенный номер 24 922.   Сюда в тюрьму меня поместили несколько лет назад.   Когда точно, не знаю.   Календарей у нас нет. Я рисую на стене линии мелом.   Но во время дождя дождь попадает в окно, когда я сплю.   И когда я встаю, линий нет.   Поэтому я точно не знаю, сколько прошло.

Я убил брата.   Раскроил ему голову лопатой.   Потом, после, той же лопатой я закопал его в саду.   Земля была красная.   Над тем местом в траве, над ним, лез сорняк. Я часто вставал по ночам на колени и выдирал его, чтобы никто не узнал.

Я сделал страшную вещь.   Я верю в загробную жизнь. Я знаю, что сделанного не воротишь.   Жаль, что прожитые дни нельзя смыть так же просто, как меловые линии прожитых дней.

Я постарался исправиться.   Я помогаю другим заключенным выполнять их обязанности.   Я теперь терпелив.

Вам это, может, и все равно, но у брата был роман с моей женой.   Жену я не убил.   Я хочу к ней вернуться, потому что простил ее.

Если вы меня освободите, я буду добропорядочным, тихим и неприметным.

Прошу вас рассмотреть мое ходатайство.

Курт Шлютер, заключенный № 24 922

Позднее дядя сказал мне, что этот заключенный пробыл в тюрьме больше сорока лет.   Он вошел в нее юношей. А когда писал мне письмо, был старым и сломленным.   Его жена вторично вышла замуж.   У нее были дети и внуки. Хоть он мне этого и не говорил, я догадалась, что дядя дружил с заключенным.   Он тоже потерял жену и тоже был в тюрьме.   Он мне этого не говорил, но я поняла по голосу, что он заботится о заключенном.   Они охраняли друг друга.   И когда через несколько лет я спросила у дяди, что стало с тем заключенным, дядя сказал, что он все еще в тюрьме.   Он продолжал писать письма в управление.   Он продолжал казнить себя и прощать жену, не подозревая, что пишет в пустоту.   Дядя брал письма, обещая, что они будут доставлены.   Но они оставались у него.   Все ящики его комода были ими забиты.   Помню, я однажды подумала, что одно это способно толкнуть человека на самоубийство.   Я оказалась права.   Мой дядя, твой двоюродный прадед, покончил с собой.   Конечно, я допускаю, что заключенный не имел к этому никакого отношения.

Три письма уже можно было сравнить.   Я, по крайней мере, увидела, что почерк осужденного на принудительные работы больше похож на почерк моего отца, чем на почерк убийцы.   Но я поняла, что мне понадобятся еще письма. Чем больше, тем лучше.

Тогда я пошла к своему учителю музыки.   Мне всегда хотелось его поцеловать, но я боялась, что он меня засмеет. Я попросила его написать письмо.

А потом попросила сестру моей матери.   Она любила танцевальную музыку, но терпеть не могла танцевать.

Я попросила свою одноклассницу Мэри написать мне письмо.   Она была смешная и неуемная.   Когда родителей не было, ей нравилось носиться по всему дому раздетой даже и в более старшем возрасте.   Ее ничто не смущало. Я ей так завидовала, потому что сама все время смущалась и страдала от этого.   Она обожала скакать на постели. Она скакала столько лет, что однажды на моих глазах на матрасе разошлись швы.   Небольшая комната заполнилась перьями.   Наш смех не давал им осесть.   Я подумала про птиц.   Смогли бы они летать, если бы никто нигде не смеялся?

Я пошла к бабушке, твоей прапрабабушке, и попросила написать мне письмо.   Это была мамина мама.   Мать матери матери твоего отца.   Я ее почти не знала.   Мне и не хотелось ее знать. Кому нужно прошлое, думала я, как всякий ребенок.   Я не предполагала, что прошлому могу быть нужна я.

Какого рода письмо? — спросила бабушка.

Я сказала, чтобы она написала все, что захочет.

Ты хочешь от меня письмо? — спросила она.

Я сказала да.

Дай тебе Бог здоровья, — сказала она.

Письмо, которое она мне дала, было на шестидесяти семи страницах.   Это была история ее жизни.   Мою просьбу к ней она превратила в свою просьбу ко мне.   Слушай меня.

Я столько всего для себя открыла.   В юности она пела. Девочкой побывала в Америке.   Я об этом не знала.   Она так часто влюблялась, что начала сомневаться, влюбляется ли вообще или с ней происходит что-то более прозаическое. Я узнала, что она так и не научилась плавать и поэтому всегда любила реки и озера.   Она попросила отца, моего прадеда, твоего прапрапрадеда, купить ей голубку.   А он купил ей косынку.   Тогда она представила, что косынка — это голубка.   Она даже убедила себя, что косынка умеет летать, но не летает, чтобы никто не узнал, кто она на самом деле.   Вот как она любила своего отца.

Письмо погибло, но его заключительные строчки навсегда остались со мной.

Она написала: я бы хотела снова стать девочкой, и чтобы вся жизнь снова была впереди.   Я страдала чаще, чем следовало.   А радости, которые мне выпали, не всегда радовали.   Теперь я бы прожила иначе.   Когда я была в твоем возрасте, дедушка купил мне рубиновый браслет. Он был большой и болтался на запястье.   Не браслет, а целое ожерелье.   Позднее дедушка признавался, что специально просил ювелира сделать его таким.   Он хотел, чтобы размер браслета был символом его любви.   Больше рубинов — больше любви.   Но носить его было мукой. Я вообще его не носила.   И вот главное, что я хочу тебе сказать.   Если я решу подарить тебе браслет, я сперва дважды измерю твое запястье.

С любовью

Твоя бабушка

У меня были письма от всех моих знакомых.   Я разложила их на полу своей спальни и попробовала систематизировать.   Ровно сто писем.   Я постоянно перекладывала их из одной стопки в другую, отыскивая связи.   Я хотела понять.

Через семь лет вновь возник один знакомый из детства, и как раз когда я больше всего в нем нуждалась.   Я была в Америке всего пару месяцев.   Жила на пособие агентства, но скоро предстояло начать зарабатывать самой.   Я понятия не имела, чем буду зарабатывать.   Целыми днями читала газеты и журналы.   Хотела выучить идиомы.   Хотела стать настоящей американкой.   Перемывать кости. Выпускать пар.   Без пяти минут в яблочко.   Всплывать в памяти.   Наверное, я звучала нелепо.   А хотелось звучать естественно.   Я махнула на это рукой.

Я его не видела с тех пор, как все потеряла.   Я о нем не вспоминала.   Он дружил с моей старшей сестрой Анной. Однажды я случайно увидела, как они целуются в поле за сараем на задворках нашего дома.   Я так возбудилась. Показалось, что это я с ним целуюсь.   Я еще никогда не целовалась.   Но возбудилась больше, чем если бы целовалась сама.   Дом у нас был небольшой.   Мы с Анной спали в одной постели.   Ночью я ей обо всем рассказала. Она взяла с меня слово никому об этом не говорить. Я обещала.

Она сказала: Почему я должна тебе верить?

Я хотела сказать: Потому что это перестанет быть только моим, если я кому-нибудь расскажу.   Я сказала: Потому что я твоя сестра.

Спасибо.

Можно я буду смотреть, как вы целуетесь?

Можно ты будешь смотреть, как мы целуемся?

Ты мне заранее говори, где вы собираетесь целоваться, а я буду там прятаться и смотреть.   Ее смех удержал бы в небе целую стаю птиц.   Так она сказала мне да.

Иногда это происходило в поле за сараем на задворках нашего дома.   Иногда за каменной оградой во дворе школы.   Всегда за чем-нибудь.

Я гадала, сказала ли она ему.   Я гадала, чувствует ли она, как я на них смотрю, возбуждает ли ее это.

Почему я напросилась смотреть?   Почему она согласилась?

Я и к нему обращалась, когда пыталась разузнать про осужденного на принудительные работы.   Я ко всем обращалась.

Прелестной младшей сестричке Анны:

Вот письмо, о котором ты просила.   Во мне почти два

метра роста.   У меня карие глаза.   Многие считают, что у меня громадные руки.   Я хочу быть скульптором и хочу жениться на твоей сестре.   Других желаний у меня нет.   Я могу написать еще, но это самое важное.

Твой друг

Томас

Через семь лет я вошла в булочную — а там он.   У его ног лежали собаки, а сбоку стояла клетка с какой-то птицей.   Эти семь лет были не как семь лет.   Но и не как семьсот лет.   Их протяженность не измерить годами, как океаном не объяснить путь, который мы проделали, как всех мертвых не сосчитать.   Мне захотелось убежать от него и захотелось подойти к нему.   Я подошла.

Ты Томас? — спросила я.

Он покачал головой — нет.

Томас, — сказала я.   Я уверена.

Он покачал головой — нет.

Из Дрездена.

Он показал мне правую ладонь с татуировкой НЕТ.

Я тебя помню.   Я подсматривала, как ты целуешься с моей сестрой.

Он достал маленькую книжицу и написал: Я не говорю. Прости.

Я расплакалась.   Он утер мне слезы.   Но так и не признал, что он — это он.   Никогда не признал.

Мы провели вместе вечер.   Все время хотелось к нему прикоснуться.   Я так давно его не видела, и он пробудил во мне такую жалость.   Семь лет назад он был великаном, а теперь казался маленьким.   Я хотела отдать ему деньги, которые мне дали в агентстве.   Я не спешила рассказывать о себе, но жаждала знать о нем.   Мне хотелось оберегать его, и я была уверена, что смогу, хотя сама была беззащитной.

Я спросила: Ты стал скульптором, как мечтал?

Он показал мне правую ладонь, и наступило молчание.

Нам столько нужно было друг другу сказать, но мы не знали, как.

Он написал: Ты в порядке?

Я сказала: У меня глаза паршивят.

Он написал: Но ты в порядке?

Я сказала: Это очень сложный вопрос.

Он написал: Это очень простой ответ.

Я спросила: Ты в порядке?

Он написал: Бывают дни, когда я просыпаюсь с чувством благодарности.

Мы еще долго говорили, но лишь снова и снова повторяли одно и то же.

Наши чашки опустели.

День опустел.

Я ощущала одиночество сильнее, чем если бы была одна.

Мы собирались разойтись в разные стороны.   Мы ничего другого не умели.

Уже поздно, — сказала я.

Он показал мне левую ладонь с татуировкой ДА.

Я сказала: Мне, наверное, пора.

Он отлистнул назад несколько страниц в своей книжице и указал на: Ты в порядке?

Я кивнула, что да.

Я направилась к выходу.   Я решила идти к Гудзону и идти дальше.   По пути я бы подобрала камень потяжелее — и пусть вода заполнит мне легкие.

Вдруг я услышала, как он хлопнул в ладоши у меня за спиной.

Я обернулась, и он жестом подозвал меня к себе.

Мне захотелось убежать от него и захотелось подойти к нему.

Я подошла.

Он спросил, могу ли я ему попозировать.   Он написал

свой вопрос по-немецки, и я только тогда осознала, что все это время он писал по-английски, и я говорила по-английски.   Да, — сказала я по-немецки.   Да.   Мы договорились на завтра.

Его квартира была как зоопарк.   Повсюду звери.   Собаки и кошки.   Дюжина птичьих клеток.   Аквариум. Стеклянный куб со змеями, ящерицами и насекомыми. Мыши в клетках, чтобы их не съели коты.   Просто Ноев ковчег.   Но в одном углу была чистота и порядок.

Он сказал, что он специально отделил это место.

Для чего?

Для скульптур.

Я хотела спросить, от чего или от кого он его отделил, но не спросила.

Он провел меня за руку.   Полчаса мы обсуждали его замысел.   Я сказала, что готова на все.

Мы выпили кофе.

Он написал, что еще не делал скульптур в Америке.

Почему не делал?

Не мог.

Почему не мог?

Мы никогда не говорили о прошлом.

Он открыл задвижку дымохода — я не знала, зачем.

В соседней комнате щебетали птицы.

Я сняла одежду.

Я легла на диван.

Он стал на меня смотреть.   Я впервые была обнаженной перед мужчиной.   Интересно, знал ли он об этом?

Он подошел и стал двигать мое тело, как будто я была куклой.   Он заложил мне руки за голову.   Он слегка согнул в колене мою правую ногу.   Я решила, что его руки огрубели от скульптур, которые он лепил раньше.   Он опустил мой подбородок.   Он развернул мои кисти ладонями вверх.   Его взгляд залатал дыру в самом центре моего существа.

На следующий день я пришла опять.   И на следующий.

Я перестала искать работу.   Его взгляд — единственное, что имело значение.   Ради него я всем была готова пожертвовать.

Каждый раз все повторялось.

Он говорил о своем замысле.

Я говорила, что сделаю все, что он скажет.

Мы пили кофе.

Мы никогда не говорили о прошлом.

Он открывал задвижку дымохода.

В соседней комнате щебетали птицы.

Я раздевалась.

Он придавал мне позу.

Он меня лепил.

Порой я думаю о тех ста письмах, что остались разложенными на полу моей спальни.   Если бы не они, может, наш дом не горел бы так ярко?

По окончании сеансов я смотрела на скульптуру.   Он уходил кормить животных.   Он давал мне возможность побыть с ней наедине, хотя я никогда не просила его об этом.   Он понимал.

Почти сразу стало очевидно, что он лепит Анну.   Он пытался воспроизвести ту девочку семилетней давности.   Он лепил, глядя на меня, а видел ее.

Поиск позы занимал все больше и больше времени.   Он трогал меня везде.   Он меня перекладывал.   Он потратил целых десять минут, сгибая и разгибая мое колено.   Он складывал и выпрямлял мои руки.

Надеюсь, это тебя не смущает, — написал он по-немецки в своей книжице.

Нет, — сказала я по-немецки. — Нет.

Он сложил мою руку.   Он распрямил мою руку.   На

следующей неделе он возился с моей прической — не то пять, не то пятьдесят минут.

Он написал: Я ищу приемлемый компромисс.

Как он не умер в тот вечер, хотела бы я знать.

Он коснулся моих грудей, разведя их в стороны.

Мне кажется, так хорошо, — написал он.

Что хорошо, хотела бы я знать.   И чем это лучше?

Его руки были повсюду.   Я рассказываю тебе об этих вещах, потому что я их не стесняюсь, потому что они для меня важны.   И я не сомневаюсь, что ты меня поймешь. Ты единственный, в ком я не сомневаюсь, Оскар.

Поиск позы и был лепкой.   Он лепил меня.   Он пытался сделать меня той, которую смог бы любить.

Он раздвинул мне ноги.   Его ладони прижались к моим бедрам изнутри.   Мои бедра прижались к его ладоням снаружи.   Он надавил.

В соседней комнате щебетали птицы.

Мы искали приемлемый компромисс.

На следующей неделе он размял тыльные стороны моих ног, а еще через неделю лег сзади.   Я впервые занималась любовью.   Интересно, знал ли он об этом?   Это было все равно как плакать.   Я подумала: Зачем люди вообще занимаются любовью?

Я смотрела на недолепленную скульптуру своей сестры, а недолепленная девочка смотрела на меня.

Зачем люди вообще занимаются любовью?

Мы вместе дошли до булочной, в которой первый раз встретились.

Вместе, но порознь.

Мы сели за столик.   По одну сторону, лицом к окнам.

Меня не волновало, сможет ли он меня полюбить.

Меня волновало, сможет ли он во мне нуждаться.

Я нашла в его книжице чистую страницу и написала: Пожалуйста, женись на мне.

Он посмотрел на свои руки.

ДА и НЕТ.

Зачем люди вообще занимаются любовью?

Он взял ручку и написал на следующей и последней странице: Никаких детей.

Это было наше первое правило.

Поняла, — сказала я по-английски.

Больше мы по-немецки не говорили.

На другой день мы с твоим дедушкой поженились.

ЕДИНСТВЕННОЕ ЖИВОТНОЕ

Я прочел первую главу «Краткой истории времени», когда папа был еще жив, и у меня возникли запредельно тяжелые гири на сердце от того, как, в сущности, мало значит человеческая жизнь и как в сравнении со Вселенной и в сравнении с вечностью вообще не важно, что я существую. Когда в ту ночь папа укладывал меня спать и мы обсуждали книгу, я спросил, знает ли он решение этой задачи. «Какой задачи?» — «Того, что наша жизнь так мало значит». Он сказал: «Ну, смотри: что будет, если самолет сбросит тебя посреди пустыни Сахара, и ты возьмешь пинцетом одну песчинку и сдвинешь ее на один миллиметр?» — «Вероятно, я умру от обезвоживания». Он сказал: «Я имею в виду, в тот момент, когда ты сдвинешь песчинку. Что это будет означать?» Я сказал: «Без понятия, а что?» Он сказал: «Подумай». Я подумал. «Ну, типа, что я сдвинул песчинку». — «Из чего следует?» — «Из чего следует, что я сдвинул песчинку». — «Из чего следует, что ты изменил Сахару». — «И что?» — «Что? А то, что Сахара — громаднейшая пустыня. Она существует десятки миллионов лет. А ты ее изменил!» — «Вот это да! — сказал я, садясь на кровати. — Я изменил Сахару». — «Из чего следует?» — сказал он. «Что? Ну, скажи». — «И я ведь не говорю о том, чтобы нарисовать «Мону Лизу» или найти лекарство от рака. Я говорю всего лишь о том, чтобы сдвинуть одну песчинку на один миллиметр». — «Ага?» — «Если бы ты этого *не сделал*, история человечества пошла бы по одному пути...» — «Угу?» — «Но ты это *сделал*, и поэтому...» Я встал во весь рост, указал пальцами на фальшивые звезды и крикнул: «Я изменил ход истории человечества!» — «Вот именно». — «Я изменил Вселенную!» — «Точно». — «Я Бог!» — «Ты атеист». — «Меня не существует!» Я плюхнулся обратно в кровать, к нему в охапку, и мы вместе раскололись.

Что-то типа этого я почувствовал, когда решил обойти всех жителей Нью-Йорка с фамилией Блэк. Может, в сравнении с вечностью и Вселенной это было ничто, но для меня это была задача, а задача мне необходима, как акулам, которые умирают, если не плавают, о чем мне известно.

Ладно.

Я решил, что пойду по именам в алфавитном порядке, от Аарона к Яне, хотя ясно, что ходить по географическим зонам было бы эффективнее. Что я еще решил, так это изо всех сил скрывать правду о своем намерении дома, и не скрывать ее не дома, потому что так надо. Поэтому, если мама спросит: «Куда ты и когда вернешься?», я буду отвечать: «По делам, позже». Но если какой-нибудь Блэк захочет что-нибудь узнать, я расскажу ему все. У меня были еще правила: не быть сексистом, или расистом, или гомофобом, или плаксой, не дискриминировать против пожилых, инвалидов и дегенераторов и не обманывать без повода, чем я занимался постоянно. Я приготовил специальный походный набор, куда вошли вещи первой необходимости, типа карманный фонарик «Магнум», «Чапстик», несколько печений «Фиг Ньютонз»[1], целлофановые пакеты для мусора и важных вещественных доказательств, мобильник, инсценировка «Гамлета» (чтобы заучивать ремарки по дороге из одного места в другое, потому что у меня роль без слов), топографическая карта Нью-Йорка, ампулы с йодом на случай грязной бомбы, мои белые перчатки — само собой, две упаковки сока «Джю-

---

[1] Особый вид высококалорийного мягкого печенья с начинкой из протертого инжира.

си Джюс»¹, увеличительное стекло, «Карманный словарь Ларусса» и еще куча всего полезного. Пора было идти.

Когда я выходил, Стэн сказал: «День-то какой!» Я сказал: «Ага». Он спросил: «Какие планы?» Я показал ему ключ. Он сказал: «Скважные?» Я сказал: «Очень остроумно». Он покачал головой и сказал: «Не мог удержаться. Так какие все-таки планы?» — «Квинс и Гринвич Вилидж». — «Ты хотел сказать *Грэ*-нич Вилидж²?» Это было первое разочарование экспедиции: я-то думал, что Greenwich произносится фонетически и, значит, в нем есть «green»³, потому что тогда это был бы обалденный ключ. «Ну, типа».

На то, чтобы дойти до Аарона Блэка, у меня ушло три часа и сорок одна минута, потому что общественный транспорт меня напрягает, хотя и переходить мосты — тоже. Папа говорил, что иногда приходится выбирать, что тебя напрягает меньше, и это был один из таких разов. Я пересек Амстердам авеню, Коламбус авеню, Центральный парк, Пятую авеню, Мэдисон авеню, Парк авеню, Лексингтон авеню, Третью авеню и Вторую авеню. Когда я был ровно посередине Моста Пятьдесят девятой улицы⁴, я подумал о том, как всего в миллиметре за мной Манхэттен, а всего в миллиметре передо мной — Квинс. А как называются части Нью-Йорка — ровно на полпути через Мидтаунский тоннель⁵, ровно на полпути через Бруклинский мост⁶, в самом центре Статенай-

---

¹ Сок в маленьких упаковках.

² Известный артистический район в Манхэттене, который, если следовать правилам правописания, должен произноситься как «Гринвич», однако в Нью-Йорке его называют «Грэнич».

³ «Зеленый».

⁴ Этот мост через Ист-Ривер более известен под названием «Квинсборо», так как соединяет Манхэттен с Квинсом. В Манхэттене он начинается от 59-й улицы, отсюда его второе название.

⁵ Проложен под рекой Ист-Ривер в районе 34-й улицы и, как и мост, по которому идет Оскар, соединяет Манхэттен с Квинсом.

⁶ Самый старый мост Нью-Йорка соединяет Манхэттен с Бруклином.

115

лендского парома[1], когда он ровно посередине между Манхэттеном и Статен Айлендом, — которые не относятся ни к какому округу?

Я сделал шаг вперед — и впервые оказался в Квинсе.

Я прошел через Лонг Айленд Сити, Вудсайд, Элмхерст и Джексон Хайтс[2]. Я все время тряс тамбурином, потому что это помогало мне не забыть, что хоть районы вокруг и разные, иду по ним прежний я. Когда я, наконец, дошел до нужного дома, то никак не мог понять, куда подевался швейцар. Сначала я подумал, что он отлучился за кофе, но прошло несколько минут, а его все не было. Я заглянул внутрь сквозь стеклянную дверь и увидел, что в парадном нет его стойки. Я подумал: *Странно*.

Я попробовал вставить мой ключ в замочную скважину, но вставился только самый кончик. Я увидел устройство с кнопками для квартир и нажал на кнопку квартиры А. Блэка с номером 9Е. Никто не ответил. Я снова нажал. Ничего. Я нажал на кнопку и держал ее пятнадцать секунд. Опять ничего. Я сел на пол и подумал, что вряд ли буду считаться плаксой, если немного порееву в подъезде жилого дома в Короне[3].

«Ну, ладно, ладно, — сказал голос из динамика. — Раззвонились». Я аж подпрыгнул. «Здравствуйте, — сказал я, — меня зовут Оскар Шелл». — «Что ты хочешь?» Голос звучал раздраженно, хотя я ничего плохого не сделал. «Вы знали Томаса Шелла?» — «Нет». — «Вы уверены?» — «Да». — «Вы знаете что-нибудь про ключ?» — «Что ты хочешь?» — «Я ничего плохого не сделал». — «Что ты хочешь?» — «Я нашел ключ, — сказал я. — И он был в конверте с вашим именем». — «Аарон Блэк?» — «Нет, просто Блэк». — «Это рас-

---

[1] Паром регулярно курсирует между Манхэттеном и островом Статен Айленд — пятым муниципальным округом Нью-Йорка.

[2] Название районов в Квинсе.

[3] Жилой район в Квинсе.

хожая фамилия». — «Я знаю». — «И к тому же цвет». — «Само собой». — «Всего хорошего», — произнес голос. «Но я только хочу узнать про ключ». — «Всего хорошего». — «Но…» — «Всего хорошего». Разочарование № 2.

Я сел на пол и заревел в подъезде жилого дома в Короне. Мне захотелось нажать сразу на все кнопки и обругать всех, кто жил в этом дебильном доме. Мне захотелось наставить себе синяков. Я встал и снова нажал на 9Е. На этот раз голос отозвался мгновенно. «Что. Ты. Хочешь?» Я сказал: «Томас Шелл был моим папой». — «И что?» — «*Был*. Не *есть*. Он мертв». Голос ничего не сказал, но я знал, что наверху продолжают жать на кнопку «Говорите», потому что оттуда доносились гудки, и стекла позвякивали от ветра, который и меня обдувал. Он спросил: «Сколько тебе лет?» Я сказал семь, потому что хотел получше его разжалобить, чтобы он мне помог. Ложь № 34. «Мой папа мертв», — сказал я. «Мертв?» — «Бездыханен». Он ничего не сказал. Я опять услышал гудки. Мы стояли лицом к лицу, только с разницей в девять этажей. Наконец, он сказал: «Он, должно быть, молодым умер». — «Ага». — «Сколько ему было?» — «Сорок». — «Совсем молодой» — «Да». — «Могу я спросить, от чего?» Мне не хотелось об этом говорить, но я вспомнил данное себе обещание и поэтому рассказал все. Я опять услышал гудки и удивился, как у него не устает палец. Он сказал: «Если ты поднимешься, я посмотрю на этот ключ». — «Я не могу подняться». — «Почему не можешь?» — «Потому что вы на девятом этаже, а я так высоко не поднимаюсь». — «Почему нет?» — «Это небезопасно». — «Здесь совершенно безопасно». — «Пока что-нибудь не произойдет». — «Ничего тут с тобой не произойдет». — «Это правило». — «Я бы и сам спустился, — сказал он, — но не могу». — «Почему не можете?» — «Я очень болен». — «А мой папа мертв». — «Я подключен к аппаратам. До домофона — и то с трудом добрался». Если бы можно было все повторить, я бы все повторил по-другому. Но ничего повторить нельзя. Я слышал, как голос говорит: «Алло? Алло? Пожалуйста». Я просунул под дверь подъезда свою визитку и припустил со всех ног.

Абби Блэк жила в квартире № 1 особнячка на улице Бедфорд. На то, чтобы до него дойти, у меня ушло два часа и двадцать три минуты, и рука, которой я тряс тамбурин, буквально отваливалась. Небольшая табличка над входной дверью извещала, что раньше в этом доме проживал поэт Эдна Сент-Винсент Миллей и что это был самый узкий дом в Нью-Йорке. Я не знал, был ли Эдна Сент-Винсент Миллей поэт-мужчина или поэт-женщина. Я попробовал вставить в скважину ключ, и он вошел наполовину, но потом застрял. Я постучал. Никто не ответил, хотя я слышал, что за дверью разговаривают, и понимал, что квартира № 1 должна быть на первом этаже, поэтому постучал снова. Придется их доставать, раз это необходимо.

Женщина приоткрыла дверь и сказала: «Я тебя слушаю». Она была запредельно красивая, и лицо, как у мамы (казалось, что оно улыбается, хоть она и не улыбалась), и громадные сиськи. Мне особенно понравилось, как ее сережки иногда стукаются о шею. Я вдруг даже пожалел, что не принес ей никакого изобретения и что поэтому у нее нет повода меня полюбить. Пусть бы даже какую-нибудь чепуху, вроде фосфористой брошки.

«Здрасьте». — «Здравствуй». — «Вы Абби Блэк?» — «Да». — «Я Оскар Шелл». — «Здравствуй». — «Здрасьте». Я сказал: «Вам, конечно, постоянно об этом говорят, но если посмотреть в словаре на слово «запредельная красота», там будет ваше фото». Она немного раскололась и сказала: «Мне никогда об этом не говорят». — «Спорим, что говорят». Она раскололась сильнее. «Не говорят». — «Значит, вы с кем-то не тем общаетесь». — «Тут ты, похоже, прав». — «Потому что вы запредельно красивая».

Она приоткрыла дверь пошире. Я спросил: «Вы знали Тома-

са Шелла?» — «Кого?» — «Томаса Шелла?» Она задумалась. Я задумался, почему ей понадобилось задуматься. «Нет». — «Вы уверены?» — «Да». В том, как она сказала, что уверена, была какая-то неуверенность, и я подумал, что, возможно, она хочет что-то скрыть. Интересно, что? Я протянул ей конверт и сказал: «Вам это ни о чем не напоминает?» Она на него долго смотрела. «Кажется, нет. А должно?» — «Только если напоминает», — сказал я. «Нет», — сказала она. Я ей не поверил.

«Ничего, если я войду?» — спросил я. «Сейчас это не очень кстати». — «Почему нет?» — «Мне нужно кое-что доделать». — «Что доделать?» — «Разве я обязана давать тебе отчет?» — «Это риторический вопрос?» — «Да». — «Вы работаете?» — «Да». — «Кем?» — «Я эпидемиолог». — «Изучаете болезни». — «Да». — «Обалдеть». — «Послушай, я не знаю, зачем ты пришел, но если из-за конверта, то совершенно точно не смогу тебе помочь». — «Я жутко пить хочу», — сказал я, дотрагиваясь до горла, потому что это универсальный знак жажды. «Здесь прямо за углом магазин». — «Вообще-то, у меня диабет, и мне сахар нужен до зарезу». Ложь №35. «Ты хочешь сказать позарез». — «Ну, типа».

Я врал не потому, что хотел, и не потому, что верил, будто про будущее можно узнать до того, как оно произойдет, — мне просто приспичило попасть к ней в квартиру. Чтобы искупить обман, я дал себе слово, что как только получу прибавку к своим карманным расходам, тут же сделаю взнос на нужды тех, кто *по-настоящему* страдает диабетом. Она шумно вздохнула — ну, типа, запредельно раздражена, — но, с другой стороны, не сказала, чтобы я уходил. Мужской голос прокричал что-то изнутри квартиры. «Апельсиновый сок будешь?» — спросила она. «А кофе у вас есть?» — «Идем», — сказала она и пошла внутрь. «А немолочные сливки?»

Я шел и осматривался по дороге, и всюду была чистота и порядок. На стенах висели чумовые фотки, и на одной была афроамериканка с голой ПЗ, отчего я закомплексовал.

«А где подушки от этого дивана?» — «Он без подушек». — «А это что?» — «Ты про картину?» — «У вас чем-то вкусненьким пахнет». Мужчина в другой комнате опять позвал, на этот раз жутко громко, почти отчаянно, но она не прореагировала, как будто не слышала, или ей было все равно.

Я потрогал разные вещи у нее на кухне, и от этого мне почему-то стало спокойнее. Я провел пальцем по верху ее микроволновки, и он стал серым. *«C'est sale»*, — сказал я, показывая ей палец и раскалываясь. Ее это жутко напрягло. «Какой позор», — сказала она. «Вы моей лаборатории не видели», — сказал я. «Откуда только берется», — сказала она. «Вещи пачкаются». — «Я слежу за чистотой. У меня женщина каждую неделю убирается. Я ей миллион раз говорила всюду вытирать. Специально на это место показывала». Я спросил, почему она так расстраивается из-за пустяка. Она сказала: «Для меня это не пустяк», и я подумал про песчинку, передвинутую на один миллиметр. Я вынул влажную салфетку из своего походного набора и протер микроволновку.

«Вот вы эпидемиолог, — сказал я, — а знаете, что домашняя пыль на семьдесят процентов состоит из мельчайших частиц нашего эпидермиса?» — «Нет, — сказала она, — не знаю». — «Я эпидемиолог-любитель». — «Это большая редкость». — «Ага. И я провел один довольно-таки обалденный эксперимент, попросив Фелиза весь год собирать пыль из нашей квартиры в отдельный пакет. Потом я его взвесил. Он весил 51 килограмм. Потом я подсчитал, что семьдесят процентов от 51 килограмма — это 35,7 килограмма. Я вешу 34,5 килограмма, или 35,3, если в мокрой одежде. Это, конечно, ничего не доказывает, но прикольно. Куда это можно выбросить?» — «Сюда», — сказала она, забирая у меня влажную салфетку. Я спросил: «Почему вы грустная?» — «Что?» — «Вы грустная. Почему?»

Забулькала кофеварка. Она открыла шкафчик и достала кружку. «Тебе с сахаром?» Я сказал да, потому что папа все-

гда пил с сахаром. Не успела она сесть, как тут же встала и вынула из холодильника вазочку с виноградом. Еще она достала печенье и положила его на тарелку. «Ты любишь клубнику?» — спросила она. «Да, — сказал я, — только я не голоден». Она достала немного клубники. Мне показалось странным, что на ее холодильнике нет ни меню, ни магниток, ни детских фото. Из фенечек во всей кухне была только фотка слона на стене рядом с телефоном. «Обожаю», — сказал я, и не только потому, что хотел ей понравиться. «Что обожаешь?» — спросила она. Я показал на фотку. «Спасибо, — сказала она. — Я тоже ее люблю». — «Я сказал, не люблю, а *обожаю*». — «Да. И я *обожаю*».

«Вы много знаете про слонов?» — «Не очень». — «Не очень — в смысле мало? Или в смысле ничего?» — «Почти ничего». — «Например, вы знаете, что раньше ученые думали, что у слонов есть эсв». — «Ты хочешь сказать Э.С.В.[1]?» — «Ну, типа. Слоны могут договариваться о встречах на огромных расстояниях, и всегда знают, где находятся их друзья, а где — враги, и безошибочно выходят к воде, хотя понятия не имеют о геологии. Никто не мог понять, как им это удается. Какой механизм?» — «Я не знаю». — «Как им это удается?» — «Что именно?» — «Договариваться о встречах без Э.С.В.?» — «Ты меня спрашиваешь?» — «Да». — «Я не знаю». — «А хотите узнать?» — «Конечно». — «Очень?» — «Очень». — «Они издают низкие-пренизкие позывные, намного ниже тех, что могут расслышать люди. Они разговаривают друг с другом. Скажите, клево?» — «Клево». Я съел клубничину.

«Есть одна женщина, которая года два прожила в Конго или типа того. Она записывала эти позывные на пленку и составила из них громаднейший архив. В прошлом году она начала их проигрывать». — «Проигрывать?» — «Слонам». —

---

[1] От англ. E.S.P. — экстрасенсорное восприятие.

«Зачем?» Мне понравилось, что она спросила, зачем. «Как вы, очевидно, знаете, память у слонов намного лучше, чем у других млекопитающих». — «Да. Я об этом слышала». — «Так вот эта женщина хотела проверить, насколько она лучше. Она проигрывала позывные врага, которые были записаны за несколько лет до этого, — слоны их слышали всего один раз в жизни, — и это их так напрягало, что иногда они даже разбегались. Они помнили сотни позывных. Тысячи. Может, и еще больше. Обалдеть, да?» — «Действительно». — «Но еще *обалденнее*, как она проиграла позывные мертвого слона его родне». — «А они?» — «Они их узнали». — «И какая была реакция?» — «Они подошли к динамику».

«Интересно, что они почувствовали». — «В каком смысле?» — «С каким чувством пошли на джип, когда услышали позывные мертвеца. С любовью? Или со страхом? Или с яростью?» — «Я не помню». — «Упрекали?» — «Не помню». — «Плакали?» — «Только люди плачут со слезами. Вы об этом знаете?» — «А кажется, что слон на этом фото плачет». Я подошел жутко близко к фото — она была права. «Небось, подрисовали в «Фотошопе», — сказал я. — Но можно я его на всякий случай щелкну?» Она кивнула и сказала: «Мне кажется, я где-то читала, что из всех животных слоны — единственные, кто хоронит своих мертвецов». — «Нет, — сказал я, наводя фокус дедушкиного фотика, — вы такого прочесть не могли. Они всего лишь собирают кости. Только люди хоронят своих мертвецов». — «Интересно, верят ли слоны в привидения». Тут я немного раскололся. «Вы ведь ученый». — «А ты что скажешь?» — «Я ученый-любитель». — «Ну, и что ты скажешь?» Я щелкнул фотиком. «Скажу, что они запутались».

Тут она заплакала со слезами.

Я подумал: *Вообще-то плакать полагается мне.*

«Не плачьте», — сказал я. «Почему нет?» — спросила она. «Потому», — сказал я. «Что потому?» — спросила она. Поскольку я не знал, из-за чего она плачет, мне трудно было придумать причину. Плакала ли она из-за слонов? Или я что-нибудь не так сказал? Или из-за криков в соседней комнате? Или из-за чего-нибудь, о чем я вообще не знал? Я сказал: «Я очень ранимый». Она сказала: «Прости». Я сказал: «Я написал письмо ученой, которая записывает слонов. Спросил, можно ли мне быть ее ассистентом. Я предложил следить за тем, чтобы у нее всегда были наготове чистые кассеты, или кипятить воду, чтобы ее было безопасно пить, или просто носить оборудование. Мне ответил ее ассистент, который сказал, что ассистент у нее, само собой, уже есть, но, возможно, в будущем появится проект, на котором мы сможем работать вместе». — «Здорово. Есть к чему стремиться». — «Ага».

Кто-то подошел к дверям кухни, и я решил, что это тот самый человек, который кричал из соседней комнаты. Он жутко быстро просунул голову, сказал что-то, чего я не разобрал, и тут же исчез. Абби сделала вид, что ничего не заметила, но я не стал делать вид. «Кто это был?» — «Мой муж». — «Ему что-то нужно?» — «Мне все равно». — «Но ведь это ваш муж, и, мне кажется, ему что-то нужно». Она опять заплакала со слезами. Я подошел ближе и положил руку ей на плечо, как делал папа, когда я плакал. Я спросил, чем она расстроена, потому что он бы обязательно это спросил. «Ты, наверное, думаешь, что все это очень странно», — сказала она. «Я так про многое в жизни думаю», — сказал я. Она спросила: «Сколько тебе лет?» Я сказал двенадцать (ложь № 59), потому что хотел быть взрослее, чтобы ей было легче меня полюбить. «Кто же в двенадцать лет ходит по квартирам незнакомых?» — «Я ищу замок. А сколько вам?» — «Сорок восемь». — «Бабай. По виду не скажешь». Она раскололась сквозь плач и сказала: «Спасибо». — «Кто же в сорок восемь лет приглашает незнакомых на кухню?» — «Сама не знаю». — «Я вас достал», — сказал я. «Ты меня не достал», — сказала она, но когда так говорят, в это жутко трудно поверить.

Я спросил: «Вы уверены, что не знали Томаса Шелла?» Она сказала: «Я не знала Томаса Шелла», но почему-то я по-прежнему ей не верил. «Может, вы знаете еще кого-нибудь по имени Томас? Или кого-нибудь по фамилии Шелл?» — «Нет». Мне продолжало казаться, что она мне что-то недоговаривает. Я снова показал ей конверт. «Но ведь это ваша фамилия, да?» Она посмотрела, и стало ясно, что надпись ей чем-то знакома. Или это только мне стало ясно. Она сказала: «Прости. Я тебе вряд ли смогу помочь» — «Ну а ключ?» — «Какой ключ?» Я сообразил, что до сих пор его не показывал. Сколько разговоров — про пыль, про слонов, — а до главного мы так и не добрались.

Я вытащил ключ из-под рубашки и вложил в ее руку. Ключ был на веревочке, а веревочка — у меня на шее, и когда она наклонилась его рассмотреть, наши лица оказались запредельно близко. Так мы и застыли надолго. Будто время замерло. Я подумал про падающее тело.

«Жаль», — сказала она. «Что жаль?» — «Жаль, что я ничего не знаю про ключ». Разочарование № 3. «И мне жаль».

Наши лица были запредельно близко.

Я сказал: «Мы ставим «Гамлета» в конце четверти, если вам интересно. Я Йорик. У нас будет настоящий фонтан. Если надумаете прийти, премьера через двенадцать недель. Будет суперски». Она сказала: «Я постараюсь», и я почувствовал на лице дыхание от ее слов. Я спросил: «Мы можем немного поцеловаться?»

«Это еще что?» — сказала она, хотя, с другой стороны, и не отстранилась. «Просто вы мне нравитесь и, мне кажется, я вам тоже». Она сказала: «Не думаю, что это хорошая мысль». Разочарование № 4. Я спросил, почему нет. Она сказала: «Потому что мне сорок восемь, а тебе двенадцать». — «Ну и что?» — «И я замужем». — «Ну и что?» — «И я тебя поч-

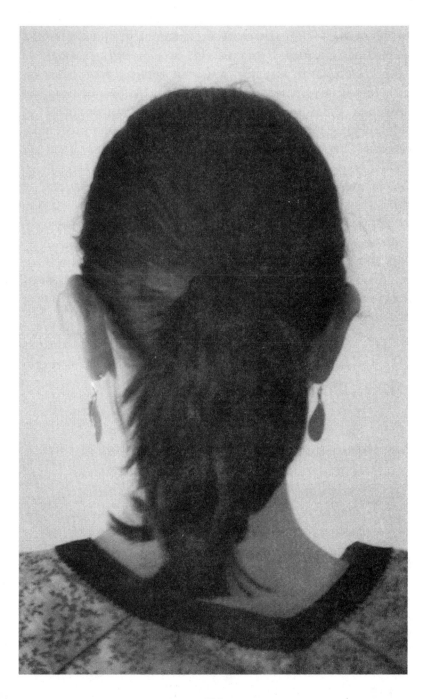

ти не знаю». — «А вам разве не кажется, что знаете?» Она ничего не ответила. Я сказал: «Из всех животных люди — единственные, кто краснеет, смеется, верит в Бога, объявляет войну и целуется губами. Следовательно, чем больше мы целуемся губами, тем больше в нас человеческого». — «И чем чаще объявляем войну?» Тут уже мне пришлось промолчать. Она сказала: «Ты очень сладкий ребенок». Я сказал: «Юноша». — «Но я не думаю, что это хорошая мысль». — «А обязательно должна быть хорошая?» — «По-моему, да». — «Тогда можно я вас хотя бы сфотографирую?» Она сказала: «Это пожалуйста». Но когда я начал наводить фокус на дедушкином фотике, она почему-то закрыла лицо ладонью. Я не стал допытываться, почему, а решил просто щелкнуть ее иначе, что было даже правдивее. «Вот моя визитка, — сказал я, когда на объективе снова была крышечка, — вдруг вспомните что-нибудь про ключ или просто захотите поболтать».

✌ ОСКАР ШЕЛЛ ✌

ИЗОБРЕТАТЕЛЬ, ДИЗАЙНЕР ЮВЕЛИРНЫХ ИЗДЕЛИЙ, ФАБРИКАТОР БРИЛЛИАНТОВ, ЭНТОМОЛОГ-ЛЮБИТЕЛЬ, ФРАНКОФИЛ, ВИГАН, ОРИГАМИСТ, ПАЦИФИСТ, ПЕРКУССИОНИСТ, АСТРОНОМ-ЛЮБИТЕЛЬ, КОМПЬЮТЕРНЫЙ КОНСУЛЬТАНТ, АРХЕОЛОГ-ЛЮБИТЕЛЬ, КОЛЛЕКЦИОНЕР *старинных монет, бабочек, умерших естественной смертью, миниатюрных кактусов, всего, что связано с «Битлз», полудрагоценных камней и других вещей*

ИМЕЙЛ: OSCAR_SCHELL@HOTMAIL.COM

ДОМ. ТЕЛЕФОН: ЗАСЕКРЕЧЕН / МОБ. ТЕЛЕФОН: ЗАСЕКРЕЧЕН

ФАКС: У МЕНЯ ПОКА НЕТ ФАКСА

· · ·

Вернувшись, я пошел не домой, а к бабушке, что почти всегда делал ближе к вечеру, потому что по субботам (а иногда и по воскресеньям) мама работала, а ее напрягало, когда я оставался один. Подходя к ее дому, я задрал голову и увидел, что бабушка не высматривает меня из окна, как это обычно бывало. Я спросил у Фарлея, дома ли она, и он сказал, что вроде бы дома, и я поднялся по семидесяти двум ступенькам.

Я нажал на звонок. Она не ответила, и тогда я открыл дверь сам, потому что она ее никогда не запирает, хотя я считаю, что это небезопасно, потому что иногда люди, о которых думаешь хорошо, на поверку оказываются не такими хорошими, как хотелось бы. Я входил, а она еще только шла к двери. Было похоже, что она плакала, хотя я знал, что это невозможно, потому что она сама мне когда-то сказала, что после ухода дедушки выплакала все слезы. На это я ей сказал, что слезы каждый раз образуются заново. Она сказала: «Все равно». Иногда меня подмывает узнать, плачет ли она, когда никто не видит.

«Оскар!» — сказала она и подхватила меня в объятия. «Я в порядке», — сказал я. «Оскар!» — повторила она и снова подхватила. «Я в порядке», — повторил я и потом спросил, где она была. «В гостиной, разговаривала с жильцом».

Пока я был малыш, бабушка нянчилась со мной целыми днями. Папа уверял, что она купала меня в раковине, а ногти на руках и ногах обкусывала зубами, потому что боялась поранить ножницами. Потом, когда я стал мыться в ванне и узнал про пенис, мошонку и всякое такое, я попросил ее выходить из комнаты. «Это еще почему?» — «Я стесняюсь». — «Стесняешься? Меня?» Мне не хотелось ее обижать, потому что не обижать ее — еще один из моих *raisons d'être*. «Вообще стесняюсь», — сказал я. Она положила руки на живот и сказала: *Меня?* » Она согласилась оставаться снаружи, но лишь при условии, что у меня в руках будет клубок шерсти и чтобы его нить уходила под дверь ванной и соединялась с шарфом, который она вязала. Каждые несколько секунд она подергивала за нить, и я должен был тут же тянуть обратно, распуская ее последнюю петлю и тем подтверждая, что я в порядке.

Однажды меня оставили с ней, когда мне было четыре, и она гонялась за мной по квартире, типа как чудовище, и я рассек верхнюю губу об угол журнального столика, и пришлось ехать в больницу. Бабушка верит в Бога, но не верит в такси, поэтому я залил кровью рубашку, пока мы были в автобусе. Папа сказал, что у нее после этого были запредельно тяжелые гири на сердце, хотя мне наложили всего два шва, и что она сто раз ему повторила: «Это все из-за меня. Не оставляй его больше со мной». Когда мы снова с ней увиделись, она сказала: «Видишь, я изображала чудовище — и стала чудовищем».

После папиной смерти бабушка пробыла у нас всю неделю, потому что мама ходила по Манхэттену, расклеивая объявления. Мы с ней устроили чемпионат по борьбе на пальцах из тысячи схваток, и в каждой я победил, даже когда не старался. Мы смотрели документальные фильмы, одобренные для моего возраста, и пекли виганские кексы, и ходили гулять в парк. Однажды я от нее убежал и спрятался. Мне нравилось, когда меня ищут, кричат, зовут. «Оскар! Оскар!» А может, и не нравилось — просто вдруг захотелось.

Я шел за ней по пятам и видел, что она запредельно напрягается. «Оскар!» Она плакала и на все опиралась, но я не откликался: мне казалось, что то, как мы потом с ней вместе расколемся, все оправдает. Я смотрел, как она идет к дому, где, конечно, усядется на ступеньки у входа и будет ждать возвращения мамы. Ей придется сказать маме, что я пропал и что она за мной не уследила, и это навсегда, и нет больше Шеллов. Я ее обогнал, промчавшись вниз по Восемьдесят второй улице и вверх по Восемьдесят третьей, и когда она подошла к дому, выскочил из-за двери. «А пиццу я не заказывал!» — сказал я, расколовшись так, что у меня чуть шея от смеха не треснула.

Она начала что-то говорить, но потом оселась. Стэн взял ее за руку и сказал: «Бабушке сейчас лучше присесть». Она сказала: «Не трогай меня» таким голосом, которого я никогда от нее не слышал. Потом она повернулась и пошла через дорогу к себе домой. В тот вечер я посмотрел в бинокль на ее окна, и там была записка со словами: «Не уходи».

С того дня, отправляясь гулять, мы с ней играем в игру, типа Марко Поло[1]: она меня зовет, а я должен откликнуться, чтобы она знала, что я в порядке.

«Оскар».

«Я в порядке».

«Оскар».

«Я в порядке».

Я никогда не знаю, играем ли мы в игру или она меня зовет по-настоящему, поэтому всегда отвечаю, что я в порядке.

Через несколько месяцев после папиной смерти мы с мамой поехали в вещехранилище в Нью-Джерси, где папа держал вещи, которыми он не пользовался сейчас, но мог начать пользоваться в будущем, типа на пенсии. Мы взяли машину напрокат, но потратили на дорогу больше двух часов, хоть это и недалеко, потому что мама все время куда-нибудь сворачивала, чтобы умыться. Вещехранилище оказалось путаным и жутко темным, поэтому у нас ушло много времени на поиск крошечной папиной комнаты. Мы поссорились из-за его бритвы, потому что мама сказала, что ее место в куче «это выбрасываем», а я сказал, что ее место в куче «это оставляем». Она сказала: «Для чего оставляем?» Я сказал: «Неважно для чего». Она сказала: «Не понимаю, зачем

---

[1] Детская игра наподобие «кошки-мышки», только в бассейне. Водящему завязывают глаза, и он должен осалить других участников. Чтобы их обнаружить, он произносит слово «Марко», и ему должны ответить: «Поло».

он вообще притащил сюда это копеечное барахло». Я сказал: «Неважно зачем». Она сказала: «Мы не можем оставить все». Я сказал: «Значит, нормально, если я выкину все твои вещи и забуду про тебя, когда ты умрешь?» Слова еще недовылетели, а я уже хотел, чтобы они влетели обратно. Но она сказала, что извиняется, и я подумал, что это странно.

Две вещи, которые мы нашли, остались от времени, когда я только родился, — портативные рации. Одну рацию родители клали в мою кроватку, чтобы знать, когда я заплачу, а в другую папа мне что-нибудь нашептывал, если не хотел подходить, и это меня усыпляло. Я спросил маму, для чего он их оставил. Она сказала: «Наверное, для твоих будущих детей». — *«Ты чё?»* — «В этом он весь». Тут до меня дошло, что целая куча вещей, типа коробки с «Лего», набор книг «Как это устроено», даже пустые фотоальбомы, — все это, он, наверное, хранил для моих будущих детей. Не знаю почему, но почему-то меня это взбесило.

В общем, я заменил в рациях батарейки и подумал, что по ним будет клево разговаривать с бабушкой. Я дал ей ту, которую клали в мою кроватку, чтобы ей не надо было ни на что нажимать, и вышло суперски. Просыпаясь, я говорил ей «доброе утро». И перед тем, как лечь, мы с ней часто болтали. Она всегда откликалась, когда я ее вызывал. Не знаю, как ей это удавалось. Может, просто весь день ждала моего вызова.

«Бабушка? Как слышишь меня?» — «Оскар?» — «Я в порядке. Прием». — «Как ты спал, лапонька? Прием». — «Что? Не расслышал. Прием». — «Я спросила, как ты спал. Прием». — «Нормально, — скажу я, глядя на нее через улицу, подбородок на ладони. — Без плохих снов. Прием». — «Сто долларов. Прием». Говорить нам особенно не о чем. Она мне рассказывает одни и те же истории про дедушку, как у него руки огрубели от скульптур, которые он раньше лепил, и как он умел разговаривать с животными. «Ты ко мне зайдешь вечерком? Прием». — «Ага. Наверное. Прием». — «Постарайся, ладно? Прием». — «Постараюсь. Прием и отбой».

Иногда я шел спать вместе с рацией и клал ее с той стороны подушки, где не было Бакминстера, чтобы слышать, что творится у нее в спальне. Иногда она меня будила посреди ночи. Ее кошмары ложились гирями на мое сердце, потому что я не знал, что ей снится, а значит, ничем не мог ей помочь. От ее вскриков я, само собой, просыпался, и поэтому мой сон зависел от ее сна, и поэтому, говоря: «Без плохих снов», я говорил про нее.

Бабушка вязала мне белые свитера, белые варежки и белые шапочки. Она знала, как я обожаю сухое мороженое, которое было одним из моих единственных отступлений от виганизма, потому что астронавты едят его на десерт, и специально ходила за ним в планетарий Гайдена. Она подбирала для меня всякие зыкинские камушки, хотя ей нельзя поднимать тяжести, тем более что почти все они были обычным манхэттенским сланцем. Через несколько дней после наихудшего дня, идя на свою первую встречу с доктором Файном, я увидел бабушку, которая переходила Бродвей с булыжником в руках. Булыжник был размером с грудного младенца и весил, наверное, целую тонну. Она мне его не отдала и ни разу о нем не упомянула.

«Оскар».

«Я в порядке».

Как-то я сказал бабушке, что подумываю начать коллекционировать марки, и на другой день она подарила мне три кляссера и плюс к ним («потому что я люблю тебя до боли и потому что хочу, чтобы у твоей прекрасной коллекции было прекрасное начало») блок марок с выдающимися американскими изобретателями.

«Тут тебе и Томас Эдисон, — сказала она, показывая на одну марку, — и Бен Франклин, и Генри Форд, и Эли Уитни, и Александр Грэхем Белл, и Джордж Вашингтон Карвер, и Никола Тесла — Бог его знает, кто такой, — и братья Райт, и Джей Роберт Оппенгеймер...» — «А он кто?» — «Он изобрел бомбу». — «Какую бомбу?» — «Ту *самую*». — «Тогда он не выдающийся изобретатель?!» Она сказала: «Выдающийся не значит хороший».

«Бабушка?» — «Да, лапонька?» — «А где же тут серийный штамп?» — «Серийный что?» — «Ну, такая штука сбоку с номером». — «С номером». — «Ага». — «Я ее оторвала». — «Что ты сделала?» — «Оторвала. Не надо было?» Я понял, что меня начинает корежить, хотя изо всех сил этому сопротивлялся. «Они же ничего не стоят без серийного штампа!» — «Что?» — «Серийный штамп! Без него. Эти марки. Не стоят. Ни цента!» Она смотрела на меня несколько секунд. «Ну, да, — сказала она. — Кажется, я про это слышала. Завтра же снова зайду в филателию и куплю тебе другой блок. А эти марки пустим на конверты». — «Не надо другой», — сказал я, потому что уже хотел взять все сказанное назад и попробовать заново, как воспитанный и хороший внук или хотя бы как молчаливый. «Надо, Оскар». — «Я в порядке».

Мы проводили вместе кучу времени. Мне кажется, не было никого, с кем бы я проводил больше времени, чем с ней, по крайней мере, после папиной смерти, если только не считать Бакминстера. Но про многих людей я знал больше. Например, я ничего не знал о том, как она жила, когда была маленькой, или как встретила дедушку, или про их свадьбу, или почему он ушел. Если бы мне понадобилось написать историю ее жизни, я бы только и смог сказать, что ее муж умел разговаривать с животными и что мне никого не следует любить так же сильно, как она меня. Вот я и спрашиваю: на что мы угрохали всю эту кучу времени, если ничего друг про друга не узнали?

«Ты сегодня делал что-нибудь особенное?» — спросила она вечером того дня, когда я начал свой поиск. Вспоминая обо всем, что произошло с момента, когда мы опускали в могилу гроб, до момента, когда я его выкопал, я всегда думаю, как в тот вечер мог бы сказать ей правду. Еще не поздно было вернуться, потому что я не достиг рубежа, после которого не возвращаются. Пусть бы она меня не поняла, но я бы хотя бы выговорился. «Ага, — сказал я. — Доделал ароматизированные сережки для ярмарки. Еще наколол на булавку Тигрового парусника, которого Стэн нашел мертвым возле подъезда. И письма пописал, потому что много накопилось». — «Кому ты пишешь?» — спросила она, и по-прежнему было еще не поздно. «Кофи Аннану, Зигфриду Рою, Жаку Шираку, И.О. Уилсону, Верду Аль Янковичу, Биллу Гейтсу, Владимиру Путину и еще там». Она спросила: «Почему бы тебе не написать кому-нибудь из тех, кого ты знаешь?» Я сказал: «Я никого не знаю» — и в этот момент что-то услышал. Или мне показалось, что я что-то услышал. В квартире был звук, типа как кто-то ходит. «Что это?» — спросил я. «У меня уши не на сто долларов», — сказала она. «Но у тебя дома кто-то есть. Может, это жилец?» — «Нет, — сказала она. — Он еще утром ушел в музей». — «В какой музей?» — «Откуда мне знать, в какой. Он сказал, что вернется ночью». — «Но я кого-то слышу». — «Нет, не слышишь», — сказала она. Я сказал: «Уверен на девяносто девять процентов». Она сказала: «У тебя просто богатая фантазия». Я достиг рубежа, после которого не возвращаются.

Спасибо за Ваше письмо. Ввиду огромного количества получаемой корреспонденции, я не в состоянии вести личную переписку. Но знайте, что я прочитываю и сохраняю все письма в надежде, что когда-нибудь смогу ответить на каждое так, как автор того заслуживает. До той поры

искренне Ваш
Стивен Хокинг

В тот вечер я долго не ложился, разрабатывая дизайн новых ювелирных изделий. Я разработал дизайн браслета на щиколотку «Пешая прогулка», который оставляет на земле ярко-желтый след во время ходьбы, чтобы, если заблудишься, идти по нему назад. Еще я разработал дизайн спаренных обручальных колец, чтобы каждое кольцо измеряло пульс тому, на кого надето, и посылало сигнал другому кольцу, которое бы загоралось красным в такт, синхронизируя сердцебиения. Еще я разработал дизайн обалденнейшего браслета из резинки: натягиваешь ее на любимый томик стихов, а через год снимаешь и носишь.

Не знаю почему, но за работой я продолжал думать о дне, когда мы с мамой ездили в вещехранилище в Нью-Джерси. Я возвращался туда, как лососи, про которых я знаю. Мама останавливалась и ходила умываться не меньше десяти раз. Там было темно и тихо, и из людей — только мы. Какие напитки стояли в кока-коловом автомате? Каким шрифтом были написаны вывески? У себя в мозгу я еще раз перебрал все коробки. Я достал старый клевенький кинопроектор. Какой фильм стал для папы последним? Был ли в нем я? Я перебрал несколько нераспакованных зубных щеток, и три бейсбольных мяча, которые папа поймал на матчах, — на каждом он поставил число. Какие это были числа? Мой мозг открыл коробку со старыми атласами (там было две Германии и одна Югославия) и сувенирами из его командировок, типа русских кукол, внутри которых куклы, внутри которых куклы, внутри которых куклы... Какие из этих вещей папа хранил для моих будущих детей?

Было 2:36 утра. Я пошел в мамину комнату. Мама, само собой, спала. Я посмотрел, как дышат простыни, когда она дышит, и вспомнил, как папа меня учил, что деревья вдыхают, когда люди выдыхают, — тогда я был еще слишком мал, чтобы понять суть биологического процесса. Я видел, что маме снится сон, но не хотел знать, какой, потому что кошмаров мне и своих хватало, а если бы ей снилось что-нибудь радостное, я бы рассердился, что она радуется во сне. Я запредельно нежно ее потрогал. Она подскочила и сказала: «Что, что?» Я сказал: «Все нормально». Она схватила меня за плечи и сказала: «Что случилось?» Она меня здорово стиснула, даже плечам стало больно, но я не показал виду. «Помнишь, когда мы ездили в вещехранилище в Нью-Джерси?» Она разжала пальцы и снова легла. «И?» — «Где папины вещи. Помнишь?» — «Сейчас ночь, Оскар». — «Как оно называлось?» — «*Оскар*». — «Нет, ну, просто мне нужно его название». Она потянулась за очками на ночном столике, и я бы отдал все свои коллекции, и все ювелирные изделия, которые когда-либо изготовил, и все мои будущие подарки ко дню рождения и Рождеству, лишь бы только услышать «Хранилище Блэка». Или «Хранилище Блэквела». Или Блэкмена. Или хотя бы «Полуночное хранилище». Или «Темное хранилище». Или «Радуга».

Она сделала такое лицо, как будто ей кисло, и сказала: «Храни Еще».

Я потерял счет разочарованиям.

ПОЧЕМУ Я НЕ ТАМ, ГДЕ ТЫ
21/5/63

Мы с твоей матерью никогда не говорим о прошлом, это правило. Я выхожу из комнаты, когда она идет в ванную, а она не заглядывает мне через плечо, когда я пишу, это еще два правила. Я открываю для нее двери, но не касаюсь ее спины, пока она в них проходит, мне запрещено смотреть, как она готовит, она складывает мои брюки, но оставляет рубашки рядом с гладильной доской, я никогда не зажигаю свечи, если она в комнате, только гашу. Никогда не слушать грустную музыку — тоже правило, мы о нем договорились в самом начале, чем печальнее слушатель — тем грустнее песни, мы вообще почти не слушаем музыку. Каждое утро я снимаю простыни, чтобы отстирать от них свои записи, мы никогда не ложимся дважды в одну постель, мы не смотрим передачи о больных детях, она никогда не спрашивает, как прошел мой день, во время еды мы всегда садимся по одну сторону стола, лицом к окну. Как много правил, иногда я и сам путаю, что правило, а что нет, и делаем ли мы хоть что-нибудь просто так, я ухожу от нее сегодня, подчиняюсь ли правилу, в соответствии с которым мы организовали всю нашу жизнь, или собираюсь нарушить наше главное организующее правило? Раньше я приезжал сюда на автобусе в конце каждой недели, подбирал газеты и журналы, брошенные людьми перед посадкой в самолет, твоя мать все читает, и читает, и читает, ей нужен английский, чем больше английского, тем лучше, это правило? Я приезжал в пятницу вечером и поначалу вез домой один-два журнала и, может быть, газету, но ей было мало, мало сленга, мало образных выражений, мартышкин труд, медвежья услуга, сивый мерин, собачья жизнь, она хотела говорить, как урожденная американка, как будто больше нигде, кроме Америки, не жила, тогда я приехал с рюкзаком и набил его до упора, он был тяжел, мои плечи горели от английского, ей было мало, тогда я привез чемодан, я натолкал в него столько, что еле застегнул «молнию», чемодан провис от английского, мои руки горели от английского, ладони горели, костяшки пальцев, люди, наверное, думали, что я и вправду куда-то еду, наутро у меня спина ныла от английского, я стал замечать, что не спешу уходить, нахожу поводы задержаться, подолгу смотрю, как самолеты привозят и увозят людей, я начал приезжать по два раза в неделю и проводил тут по несколько часов, когда подходило время идти домой, мне не хотелось уходить, а когда уходил, меня тянуло обратно, теперь я приезжаю каждое утро перед открытием нашего магазина, и каждый вечер после ужина, что это, ищу ли знакомое лицо в толпе, выходящей из самолета, жду ли родственника, который никогда не приедет, может быть — Анну? Нет, не то, дело не в моей радости, не в облегчении моей ноши. Мне нравится видеть, как люди встречаются, может, это и глупо, что тут скажешь, нравится, как люди бегут навстречу друг другу, нравятся поцелуи и слезы, нравится нетерпение, рты, которые не могут наговориться, уши, которые не могут наслушаться, глаза, которые не могут вобрать в себя все перемены сразу, нравятся объятья, воссоединения, конец тоски, я сижу в стороне, пью кофе и пишу в дневнике, я изучаю расписание прилетов и вылетов, которое знаю назубок, я наблюдаю, я пишу, я стараюсь не думать о жизни, которую боялся потерять, но потерял и теперь обречен помнить, а здесь мое сердце набухает от радости, хоть она и чужая, как в конце дня мой чемодан набухает старыми новостями. Наверное, что-нибудь в этом же роде я навоображал себе, когда встретил твою мать, я думал, что мы бросимся навстречу друг другу, что наше воссоединение будет прекрасно, хотя в Дрездене мы и знакомы-то толком не были. Не сложилось. Мы забрели куда-то, шаря перед собой руками, но не для того, чтобы что-то найти, а чтобы никого не подпустить близко, у нас для всего было правило — руководство по совместной жизни, со всего снята мерка, брак миллиметров и правил, когда она поднимается, чтобы идти в душ, я кормлю животных — это правило — иначе ей будет неловко, она находит, чем себя занять, когда я раздеваюсь перед сном, — правило — идет к дверям удостовериться, что закрыты, перепроверяет духовку, любуется своими коллекциями в буфете, снова и снова пересчитывает бигуди (не помню, чтобы она хоть раз ими пользовалась), а когда она раздевается, на меня обрушивается такое количество дел, что только успевай поворачиваться. Уже через несколько месяцев после свадьбы мы стали отводить в квартире места под «Ничто», где каждому гарантировалось абсолютное уединение, мы договорились не замечать этих мест, считать их несуществующим пространством квартиры, в чьих границах каждый сможет временно не существовать, первое было в спальне, у изножья кровати, мы обозначили его границы на ковре красным скотчем, уместиться в нем можно было только стоя, удобное место для выпадения из реальности, мы знали, что оно есть, но никогда его не замечали, нам так понравилось, что мы решили организовать второе Ничто в гостиной, это казалось необходимым, ведь нередко выпадать из реальности приходится именно там, а иногда из нее просто хочется выпасть, его мы сделали чуть просторнее, чтобы один из нас мог там даже прилечь, мы условились не замечать этот четырехугольник пустоты, его не существовало, а когда один из нас находился внутри, не существовало и нас, на какое-то время этого хватило, но ненадолго, нам понадобились новые правила, в нашу вторую годовщину мы отвели под Ничто всю гостевую спальню, тогда это показалось отличной идеей, порой крошечного клочка в изножье кровати и прямоугольника в гостиной маловато для уединения, дверь со стороны комнаты попала в Ничто, а со стороны прихожей осталась в Нечто, ручка на двери с обеих сторон оказалась ровно посередине. Стены прихожей были Ничто (картинам ведь тоже нужно исчезать, картинам особенно), но сам коридор был Нечто, пустая ванна была Ничто, но наполненная водой — Нечто, волосы на наших телах, конечно же, были Ничто, но стоило им скопиться у водостока, как они становились Нечто, мы старались облегчить себе жизнь, каждым новым правилом старались избавить себя от усилий. Но между Ничто и Нечто начались стычки, по утрам ваза из Ничто отбрасывала тень в Нечто, как напоминание о понесенной когда-то утрате, что ты на это скажешь, ночью Ничто света из гостевой спальни просачивалось под Ничто двери и заливало собой Нечто прихожей, нечего тут сказать. Стало непросто переходить из Нечто в Нечто без того, чтобы не угодить в Ничто, а когда Нечто (ключ, ручка, карманные часы) оказывалось забытым в Ничто, оно становилось его частью, навсегда прекращало существовать, это правило мы не оговаривали, как, впрочем, и почти все наши правила. Настал момент, год или два назад, когда Ничто в нашей квартире победило Нечто, сам по себе этот факт, может, еще и не был проблемой, а даже наоборот, это могло нас спасти. Но стало хуже. Как-то я сидел на диване в гостевой спальне и думал, думал, думал, пока вдруг не осознал, что нахожусь на островке Нечто. «Как я сюда попал, — удивился я, окруженный морем Ничто, — и как мне отсюда выбраться?» Чем дольше мы жили с твоей матерью, тем больше считали, что нам друг про друга и так все ясно, тем реже говорили, тем чаще недопонимали, иногда я считал, что то или иное место в квартире мы отвели под Ничто, в то время как она уверяла, будто мы условились считать его Нечто, наши невысказанные согласия приводили к разногласиям, к страданиям, однажды я начал раздеваться прямо перед ней, это было всего несколько месяцев назад, и она сказала: «Томас! Что ты делаешь!», и я жестом сказал: «Я думал, что я в Ничто», прикрываясь одним из своих дневников, и она сказала: «Это Нечто!» Мы достали схему нашей квартиры из шкафа в прихожей и наклеили ее на внутреннюю сторону входной двери, оранжевым и зеленым фломастерами мы отделили Нечто от Ничто. «Это Нечто, — решили мы, — это Ничто». «Нечто». «Нечто». «Ничто». «Нечто». «Ничто». «Ничто». «Ничто». Все было навеки расписано, впереди только мир да согласие, вплоть до вчерашней ночи, последней для нас, когда прозвучал, наконец, этот неизбежный вопрос, и я ответил: «Нечто», накрыв ее лицо ладонями, а затем откинув их, как свадебную вуаль. «Иначе никак». Но в самом сокровенном уголке своего сердца я знал правду.

Извините, вы не знаете, который час?

Красивая девушка не знала, который час, она спешила, она сказала: «Удачи», я улыбнулся, она ускорила шаг, ее юбка взметнулась, поймав в раструб поток встречного воздуха, порой мне чудится, будто я слышу, как прогибается мой хребет под тяжестью всех тех жизней, которые я не проживаю. В этой жизни я сижу в аэропорту, пытаясь оправдаться перед своим нерожденным сыном, я заполняю страницы этого последнего дневника, я вспоминаю буханку черного хлеба, которую когда-то не убрал на ночь, и наутро обнаружил очертания мыши, прогрызшей ее насквозь, я нарезал буханку на ломти и в каждом увидел мышь, я вспоминаю Анну, я все готов отдать, чтобы никогда больше о ней не вспомнить, я дорожу лишь тем, что хочу потерять, я вспоминаю день нашей встречи, она пришла со своим отцом к моему отцу, наши отцы дружили, до войны они говорили об искусстве и литературе, но с тех пор как началась война, они говорили исключительно о войне, я заметил ее еще издали, мне было пятнадцать, ей было семнадцать, мы сидели на траве, пока наши отцы беседовали в доме, могли ли мы быть моложе? Мы говорили о пустяках, но казалось, что обсуждаем самые важные вещи, мы выдирали траву пригоршнями, и я спросил, любит ли она читать, она сказала: «Нет, но есть книги, которые я обожаю, обожаю, обожаю», так именно и сказала, трижды, «Ты любишь танцевать?», — спросила она, «Ты любишь плавать?» — спросил я, мы смотрели друг на друга до тех пор, пока не стало казаться, что сейчас все вокруг взорвется и запылает, «Ты любишь животных?», «Ты любишь плохую погоду?», «Ты любишь своих друзей?». Я рассказал ей о своей скульптуре, она сказала: «Ты станешь выдающимся художником». — «Откуда ты знаешь?» — «Знаю — и все». Я сказал, что уже и сейчас выдающийся, вот как я был в себе не уверен, она сказала: «Я имела в виду знаменитым», я сказал, что знаменитость меня не волнует, она спросила, что же тогда волнует, я сказал, что леплю скульптуры ради скульптур, она засмеялась и сказала: «Ты еще в себе не ра-

145

зобрался», я сказал: «Очень даже разобрался», она сказала: «Ну, конечно», я сказал: «Разобрался!» Она сказала: «Это нормально — не разбираться в себе», она разглядела то, что было скрыто под панцирем, мою суть, «Ты любишь музыку?» Наши отцы вышли из дома и остановились в дверях, кто-то из них спросил: «Что же мы будем делать?» Я знал, что мое время с Анной почти истекло, я спросил, любит ли она спорт, она спросила, люблю ли я шахматы, я спросил, любит ли она поваленные деревья, они с отцом пошли домой, моя суть устремилась следом, я остался под своим панцирем, мне нужно было снова ее увидеть, я не мог себе этого объяснить, в необъяснимости и заключалась прелесть, это нормально — не разбираться в себе. Назавтра я дошел до ее дома в каких-нибудь полчаса, все время боялся, как бы кто не узнал меня по дороге между нашими деревнями, разве объяснишь другим то, чего не понимаешь сам, я был в широкополой шляпе и шел, низко опустив голову, я слышал шаги прохожих, но не знал, кому они принадлежат — мужчине, женщине, ребенку, мне казалось, что я иду по ступеням лестницы, лежащей плашмя, от стыда или от неловкости я бы ни за что не хотел попасться ей на глаза, что бы я ей сказал, и куда вела эта лестница: вверх или вниз? Я спрятался за кучей земли, вырытой для книжной могилы, литература была единственной религией, которую ее отец исповедовал, когда книга падала на пол, он ее целовал, прочитав книгу, старался отдать ее тому, кому бы она понравилась, если же достойный кандидат не отыскивался, он ее хоронил, я высматривал ее весь день, но так и не увидел, ни в саду, ни в окне, я дал себе слово, что не уйду, пока ее не увижу, но настал вечер, и я знал, что пора возвращаться домой, как же я ненавидел себя, что мне мешало быть тем, которые остаются? Я шел назад, понурив голову, я думал о ней не переставая, хотя почти ее не знал, я не представлял, что будет, когда ее увижу, но знал, что мне необходимо быть рядом с ней, я вдруг подумал, идя к ней на следующий день с низко опущенной голо-

вой, что она могла уже и вовсе забыть обо мне. Книги были зарыты, поэтому я спрятался за купой деревьев, я вообразил, как их корни опутали книги, тянут соки из страниц, я представил годовые кольца стволов, составленные из букв, я прождал долго, я увидел твою мать в одном из окон второго этажа, она была еще совсем девочка, она поймала мой взгляд, но Анны я не увидел. С дерева слетел лист, он был желт, как бумага, пора было домой, а потом, на следующий день, меня опять потянуло к ней. Я пропустил занятия, не заметил, как до нее дошел, так старался спрятать лицо, что растянул шею, по пути моя рука чиркнула по чьей-то встречной руке — сильной, надежной, — и я попытался представить того, кому она могла принадлежать: фермера, землекопа, плотника, каменщика. Подойдя к ее дому, я обошел его и спрятался за задним окном, вдали прогрохотал поезд, люди приезжали, уезжали, солдаты, дети, окно дрожало, как барабанная перепонка, я прождал весь день, может, она уехала, может, у нее дела, может, она скрывается от меня? Когда я пришел домой, отец сказал, что его вновь навещал ее отец, я спросил, почему он запыхался, он сказал: «Дела все хуже и хуже», я подумал, что мы с ее отцом могли разминуться сегодня на улице. «Какие дела?» Не его ли сильная рука чиркнула о мою руку? «Все. В мире». Узнал он меня, или шляпа и опущенная голова это предотвратили? «С каких пор?» Быть может, его голова тоже была опущена. «С самого начала». Чем упорнее я старался не думать о ней, тем больше думал, тем невозможнее становилось это объяснить, я опять пошел к ее дому, по пути между нашими деревнями я ни разу не поднял голову, ее снова не оказалось, я хотел позвать ее, но боялся, что она узнает мой голос, весь мой порыв был следствием нашего мимолетного разговора, на ладони тех тридцати минут уместились сто миллионов доводов, и невозможных признаний, и молчаний. Мне о стольком нужно было ее спросить: «Тебе нравится лежать на животе и смотреть на вещи под коркой льда?», «Тебе нравятся пьесы?», «Тебе нравится, когда ты что-нибудь слышишь прежде, чем увидишь?» На следующий день я пошел опять, дорога была мучительной, с каждым шагом я все больше убеждал себя, что произвел на нее плохое впечатление, или еще того хуже — вообще никакого не произвел, я шел, низко склонив голову, широкополая шляпа надвинута чуть ли не на глаза, если прятать от мира лицо, мира не увидать, и вот почему посреди моей юности, в центре Европы, между двух наших деревень, незадолго перед тем, как все потерять, я врезался в нечто и был сбит с ног. Я не сразу пришел в себя и сперва подумал, что налетел на дерево, но потом дерево обрело очертания человека, который тоже сидел на земле и приходил в себя, а потом я увидел, что это была она, а она увидела, что это был я, «Здравствуй», — сказал я, отряхиваясь, «Здравствуй», — сказала она. «Умереть со смеху». «Да». Как это объяснить? «Ты куда идешь?» — спросил я. «Так просто гуляю, — сказала она. — А ты?» — «Так просто гуляю». Мы помогли друг другу подняться, она смахнула листья с моих волос, я хотел коснуться ее волос, «Вообще-то нет», — произнес я, еще не зная слов, которые скажу, но страстно желая, чтобы это были мои слова, желая, как никогда раньше, выразить свою суть и быть понятым. «Я шел тебя увидеть». Я сказал: «Я уже шестой день хожу к твоему дому. Почему-то хотелось еще раз тебя увидеть». Она молчала, я выставил себя на посмешище, это нормально — не разбираться в себе, и тут она засмеялась, никогда не видел, чтобы кто-нибудь так сильно смеялся, смех вызвал слезы, слезы — новые слезы, тогда и я засмеялся от глубочайшего и всеобъемлющего стыда: «Я шел к тебе, — повторил я, точно затем, чтобы ткнуться носом в собственное дерьмо, — потому что хотел снова тебя увидеть». Она не унималась. «Теперь понятно», — сказала она, когда снова смогла говорить. «Что?» — «Понятно, почему все эти шесть дней тебя не было дома». Мы перестали смеяться, я вдохнул в себя мир, поставил его с ног на голову и выдохнул обратно в форме вопроса: «Я тебе нравлюсь?»

Вы не знаете, который час?

Он сказал 9:38, он был очень похож на меня, я увидел, что он это тоже заметил, мы одинаково улыбнулись — улыбкой узнавания себя в другом, сколько у меня двойников? Совершаем ли мы одни и те же ошибки или кто-то из нас сумел-таки их избежать, пусть не всех, но некоторых, двойник ли я? Сам себе сказал время и теперь думаю о твоей матери, какая она молодая и старая, как носит деньги в конверте, как в любую погоду мажет меня защитным кремом от солнца, как чихает и говорит: «Чтоб я была здорова», чтоб она была здорова. Она сейчас дома, пишет историю своей жизни, пока она стучит на машинке, я ухожу, не ведая о содержании грядущих глав. Это я предложил и в тот момент был очень собой доволен, я подумал, что, может, ей следует выражать себя, а не выстрадывать, может, таким образом она хотя бы частично избавится от своей страшной ноши, она жила механически, ничем не увлекалась, ни о ком не заботилась, ни к чему не прикипала душой, она помогала в магазине, потом приходила домой и сидела в своем кресле, пялясь в журналы, не в них, а сквозь них, не желая отрясти прах с плеч. Я достал из шкафа свою старую пишущую машинку и организовал ей рабочее место в гостевой спальне, там было все необходимое: карточный столик в качестве письменного, стул, бумага, какие-то стаканы, графин с водой, электроплитка, какие-то цветы, крекеры, не идеальный рабочий кабинет, но вполне приемлемый, она сказала: «Но ведь у нас там Ничто», я написал: «Разве есть более подходящее место, чтобы писать историю своей жизни?» Она сказала: «У меня глаза паршивят», я сказал, что глаза у нее еще очень даже ничего, она сказала: «Еле-еле фурычат», закрывая их пальцами, но я знал, что ей просто неловко от моего внимания, она сказала: «Я не умею писать», я сказал, что тут нечего уметь, пиши, как сердце подсказывает, она опустила руки на машинку, точно слепая, впервые ощупывающая чье-то лицо, и сказала: «Я не знаю, как этим пользоваться», я сказал: «Просто бей по клавиатуре», она сказала, что попробует, и хотя я с детства знаком с пишущей машинкой, сам только пробовать и могу. В следующие месяцы было так: она вставала в четыре утра и шла в гостевую спальню, звери устремлялись за ней, я приходил сюда, мы не виделись до завтрака и потом, после работы, вновь расходились, чтобы встретиться уже только перед сном, волновался ли я за нее, за то, что свою нынешнюю жизнь она проводит в своей прошлой жизни, нет, я не мог на это нарадоваться, я помнил все, что она должна чувствовать, бодрящую лихорадку созидания, из-за двери до меня доносились звуки творчества, буквы, впечатываемые в бумагу, страницы, выезжающие из каретки, прошлое, в кои-то веки ставшее лучше, чем оно было, ставшее идеальным, исполненным смысла, а потом, как-то утром этой весной, после своего многолетнего затворничества, она сказала: «Хочу тебе кое-что показать». Я пошел за ней в гостевую спальню, она указала в направлении карточного столика в углу, на котором между двумя одинаковыми по высоте стопками бумаги стояла печатная машинка, мы подошли к нему вместе, она дотронулась до всего, что было на столе, а затем протянула мне левую стопку, она сказала: «Моя жизнь». — «Твоя жизнь?» — спросил я пожатием плеч, она постучала пальцем по странице: «Моя жизнь», я пролистал несколько страниц, их было, наверное, около тысячи, я отложил стопку, «Что это?» — спросил я, приложив ее ладони к тыльным сторонам своих рук и затем сбросив их, повернув свои руки вверх ладонями, «Моя жизнь, — сказала она с гордостью. — Я восстановила ее вплоть до этой минуты. Только что. Зато теперь я за собой угналась. Вот моя последняя запись: «Сейчас покажу ему все написанное. Надеюсь, ему понравится». Я взял стопку в руки и снова начал листать, стараясь найти страницу, на которой она родилась, ее первую любовь, как она в последний раз видела родителей, я и Анну хотел найти, все искал и искал, я порезал указательный палец, оставив крошечный алый след в виде цветка на странице, где мне следовало увидеть, как она с кем-то целуется, но увидел я только вот что:

Мне захотелось плакать, но я не заплакал, а, наверное, надо было бы, надо было утопить нас в той комнате, избавить от страданий, нас обнаружили бы плавающими лицами вниз среди двух тысяч чистых страниц или похороненными под соляными кристаллами моих испарившихся слез, я вспомнил (только тогда и слишком поздно), что давным-давно вырвал из машинки печатную ленту, это был акт возмездия, я мстил машинке и мстил себе, я вытягивал ее, как кинопленку, разматывая сохраненный ею негатив — будущие дома, которые я создал для Анны, мои безответные письма, — будто это могло спасти меня от реальности. Но хуже того — как это выразить словами? пиши! — я осознал, что твоя мать не видит этой пустоты, она вообще ничего не видит. Я знал, что у нее неважно со зрением, она часто стискивала мою руку во время ходьбы, я слышал, как она говорила: «У меня глаза паршивят», но считал, что это лишь еще один повод ко мне притронуться, очередная фигура речи, почему она не позвала на помощь, зачем были все эти журналы и газеты, если она их не видела, может, это и было ее зовом о помощи? Может, поэтому она так вцеплялась в перила, отказывалась при мне готовить, переодеваться, открывать двери? Может, для того и держала под рукой всякое чтиво, чтобы больше ни на что не смотреть? Я столько всего написал ей за эти годы, а выходит, ни слова не проронил? «Прекрасно, — сказал я, гладя ее по плечу особым, выработанным между нами поглаживанием. — Просто прекрасно». — «Не томи, — сказала она. — Скажи, что ты думаешь». Я приложил ее руку к своей щеке, я наклонил голову к плечу — в контексте того, о чем мы (в ее представлении) разговаривали, это значило: «Не читать же мне это наспех. Я возьму в спальню и прочту неторопливо, внимательно, твоя жизнь иного не заслуживает». Но в контексте того, о чем (в моем представлении) был этот разговор, это значило: «Я тебя предал».

Вы не знаете, который час?

Первый раз мы с Анной занимались любовью за сараем ее отца, предыдущий владелец был фермером, но Дрезден начал наползать на окрестные деревни, и ферму разбили на девять земельных участков, семья Анны владела самым большим. Стены сарая рухнули еще осенью («Последний опавший лист оказался явно лишним», — пошутил ее отец), но уже на следующий день он соорудил новые стены из книжных полок, чтобы сами книги отделяли внутреннее пространство от внешнего. (Навес на новой крыше предохранял книги от дождя, но зимой их страницы смерзались, а по весне они испускали вздох.) Он устроил там нечто вроде салона, ковры, пара кушеток, он любил наведываться туда по вечерам со стаканчиком виски и трубкой, снимать с полок книги, смотреть сквозь стену на центр города. Он был интеллектуал, но не из тех, что владеют умами, возможно, поживи он подольше, он бы ими и завладел, возможно, великие книги сжимались в нем, как пружины, книги, способные отделить внутреннее от внешнего. В тот день, когда мы с Анной первый раз занимались любовью, он встретил меня во дворе, рядом стоял неопрятный человек с кудрями, вьющимися во все стороны, в погнутых очках, в белой сорочке, заляпанной типографской краской, его пальцы тоже были в ней, «Познакомься, Томас, это мой друг Симон Голдберг». Я поздоровался, я не знал ни кто он, ни зачем меня ему представляют, я искал Анну, мистер Голдберг спросил, чем я занимаюсь, голос у него был красивый и прерывистый, как мощеная мостовая, я сказал: «Ничем», он засмеялся. «Не скромничай», — сказал отец Анны. «Я хочу быть скульптором». Мистер Голдберг снял очки, вытянул из брюк концы рубашки и протер ими стекла. «Ты хочешь быть скульптором?» Я сказал: «Пытаюсь». Он вернул очки на лицо, заправил проволочные дужки за уши и сказал: «В твоем случае пытаться — значит быть». «А вы чем занимаетесь?» — спросил я с большим вызовом, чем мне бы того хотелось. Он сказал: «Больше уже ничем». — «Не скромничай», — сказал ему отец Анны, но не засмеялся, как в первый раз, и добавил: «Симон — один из величайших умов эпохи». — «Пытаюсь», — сказал мистер Голдберг, обращаясь ко мне, будто только мы вдвоем и существовали. «Что пытаетесь?» — спросил я с большим интересом, чем мне бы того хотелось, он опять снял очки: «Пытаюсь им быть». Пока ее отец беседовал с мистером Голдбергом в самодельном салоне, чьи книги отделяли внутреннее от внешнего, мы с Анной пошли по камышу, набросанному поверх серо-зеленой глины, мимо бывшего загона для лошадей вниз, к тому месту, с которого можно было увидеть реку, если знать, куда и как смотреть, мы были по щиколотку в грязи и мякоти нападавших фруктов, мы их откидывали мысками с дороги, с вершины их участка был виден железнодорожный вокзал со всей его суетой, хаос войны становился все ощутимее, солдаты шли через город на Восток, беженцы шли на Запад или оставались в городе, поезда прибывали и отбывали, сотни поездов, мы закончили там, где начали, у сарая, который был салоном. «Давай сядем», — сказала она, мы опустились на землю спинами к полкам, было слышно, как они разговаривают внутри, и пахло трубочным дымом, сочившимся между книг, Анна стала меня целовать. «А вдруг они выйдут?» — прошептал я, она дотронулась до моих ушей, что означало: пока мы их слышим, бояться нечего. Она стала гладить меня повсюду, я не знал, что она делает, я стал трогать ее повсюду, а я-то что делал, догадывались ли мы о чем-то, чего сами не могли объяснить? Ее отец сказал: «Оставайся здесь, сколько необходимо. Хоть навсегда». Она стянула блузку через голову, я взял в руки ее грудь, это было неуклюже, но это было естественно, она стянула с меня рубашку через голову, в ту секунду, что я ослеп, мистер Голдберг сказал со смешком: «Навсегда», я слышал, как он меряет шагами небольшую комнату, я положил руку ей под юбку, между ее ног, показалось: еще мгновение — и все вокруг взорвется и запылает, я откуда-то знал, что делать, все было в точности, как в моих снах, будто необходимая информация была сжата во мне, как пружина, происходящее сейчас происходило раньше и произойдет потом, «Я больше не понимаю мир», — сказал отец Анны, она легла на спину за стеной книг, пропускавших голоса и трубочный дым, «Хочу тебя», — прошептала Анна, я в точности знал, что делать, вечерело, отбывали поезда, я задрал ее юбку, мистер Голдберг сказал: «А я как никогда его понимаю», и я услышал его дыхание по другую сторону книг, сними он с полки хотя бы одну, и мы пропали. Но книги нас спасли. Я пробыл в ней не больше секунды, прежде чем взорваться и запылать, она тихонько заныла, мистер Голдберг топнул ногой и издал крик, как раненое животное, я спросил, не разочарована ли она, она качнула головой, что нет, я упал на нее, положив щеку ей на грудь, и увидел лицо твоей матери в окне второго этажа. «Тогда почему ты плачешь?» — спросил я, усталый и повзрослевший, «Война!» — сказал мистер Голдберг, сердитый и побежденный, его голос дрожал: «Мы убиваем друг друга без всякой цели. Человечество воюет против себя, это кончится только тогда, когда воевать станет некому». Она сказала: «Мне больно».

Вы не знаете, который час?

11-1239

По утрам до завтрака и до того, как ехать сюда, мы с твоей матерью идем в гостевую спальню, животные следуют за нами, я проглядываю чистые страницы и жестикулирую смех или жестикулирую слезы, если она спрашивает, над чем я смеюсь или плачу, я постукиваю по странице пальцем, а если она спрашивает, почему, я прижимаю ее руку к сердцу, сначала к ее, а потом к своему, или тычу ее указательным пальцем в зеркало, или дотрагиваюсь им до электроплитки, иногда мне кажется, что она знает, мне кажется (в мои Наиничтожнейшие минуты), что она меня испытывает: целый день печатает ерунду или вообще ничего не печатает, чтобы посмотреть на мою реакцию, ей нужно подтверждение моей любви, только это всем друг от друга и нужно, не сама любовь, а подтверждение, что она в наличии, как свежие батарейки в карманном фонарике из аварийного набора в шкафу в коридоре, «Больше никому не показывай», — сказал я ей в то утро, когда она мне это показала впервые, то ли ее пытаясь защитить, то ли себя: «Мы будем держать это в тайне, пока не доведем до совершенства. Мы поработаем над этим вместе. Это будет самая великая книга из всех, когда-либо написанных». — «Ты думаешь, это возможно?» — спросила она, снаружи листья опадали с деревьев, внутри мы больше не придавали значения правде такого рода. «Да, — сказал я, касаясь ее плеча. — Если очень постараемся». Она вытянула перед собой руки и нащупала мое лицо, она сказала: «Я об этом напишу». С того дня я ее подбадриваю, умоляя писать больше, копать глубже. «Опиши его лицо», — говорю я, скользя рукой по пустой странице, и потом, на следующее утро: «Опиши его глаза», и потом, держа страницу на просвет окна, позволяя ей пропитаться светом: «Опиши его радужки», и потом: «Его зрачки». Она никогда не спрашивает: «Чьи?» Никогда не спрашивает: «Зачем?» Может, это мои глаза на тех страницах? Я увидел, что левая стопка удвоилась и учетверилась, я услышал, что отступления стали темами, стали абзацами, стали главами, и я знаю (она мне сказала), что предложение, которое некогда было вторым, теперь предпоследнее. Два дня назад она сказала, что ее прошлое проходит быстрее, чем настоящее. «Что ты имеешь в виду?» — спросил я руками, «У нас почти ничего не происходит, — сказала она, — а память у меня отличная». — «Ты могла бы написать про наш магазин». — «Я описала каждый бриллиант в витрине». — «Ты могла бы написать про других людей». — «Моя жизнь — это история всех, кого я когда-либо знала». — «Ты могла бы написать про свои чувства». Она спросила: «Разве моя жизнь и мои чувства не одно и то же?»

Простите, где продаются билеты?

Мне так много нужно тебе сказать, проблема не в том, что остается все меньше времени, а в том, что остается все меньше места, моя тетрадь на исходе, страниц никогда не бывает достаточно, сегодня утром я оглядел квартиру в последний раз, и в ней все было исписано, стены исписаны, зеркала, я свернул ковры, чтобы писать на полу, я писал на окнах и по кругу на бутылках вина, которое нам подарили, а мы так и не выпили, на мне всегда рубашка с короткими рукавами, даже в стужу, потому что мои руки — это тоже книги. Но всего не выразишь. Прости. Вот что я пытаюсь тебе сказать, прости за все. За то, что сказал Анне прощай, хотя, наверное, мог бы спасти ее и нашу абстракцию или погибнуть с ними. Прости, что неспособен забыть все неважное и что неспособен все важное сохранить. Прости, что так поступаю с вами, с твоей матерью и с тобой. Прости, что никогда не увижу твоей мордашки, не покормлю, не расскажу сказку на ночь. Я пытался объясниться по-своему, но когда вспоминаю историю с книгой твоей матери, понимаю, что не объяснил ничего, в этом мы с ней похожи, мои письма — тоже Ничто. «Посвящение», — сказала она сегодня утром, всего несколько часов назад, когда я в последний раз зашел в гостевую спальню. «Прочти». Я поднял пальцами ее веки, раскрыв ей глаза, чтобы в них уместились все оттенки смысла, я уходил от нее, не прощаясь, порывал с браком миллиметров и правил, «Не слишком длинно?» — спросила она, возвращая меня к своему невидимому посвящению, я коснулся ее правой рукой, не зная, кому она посвятила свою историю, «Не очень глупо, нет?», я коснулся ее правой рукой, я уже тосковал по ней, я не передумал, но задумался, «Я не слишком себя выпячиваю?», я коснулся ее правой рукой, судя по вопросу, она посвятила написанное себе, «Тебе это сразу обо всем говорит?» — спросила она и на этот раз показала пальцем на то, чего не было, я коснулся ее левой рукой, судя по вопросу, она посвятила написанное мне. Я сказал, что мне пора. Длинной серией жестов, значения которых другой бы не разобрал, я спросил у нее, не хочется ли ей чего-нибудь особенного. «Ты всегда приносишь только то, что я хочу», — сказала она. «Журналы о природе?» (Я взмахнул ее руками, как крыльями.) «Было бы славно». — «Что-нибудь про искусство?» (Я взял ее руку, как кисть, и нарисовал перед нами воображаемую картину.) — «Конечно». Она, как обычно, проводила меня до дверей, «Я могу не вернуться до того, как ты уснешь», — сказал я, положив ей на плечо руку ладонью вверх и потом нежно опустив на ладонь ее щеку. Она сказала: «Но я не засну без тебя». Я прижал ее руки к своей голове и кивком сказал, что заснешь, мы дошли до дверей, стараясь не выпасть из Нечто. «А вдруг я все-таки без тебя не засну?» Я прижал ее руки к своей голове и кивнул, «Ну, а вдруг?» Я кивнул, «Ответь, что тогда», — сказала она, я пожал плечами, «Обещай мне, что будешь внимателен», — сказала она, натягивая на мою голову капюшон пальто, «Обещай, что будешь вдвойне внимателен. Я знаю, ты смотришь по сторонам, когда переходишь дорогу, но я хочу, чтобы ты смотрел дважды, раз я тебя попросила». Я кивнул. «Ты намазался кремом?» Жестами рук я сказал ей: «На улице стужа. Ты простужена». — «Но ты намазался?» — спросила она. Сам не ожидая, я коснулся ее правой рукой. Я мог лгать всю жизнь, но не сумел обмануть ее в такой мелочи. Она сказала: «Подожди», и убежала куда-то, и вернулась с пузырьком крема. Она выдавила немного себе на руку, потерла ладони и намазала мне тыльную сторону шеи, и кисти рук, и между пальцев, и нос, и лоб, и щеки, и подбородок, все открытые места, под конец я стал глиной, а она — скульптором, я подумал: плохо, что приходится жить, но еще хуже, что живешь только однажды, потому что будь у меня две жизни, я бы прожил одну из них с ней. Я бы остался с ней в квартире, сорвал с дверей схему, держал бы ее в постели, говорил бы: «Дайте две булочки», распевал бы: «Start sprea-

ding the news», смеялся бы: «Ха-ха-ха!», кричал бы: «Помогите!» Я бы провел эту жизнь среди живых. Мы вместе спустились на лифте и дошли до порога, она остановилась, я продолжал идти. Я понимал, что разрушаю все, построенное ею заново, но у меня была только одна жизнь. Я услышал за спиной плач. Повинуясь себе или вопреки себе, я обернулся, «Не плачь», — сказал я, приложив ее пальцы к своему лицу и собрав ими воображаемые слезы с щек обратно в глаза, «Я знаю», — сказала она и смахнула со своих щек настоящие слезы, я топнул ногой, это значило: «Я не поеду в аэропорт». — «Поезжай», — сказала она, я коснулся ее груди, потом вытянул ее руку вперед, указав на мир, потом указал той же рукой на грудь. «Я знаю, — сказала она. — Конечно, я это знаю». Я взял ее за руки и сделал вид, будто мы находимся за невидимой стеной или за воображаемой картиной, наши ладони ощупывают ее поверхность, а потом, рискуя сказать слишком много, положил одну ее ладонь на свои глаза, а другую — на ее, «Ты такой заботливый», — сказала она, я положил ее руки себе на голову и кивнул, она засмеялась, я люблю, когда она смеется, хотя правда состоит в том, что я ее не люблю, она сказала: «Я люблю тебя», я сказал, что чувствовал, вот как я это сказал: я развел в стороны ее руки, я нацелил ее указательные пальцы друг на друга и стал медленно, очень медленно их сводить, чем ближе они были, тем медленнее я их сводил, а потом, когда они почти встретились, когда расстояние между ними стало не больше вырванной из словаря страницы, и они уперлись с противоположных сторон в напечатанное на ней слово «любовь», я их остановил. Не знаю, что она подумала, не знаю, что поняла, а что не позволила себе понять, я повернулся и пошел, я не оглянулся и больше не оглянусь. Я говорю тебе все это, потому что никогда не буду твоим отцом, зато ты всегда будешь моим сыном. Я хочу, чтобы ты знал хотя бы одно: мною движет не эгоизм, как это объяснить? Я не могу жить, пытался — и не могу. Если это звучит просто, это так же просто, как гора. Твоя мать тоже настрадалась, но она выбрала жизнь и жила, будь же ей и сыном, и мужем. Я не жду, что ты меня поймешь, еще меньше жду, что простишь, эти слова могут до тебя и не дойти, если твоя мать так захочет. Мне пора идти. Я хочу, чтобы ты был счастлив, хочу этого сильнее, чем собственного благополучия, это тоже просто звучит? Я ухожу. Сейчас я вырву эти страницы из тетради, остановлюсь у почтового ящика перед тем, как сесть в самолет, напишу на конверте «Моему нерожденному сыну» и больше никогда ни слова не напишу, я сгинул, меня больше здесь нет. С любовью, твой отец.

Мне нужен билет до Дрездена.

Что ты здесь делаешь?

Иди домой. Тебе лучше лежать в постели.

Давай я тебя провожу.

Не сходи с ума. Ты простудишься.

Ты простудишь свою простуду.

~~ГИРИ НА СЕРДЦЕ~~
КУЧА ГИРЬ НА СЕРДЦЕ

Через двенадцать выходных состоялась премьера «Гамлета», хотя, вообще-то, это была сокращенная и современная версия, потому что настоящий «Гамлет» слишком длинный и путаный, а у большинства детей в моем классе СДВ[1]. Например, знаменитая речь «Быть или не быть», известная мне по собранию сочинений Шекспира, которое подарила бабушка, была сокращена до одного предложения: «Быть или не быть, вот в чем вопрос».

Участвовать должны были все, но настоящих ролей на всех не хватило, а прослушивание я пропустил (у меня было столько гирь на сердце, что я в тот день вообще в школу не пошел), поэтому получил роль Йорика. Сначала я закомплексовал. Я предложил миссис Ригли, что, может, буду лучше играть на тамбурине в оркестре или типа того. Она сказала: «Оркестра нет». Я сказал: «Ну, пожалуйста». Она сказала: «Не комплексуй. Мы тебя нарядим во все черное, наши гримеры замажут тебе руки и шею черной краской, а наши костюмеры изготовят специальный череп из папье-маше, который ты наденешь на голову. Будет полное впечатление, что у тебя нет тела». Я задумался на минуту, а потом пред-

---

[1] СДВ (от *англ.* ADD — Attention Deficit Disorder) — синдром дефицита внимания.

ложил ей кое-что покруче. «А давайте я изобрету костюм-невидимку со встроенной камерой на спине, чтобы она снимала все, что за мной, и показывала это на плоском экране передо мной, но чтобы экран закрывал меня целиком, все, кроме лица. Будет полное впечатление, что меня там вообще нет». Она сказала: «Стильно». Я сказал: «Но ведь Йорик даже не роль?» Она шепнула мне на ухо: «Боюсь, как бы ты вообще не стал гвоздем спектакля». Тогда я обрадовался, что буду Йорик.

Премьера была суперская. У нас был генератор искусственного тумана, поэтому кладбище получилось, как в кино. «Увы, бедный Йорик! — сказал Джимми Снайдер, держа мое лицо. — Я знал его, Горацио»[1]. Из-за ограниченного бюджета на костюмы плоского экрана мне не дали, зато из-под черепа я мог незаметно для всех подглядывать в зал. Я увидел кучу знакомых и почувствовал себя особенным. Были мама, Рон и, само собой, бабушка. Был Тюбик, который пришел вместе с мистером Гамильтоном и миссис Гамильтон, что приятно, и была чета Минчей, но это потому, что Минч был Гильденстерном. Было много Блэков, с которыми я познакомился за эти двенадцать выходных. Был Ави. Были Ада и Агнешка. (Они даже сидели рядом, хотя понятия друг о друге не имели.) Я увидел Алберта, Алису, Аллана, Арнольда, Барбару и Барри. Наверное, половину мест в зале занимали Блэки. Но что прикольно, они не знали, какая между ними связь, так же, как я не знал, какая связь между чертежной кнопкой, погнутой ложкой, куском алюминиевой фольги и остальными вещами, найденными в Центральном парке.

Я запредельно волновался, но сохранил внешнее спокойствие и сыграл жутко органично. Сужу по стоячей овации, от которой почувствовал себя на сто долларов.

---

[1] Отрывки из «Гамлета» здесь и далее в пер. Б. Пастернака.

12-1239

Второй спектакль тоже был суперский. Была мама, но Рон не смог уйти с работы. Что и лучше, потому что я его там все равно не хотел. Была бабушка, само собой. Никого из Блэков я не увидел, но знал, что люди обычно ходят на представление один раз, если только они не твои родители, поэтому не сильно расстроился. Я постарался сыграть незабываемо, и, по-моему, у меня получилось. «Увы, бедный Йорик! Я знал его, Горацио; человек бесконечно остроумный, чуднейший выдумщик; он тысячу раз носил меня на спине; а теперь — как отвратительно мне это себе представить».

На третий спектакль пришла только бабушка. У мамы допоздна было совещание, потому что какое-то из ее дел передавали в суд, а где Рон, я не спросил, потому что постеснялся, да и все равно я его там не хотел. Стоя, как статуя, с рукой Джимми Снайдера под подбородком я подумал: *На фига быть жутко органичным, если все равно никто не смотрит?*

На следующий день бабушка не зашла за кулисы ни поздороваться до спектакля, ни попрощаться после, но на спектакле была. Я смотрел на нее в глазницы, она стояла в самом конце спортзала под баскетбольным щитом. Ее макияж обалденно впитывал свет и делал ее почти ультрафиолетовой. «Увы, бедный Йорик». Я стоял, как статуя, и все время думал: *Неужели какой-то суд важнее величайшей пьесы в истории?*

На следующем спектакле снова была одна бабушка. Она невпопад плакала и невпопад раскалывалась. Она захлопала, когда пришло известие о том, что Офелия утонула, хотя это плохая новость, и зашикала на Гамлета, когда в конце он ранил на дуэли Лаэрта, хотя это как раз хорошо, по понятным причинам.

«Здесь были эти губы, которые я целовал, сам не знаю сколько раз. Где теперь твои шутки? Твои дурачества? Твои песни?»

За кулисами перед последним спектаклем Джимми Снайдер передразнивал бабушку для всей труппы. Видно, я не просек, что она такая громкая. Я ругал себя за то, что обращаю на нее внимание, а зря, она сама была в этом виновата. На нее все обращали внимание. Джимми скопировал ее в ноль: как она взмахивает левой рукой, услышав что-нибудь смешное, точно от мухи отмахивается. Как склоняет голову набок, точно хочет на чем-нибудь запредельно сосредоточиться, как чихает и говорит: «Чтоб я была здорова». И еще как она заплакала и сказала: «Грустно», но так, что все услышали.

Я сидел и смотрел, как Джимми всех раскалывает. Даже миссис Ригли раскололась, и муж ее тоже, он играл на пианино во время смены декораций. Я не стал говорить, что это моя бабушка, и не потребовал, чтобы он перестал. Снаружи себя я раскалывался вместе со всеми. Но внутри себя я жалел, что ее нельзя упрятать в переносной карман или переодеть в костюм-невидимку. Я жалел, что мы с ней не можем уйти куда-нибудь подальше от всех, типа в Шестой округ.

В тот вечер она опять была в зале, в последнем ряду, хотя только первые три были заполнены. Я наблюдал за ней из-под черепа. Ее рука лежала на ультрафиолетовом сердце, и было слышно, как она говорит: «Грустно. До чего же грустно». Я подумал про недовязанный шарф, и про булыжник, который она тащила через Бродвей, и про то, как после стольких лет жизни ей по-прежнему нужны воображаемые друзья, и про наш чемпионат по борьбе на пальцах.

МАРДЖИ КАРСОН. Эй, Гамлет, где Полоний?
ДЖИММИ СНАЙДЕР. За ужином.
МАРДЖИ КАРСОН. За ужином! Где?
ДЖИММИ СНАЙДЕР. Не там, где он ест, а где его едят.
МАРДЖИ КАРСОН. Ух ты.
ДЖИММИ СНАЙДЕР. Король может совершить путешествие по кишкам нищего.

В тот вечер, на той сцене, под тем черепом я почувствовал свою запредельную близость ко всей Вселенной, но одновременно и жуткое одиночество. Я впервые задумался, стоит ли жизнь всех тех усилий, которые требуются, чтобы ее прожить. В чем *именно* состоит ее ценность? Почему так ужасно стать навсегда мертвым, и ничего не чувствовать, и даже не видеть снов? Что такого суперского в чувствах и снах?

Джимми положил руку под мой подбородок. «Здесь были эти губы, которые я целовал, сам не знаю сколько раз. Где теперь твои шутки? Твои дурачества? Твои песни?»

Может, из-за всего, что произошло со мной за эти двенадцать недель. А может, потому что в тот вечер я почувствовал эту близость и одиночество. Но я больше не мог оставаться мертвым.

Я. Увы, бедный Гамлет. (*Я беру лицо* ДЖИММИ СНАЙДЕРА *в свою руку.*) Я знал его, Горацио.

ДЖИММИ СНАЙДЕР. Но Йорик... ты всего лишь... череп.

Я. Ну и что? Подумаешь. Отсовокупись.

ДЖИММИ СНАЙДЕР (*шепчет*). Этого нет в пьесе. (*Он ждет подсказки от* МИССИС РИГЛИ, *которая сидит в первом ряду и судорожно листает текст. Она крутит в воздухе правой рукой, а это универсальный знак для «импровизируй».*)

Я. Я знал его, Горацио. Кретин наивысшей пробы, самый блистательный онанист в туалете мальчиков на втором этаже — у меня имеются доказательства. К тому же он дислексик.

ДЖИММИ СНАЙДЕР. (*Ничего не может придумать.*)

Я. Где теперь твои издевки, твои выкаблучивания, твои песни?

ДЖИММИ СНАЙДЕР. Что ты *несешь*?

Я (*указывая рукой на табло*). Упож енм йулецоп, о ты, вонючий козлоногий акшакак!

ДЖИММИ СНАЙДЕР. Чё?

Я. Суд признает тебя виновным в издевательствах над теми, кто не такой сильный, как ты: в сживании со света «ботаников», типа меня, Тюбика и Минча; в передразнивании дегенераторов; в телефонных розыгрышах людей, которым никто никогда не звонит; в наведении ужаса на домашних животных и стариков (хотя они, между прочим, умнее тебя и знают больше); в насмешках надо мной за то, что у меня есть кисонька... А еще я видел, как ты соришь.

ДЖИММИ СНАЙДЕР. Я никаких дегенератов по телефону не разыгрывал.

Я. Тебя вообще усыновили.

ДЖИММИ СНАЙДЕР. (*Ищет в зале родителей.*)

Я. И никто тебя не любит.

ДЖИММИ СНАЙДЕР. (*Его глаза наполняются слезами.*)

Я. И еще у тебя боковой амиотрофический склероз.

ДЖИММИ СНАЙДЕР. Чё?

Я. От имени всех умерших... [*Я стаскиваю с головы череп. Хоть он и из папье-маше, но очень тяжелый. Я обрушиваю его на голову* ДЖИММИ СНАЙДЕРА — *раз, и еще раз. Тот валится на пол, потому что уже без сознания, а я сам не могу поверить в свою силу. Я продолжаю дубасить его по башке, и у него кровь течет из ушей и из носа. Но и тогда мне его ни капельки не жалко. Я хочу, чтобы у него шла кровь, потому что он этого заслуживает. Все остальное теряет смысл.* ПАПА *теряет смысл.* МАМА *теряет смысл.* ЗРИТЕЛИ *теряют смысл. Складные стулья и генератор искусственного тумана теряют смысл. Шекспир теряет смысл. Звезды, о которых я знаю, что они светят с обратной стороны потолка спортзала, теряют смысл. Единственное, что не теряет смысла, — это как я дубасю по лицу* ДЖИММИ СНАЙДЕРА. *Его кровь. Я вышибаю ему в рот не-*

сколько зубов, и мне кажется, что он их проглатывает. Кровь повсюду, на всем. Я продолжаю дубасить черепом по черепу, но только это уже череп РОНА (за то, что разрешил МАМЕ жить как ни в чем не бывало), и череп МАМЫ (за то, что живет как ни в чем не бывало), и череп ПАПЫ (за то, что умер), и череп БАБУШКИ (за то, что так меня перед всеми опозорила), и череп ДОКТОРА ФАЙНА (за вопрос, может ли ПАПИНА смерть пойти чему-нибудь на пользу), и черепа всех, кого я знаю. ЗРИТЕЛИ аплодируют, все до единого, потому что они меня понимают. Они устраивают мне стоячую овацию, а я все луплю его и луплю. Я слышу, как они выкрикивают...]

ЗРИТЕЛИ. Спасибо! Спасибо, Оскар! Мы любим тебя! Мы тебя защитим!

Это было бы суперски.

Я смотрю в зал из-под черепа, и рука Джимми все еще у меня под подбородком. «Увы, бедный Йорик». Я вижу Ави Блэка, а он видит меня. Я знаю, что наши взгляды должны что-то друг другу сказать, но не знаю, что именно, и не знаю, имеет ли это значение.

Ави Блэка на Кони Айленде[1] я навестил ровно двенадцать выходных назад. Я неисправимый идеалист, но даже я понял, что пешком так далеко не дойду, поэтому взял такси. Еще до выезда из Манхэттена мне стало ясно, что $7.68 в моем кошельке не хватит. Не знаю, считать ли это как ложь, но таксисту я не сказал. Просто я знал, что мне надо туда добраться, а по-другому было никак. Когда таксист тормознул возле нужного дома, на счетчике было $76.50. Я сказал: «Мистер Махальтра[2], вы оптимист или пессимист?» Он сказал:

---

[1] Кони Айленд — дальний район Бруклина, известный своим парком развлечений.

[2] В нью-йоркских такси всегда висит табличка с фамилией водителя.

«Что?» Я сказал: «Потому что, к сожалению, у меня есть только семь долларов и шестьдесят восемь центов». — «Семь долларов?» — «И шестьдесят восемь центов». — «Это не может быть так». — «К сожалению, может. Но если вы мне дадите свой адрес, я вышлю остальное по почте». Он опустился головой на руль. Я спросил, в порядке ли он. Он сказал: «Не надо мне семь долларов и шестьдесят восемь центов». Я сказал: «Обещаю вам выслать остальное по почте. Честное слово». Он дал мне свою визитку, которая, вообще-то, была визиткой стоматолога, а он написал свой адрес на обороте. Потом он сказал что-то на своем языке, который не был французским. «Вы на меня сердитесь?»

Само собой, я запредельно напрягся из-за американских горок, но Ави убедил меня с ним проехаться. «Будет обидно умереть, не прокатившись на «Циклоне»[1]», — сказал он. «Будет обидно умереть», — сказал я. «Ага, — сказал он, — но после «Циклона» все-таки не так обидно». Мы сели в первый вагончик, и Ави тянул вверх руки на каждом спуске. Я все думал, похоже ли это на то, как когда падаешь?

У себя в голове я попытался вычислить все те силы, которые удерживают вагончик на рельсах, а меня — в вагончике. Это, само собой, гравитация. И центробежная сила. И инерция. И трение между рельсами и колесами. И сопротивление ветра, по-моему, или типа того. Папа любил рисовать мне физику на бумажной скатерти цветными карандашами, пока мы ждали оладьев[2]. Он бы все объяснил.

Океан попахивал странно, и еда, которую продавали на набережной, тоже — пирожки с фенхелем, и сладкая вата, и хот-доги. День был почти клевейший, только вот Ави ничего не знал ни про ключ, ни про папу. Он сказал, что как

---

[1] Знаменитый аттракцион в парке развлечений на Кони Айленде.

[2] В некоторых недорогих, ориентированных на «семейные завтраки» кафе (diners) столы покрывают бумажной скатертью и ставят карандаши, чтобы ребенок не скучал в ожидании, пока принесут заказ.

раз едет в Манхэттен и может меня подбросить, если я хочу. Я сказал: «Я не езжу на машине с незнакомыми, и как вы, интересно, узнали, что мне надо в Манхэттен?» Он сказал: «Мы больше не незнакомые, и я сам не знаю, как это я узнал». — «У вас внедорожник?» — «Нет». — «Хорошо. С газово-электрическим двигателем?» — «Нет». — «Плохо».

Пока мы были в машине, я рассказал ему про то, как собираюсь найти в Нью-Йорке всех жителей по фамилии Блэк. Он сказал: «Знаешь, я тебя понимаю, потому что однажды от меня убежала собака. Самая умная собака на свете. Я в ней души не чаял и как только за ней не ухаживал. Она не хотела убегать. Просто запуталась, учуяла что-то одно, потом другое». — «Но мой папа не убегал, — сказал я. — Он погиб во время теракта». Ави сказал: «Я о *тебе* думаю». Он довел меня до дверей квартиры Ады Блэк, хотя я сказал, что могу сам. «Мне будет спокойнее, если я буду знать, что ты добрался», — сказал он, что мне напомнило маму.

У Ады Блэк было два подлинника Пикассо. Она понятия не имела про ключ, поэтому ее подлинники мне были по барабану, даже если бы я знал, что они знаменитые. Она сказала, что я могу сесть на диван, если хочу, но я сказал, что не верю в кожу, поэтому остался стоять. Такой обалденной квартиры я в своей жизни еще не видел. Полы были как шахматные доски из мрамора, а потолки — как торты с кремом. Вещи были как из музея, поэтому я сделал несколько фоток дедушкиным фотиком. «Извините, если это нескромный вопрос, но есть ли в мире люди, которые богаче, чем вы?» Она дотронулась до абажура на лампе и сказала: «Я 467-я в списке самых богатых людей планеты».

Я спросил, как она относится к тому, что в городе вместе с миллионерами живут бездомные. Она сказала: «Я много жертвую на благотворительность, если ты на это намекаешь». Я сказал, что ни на что не намекаю, а просто хочу знать, как она к этому относится. «Нормально отношусь», — сказала она и спросила, не принести ли мне что-нибудь попить. Я попросил кофе, и она попросила кого-то в соседней комнате, чтобы мне принесли кофе, и потом я спросил, не кажется ли ей, что ни у кого не должно быть больше, чем энное количество денег, пока столько же денег не будет у всех. Эту мысль мне когда-то подкинул папа. Она сказала: «Верхний Вест-сайд[1] тоже не задаром». Я спросил, как она узнала, что я живу в Верхнем Вест-сайде. «У тебя есть ненужные вещи?» — «Вообще-то нет». — «Ты коллекционируешь монеты?» — «Как вы узнали, что я коллекционирую монеты?» — «В твоем возрасте многие коллекционируют». Я сказал: «Они мне нужны». — «Они тебе нужны так же, как еда бездомному?» От этого вопроса я закомплексовал. Она сказала: «Каких вещей у тебя больше, нужных или ненужных?» Я сказал: «Зависит от того, что понимать под словом «нужный».

Она сказала: «Можешь мне не верить, но я тоже когда-то была идеалисткой». Я спросил, что значит «быть идеалисткой». «Это значит жить в соответствии со своими убеждениями». — «Вы больше так не живете?» — «Есть вопросы, которые я больше не задаю». Горничная-афроамериканка принесла мне кофе на серебряном подносе. Я ей сказал: «У вас запредельно красивая униформа». Она посмотрела на Аду. «Серьезно, — сказал я. — По-моему, голубое вам очень к лицу». Она по-прежнему смотрела на Аду, которая сказала: «Спасибо, Гаэль». Пока она шла на кухню, я сказал: «Гаэль — красивое имя».

Когда мы снова остались одни, Ада сказала: «Оскар, мне кажется, Гаэль было не по себе от твоего замечания». — «В каком смысле?» — «Разве ты не заметил, что она смутилась?» — «Наоборот, я пытался быть вежливым». — «Возможно, ты переусердствовал». — «Как можно переусердствовать в веж-

<hr />

[1] Верхний Вест-сайд (Upper West Side) — один из районов Манхэттена.

ливости?» — «Твоя вежливость больше смахивала на снисходительность». — «Что это?» — «Ты к ней обращался, как к ребенку». — «Нет, не как к ребенку». — «В работе горничной нет ничего унизительного. Это очень ответственно, и я хорошо ей плачу». Я сказал: «Я просто пытался быть вежливым». А сам подумал: *Когда я успел ей сказать, что меня зовут Оскар?*

Мы посидели немного. Она уставилась в окно, как будто боялась пропустить что-то в Центральном парке. Я спросил: «Ничего, если я немного посную у вас по квартире?» Она засмеялась и сказала: «Наконец, хоть кто-то не скрывает своих желаний». Я прошелся по комнатам, и их оказалось столько, что я задумался, не была ли ее квартира внутри больше, чем она была снаружи? Но подходящих скважин для своего ключа я не нашел. Когда я вернулся, она спросила, не хочу ли я съесть канапе, отчего меня чуть не вывернуло, но я не показал виду и только вежливо сказал: «Бабай». — «Pardon?» — «Бабай». — «Прости, но я не понимаю, что это значит». — «Есть такое выражение: «Ёханый бабай». Она сказала: «Я про себя все знаю». Я кивнул головой, хотя понятия не имел, о чем это она и с чего вдруг. «Мне может не нравиться, какая я, но я про себя все знаю. А моим детям нравится, какие они, но про себя они не знают ничего. Что, по-твоему, хуже?» — «Можно повторить варианты?» Она раскололась и сказала: «Ты мне нравишься».

Я показал ей ключ, но она его никогда не видела и ничего о нем не знала.

Хоть я и сказал, что справлюсь сам, она взяла со швейцара слово, что он посадит меня в такси. Я сказал, что такси мне не по карману. Она сказала: «Зато мне по карману». Я дал ей свою визитку. Она сказала: «Удачи», положила руки на мои щеки и поцеловала в макушку.

Была суббота и полная депра.

Уважаемый Оскар Шелл!

Спасибо за Ваш взнос в Американский Фонд по борьбе с сахарным диабетом. Каждый доллар (или в Вашем случае, пятьдесят центов) имеет значение.

Вместе с этим письмом посылаю Вам кое-какую справочную литературу о Фонде, включая заявление о его целях и задачах, брошюру с описанием наших успехов и прочих мероприятияй, а также информацию о том, чего бы мы хотели достичь как в ближайшем, так и в более отдаленном будущем.

Еще раз спасибо за вклад в это неотложное дело. Вы спасаете жизни.

С благодарностью
Патриция Роксбери,
президент нью-йоркского отделения

Как ни трудно в это поверить, но следующий Блэк жил в нашем доме этажом выше. Если бы это происходило не со мной, я бы точно не поверил. Я пошел в фойе и спросил у Стэна, что он знает про человека, который живет в квартире 6А. Он сказал: «Ни разу не видел, чтобы туда кто-нибудь входил или оттуда выходил. Все доставки почтой и куча мусора». — «*Клёво*». Он наклонился и прошептал: «Там привидение». Я прошептал в ответ: «Я не верю в паранормальные явления». Он сказал: «Привидениям все равно, верят в них или не верят», и, даже будучи атеистом, я знал, что он ошибается.

Я вернулся на лестницу и поднялся мимо нашего этажа на шестой. Перед дверью был коврик с надписью «Добро пожаловать» на двенадцати языках. Как-то не верилось, чтобы привидение выбрало такой коврик для входа в свою квартиру. Я вставил ключ в скважину, но повернуть не смог, поэтому позвонил в звонок, который располагался там же, где наш. Внутри я услышал какие-то звуки и, кажется, даже музыку из ужастиков, но не испугался и продолжал стоять.

После запредельно долгого ожидания дверь открылась. «Чем обязан!» — спросил старик, но спросил жутко громко, так что это было больше похоже на крик. «Да, здравствуйте, — сказал я. — Я к вам снизу, из квартиры 5А. Можно мне, пожалуйста, задать вам несколько вопросов?» — «Приветствую, юноша!» — сказал он, хотя выглядел малость странновато, потому что на голове у него был красный берет, как у француза, а на глазу повязка, как у пирата. Он сказал: «Я мистер Блэк!» Я сказал: «Я знаю». Он развернулся и пошел в глубь квартиры. Я сообразил, что мне следует идти за ним, и пошел.

В чем еще была фишка, так это что его квартира была в точности как наша. Такие же полы, такие же подоконники, и даже изразец на камине такой же зеленый. Но одновременно она была запредельно другая, потому что в ней были другие вещи. Куча всяких вещей. Повсюду. И еще в ней была громадная колонна прямо посреди гостиной. По размеру она была как два холодильника, и из-за нее в комнате уже не умещался ни стол, ни другая мебель, как у нас. «Зачем она?» — спросил я, но он не услышал. На каминной полке были разные куклы и другая хрень, а на полу были набросаны коврики. «Из Исландии!» — сказал он, показывая на морские раковины на подоконнике. Он показал на меч на стене и сказал: «Из Японии!» Я спросил: «Это меч самурая?» Он сказал: «Точная копия!» Я сказал: «Клево».

Он довел меня до кухонного стола, который стоял там же, где и наш стол, и сел, хлопнув себя по коленке. «А! — сказал он так громко, что захотелось заткнуть уши. — Какую удивительную я прожил жизнь!» Мне показалось странным, что он это сказал, потому что про жизнь я у него не спрашивал. Я вообще не успел сказать, зачем пришел. «Родился 1 января 1900 года! Двадцатый век прошагал от первого до последнего дня!» — «Серьезно?» — «Мать подделала мое свидетельство о рождении, чтобы я мог участвовать в Первой мировой! Раз в жизни солгала! Я был помолвлен с сестрой Фицджеральда!» — «Кто такой Фицджеральд?» — «Фрэнсис Скотт Кэй Фицджеральд, мой мальчик! Выдающийся писатель! Выдающийся!» — «Опа». — «Бывало, мы с ее отцом садились поболтать на крылечке, пока она марафет на себя наводила! Очень мы с ним живо беседовали! Выдающийся был человек, не менее выдающийся, чем Уинстон Черчилль!» Я решил, что лучше найти Уинстона Черчилля в «Гугле», придя домой, чем сказать, что я не знаю, кто это. «Однажды она спускается и давай меня торопить! А я прошу подождать минутку, потому что мы с ее отцом как раз посреди восхитительнейшей беседы, а разве такую беседу можно прервать!» — «Я не знаю». — «В тот же вечер, когда я ее проводил все до того же крыльца, она сказала: «Иногда мне кажется, что тебе с моим отцом интереснее, чем со мной!» А мне эта чертова честность по наследству от матери досталась, и опять я за нее поплатился! Я сказал: «Да!» И другого шанса сказать ей «да» мне уже не представилось, если ты понимаешь, на что я намекаю!» — «Я не понимаю». — «Профукал невесту! Классически профукал!» Он начал жутко громко раскалываться и опять хлопнул себя по коленке. Я сказал: «Оборжацца», потому что какие еще варианты, если человек так раскалывается. «Оборжацца! — сказал он. — Именно! С тех пор я о ней ничего не слышал! Ну, что ж! Сколько людей проходит через твою жизнь! Сотни тысяч людей! Надо держать дверь открытой, чтобы они могли войти! Но это значит, что они могут в любую минуту выйти!»

Он поставил на плиту чайник.

«Вы мудрый», — сказал я. «Поживешь с мое — помудре-
ешь! Видал! — гаркнул он и сорвал с глаза повязку. — Фа-
шистская пуля! Я был военным корреспондентом, сам себя
приписал к английскому танковому корпусу, который дви-
гался вверх по Рейну! Однажды вечером, в конце 44-го, мы
попали под обстрел! Я писа́л, а глаз по капле вытекал на страницу, но черта с два эти сукины дети меня остановили! Я свое
предложение закончил!» — «О чем было предложение?» —
«Да кто это теперь помнит! Главное, я не мог допустить,
чтобы эти поганые фрицы остановили мое перо! Оно, знаешь
ли, поострее штыка! Пострашнее MG-34[1]!» — «Вы не могли
бы надеть обратно повязку?» — «Видал! — сказал он, показывая на пол кухни, но я никак не мог перестать думать
про его глаз. — Там дуб под этим тряпьем! Дубовый паркет!
Уж я-то знаю — сам настилал!» — «Бабай», — сказал я, и
вовсе не из вежливости. У себя в голове я прикидывал, что
бы мне такое сделать, чтобы стать больше, как он. «Мы с
женой эту кухню сами отремонтировали! Этими вот руками!» Он показал мне свои руки. Они были похожи на руки
скелета из научного каталога Райнера, который Рон предла-
гал мне купить, только на них была кожа, кожа с пятнами,
а подарки от Рона мне не нужны. «А где ваша жена сейчас?» Засвистел чайник.

«А-а, — сказал он. — Она умерла двадцать четыре года
назад! Давно! А кажется, будто вчера!» — «Опа». — «Ничего!» — «Вам не больно, что я о ней спросил? Вы скажите,
если больно». — «Нет! — сказал он. — Думать о ней — ис-
тинное наслаждение!» Он налил две чашки чая. «У вас есть
кофе?» — спросил я. «Кофе!» — «Он замедляет мой рост, а
то я боюсь смерти». Он хлопнул по столу и сказал: «Мой
мальчик, у меня есть редкостный кофе из Гондураса, кото-

---

[1] Пулемет, принятый на вооружение Вермахтом в 1934 году.

рый уже давно тебя дожидается!» — «Но вы ведь не знали, что я к вам приду».

Мы посидели немного, и он мне еще порассказывал про свою потрясающую жизнь. Насколько ему было известно, а известно ему было порядочно, он был последним оставшимся в живых человеком, прошедшим две мировые войны. Он бывал в Австралии, и Кении, и Пакистане, и Панаме. Я спросил: «Если прикинуть, сколько приблизительно стран вы объехали?» Он сказал: «Зачем прикидывать! Сто двенадцать!» — «Я думал, в мире нет столько стран». Он сказал: «В мире есть больше мест, о которых ты не знаешь, чем о которых знаешь!» Мне это страшно понравилось. Он вел репортажи практически со всех войн двадцатого столетия, типа гражданской войны в Испании, и геноцида в Восточном Тиморе, и всяких ужасов, которые творились в Африке. Я ни про одну из этих войн не знал, поэтому старался запомнить, чтобы посмотреть в «Гугле», когда приду домой. Список в моей голове удлинился запредельно: Фрэнсис Скотт Кэй Фицджеральд, наводить марафет, Черчилль, «Мустанг»-кабриолет, Уолтер Кронкайт, телячьи нежности, Залив свиней, виниловые пластинки, «Датсун», Кент Стейт[1], сало, Аятолла Хомейни, полароид, апартеид, драйв-ин[2], фавела, Троцкий, Берлинская стена, Тито, «Унесенные ветром», Франк Ллойд Райт, хула-хуп, «Техниколор», гражданская война в Испании, Грейс Келли, Восточный Тимор, логарифмическая линейка и еще несколько разных мест в Африке, названия которых я пытался запомнить, но тут же забыл. Было все труднее удерживать в голове вещи, которые я не знал.

Его квартира была забита всякими штуковинами, которые он насобирал на войнах своей жизни, и я их пощелкал

---

[1] Университет в штате Огайо.

[2] Кинотеатры под открытым небом, в которых зрители смотрят фильм, сидя в салонах своих автомобилей. Пик популярности драйв-инов приходится на 1950-е годы.

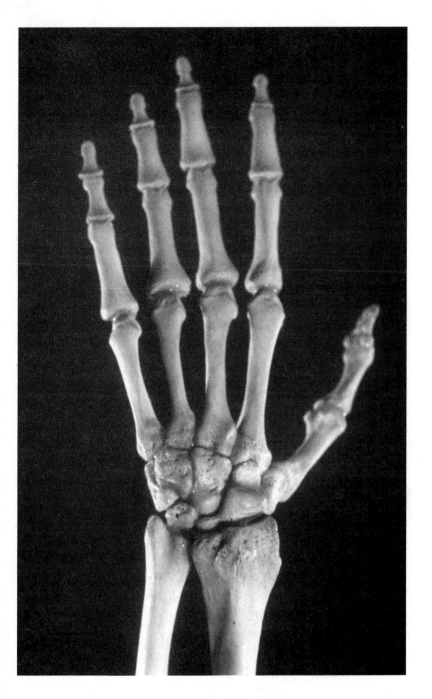

193

дедушкиным фотиком. Были книги на иностранных языках, и маленькие статуйки, и свитки с зыкинскими рисунками, и банки из-под «Колы» со всего мира, и разные камушки на каминной полке, но, правда, ни одного ценного. В чем была фишка, так это, что рядом с каждым камушком был листок бумаги, сообщавший, где его нашли и когда, типа «Нормандия, 19/6/44», «Хвачен, 09/4/51» и «Даллас, 22/11/63». Это было обалденно, но одно непонятно: на полке еще была куча пуль, но рядом с ними листков не было. Я спросил, как он помнит, откуда какая. «Пуля всегда пуля!» — сказал он. «Но ведь и камень всегда камень», — сказал я. Он сказал: «Совсем нет!» Мне показалось, я его понял, но как-то не до конца, поэтому показал на розы в вазе на столе. «А роза всегда роза?» — «Нет! Роза розе рознь!» А потом я почему-то подумал про песню *Something in the way she moves*[1], и спросил: «А песня про любовь всегда песня про любовь?» Он сказал: «Да!» Я задумался на секунду. «А любовь всегда любовь?» Он сказал: «Нет!» У него была стена с масками из каждой страны, в которой он побывал, типа из Армении, и из Чили, и из Эфиопии. «Не мир страшен, — сказал он, прикладывая к лицу камбоджийскую маску. — А то, что в нем полно негодяев!»

Я выпил вторую чашку кофе и уже точно знал, что пора переходить к делу, поэтому снял с шеи ключ и отдал ему. «Вы знаете, от чего он?» — «Не думаю!» — гаркнул он. «Может, вы знали моего папу?» — «Кем был твой папа!» — «Его звали Томас Шелл. Он жил в квартире 5А до того, как умер». — «Нет, — сказал он. — Имя ничего мне не говорит!» Я спросил, уверен ли он на все сто. Он сказал: «Я достаточно долго живу, чтобы ни в чем не быть уверенным на все сто!», и он встал, прошел мимо колонны в гостиную и подошел к гардеробу, который располагался под лестницей. Тогда-то мне и было озарение, что его квартира не была как

---

[1] Песня «Битлз».

наша, потому что у нее был второй этаж. Он открыл гардероб, и внутри оказался библиотечный каталог. *«Клево».*

Он сказал: «Это мой биографический индекс!» — «Ваш что?» — «Я его завел, когда еще только начинал писать! Заносил на карточку любое казавшееся важным имя, чтобы о нем можно было легко справиться в будущем! Здесь есть карточки на всех, о ком я когда-либо писал! И на тех, кого я интервьюировал в процессе работы! И на тех, о ком читал в книгах! И на тех, кто упоминался в сносках на страницах этих книг! По утрам, просматривая газеты, я заводил карточку на каждого, кто казался мне биографически значимым! Я и по сей день это делаю!» — «А не проще заглянуть в Интернет?» — «У меня нет компьютера!» Тут я почувствовал, что у меня едет крыша.

«Сколько у вас карточек?» — «Никогда не считал! Теперь должно быть не меньше нескольких десятков тысяч! Может быть, сотен тысяч!» — «Что вы на них пишете?» — «Пишу имя человека и его биографию одним словом!» — *«Одним-единственным?»* — «Любого из нас можно уместить в одно слово!» — «И вам это помогает?» — «Еще как! Сегодня утром я прочел статью о валютах в Латинской Америке! Она отсылала к трудам некоего Мануэля Эскобара! Я подошел сюда и в два счета его нашел! Конечно же, я уже с ним встречался! Мануэль Эскобар: профсоюзник!» — «Но ведь он еще, наверное, и муж, или папа, или фанат «Битлз», или любит бегать трусцой, да мало ли что». — «Согласен! Про Мануэля Эскобара можно написать целую книгу! И все равно какие-то вещи в нее не войдут! Можно написать десять книг! Можно писать до бесконечности!»

Он стал выдвигать ящички и вынимать из них карточки, одну за другой.

«Генри Киссинджер: война!

Орнетт Колман: музыка!

Че Гевара: война!

195

Джеф Безос: деньги!
Филип Гастон: искусство!
Махатма Ганди: война!»
«Но ведь он был пацифистом», — сказал я.
«Вот именно! Война!
Артур Эш: теннис!
Том Круз: деньги!
Эли Вайзель: война!
Арнольд Шварценеггер: война!
Марта Стюарт: деньги!
Рем Коолхаас: архитектура!
Ариэль Шарон: война!
Мик Джаггер: деньги!
Ясир Арафат: война!
Сюзан Зонтаг: мысль!
Вольфганг Пак: деньги!
Папа Иоанн Павел II: война!»
Я спросил, есть ли у него карточка на Стивена Хокинга.
«Конечно!» — сказал он, и выдвинул ящичек, и достал ее.

СТИВЕН ХОКИНГ: АСТРОФИЗИКА

«А на себя у вас карточка есть?»
Он выдвинул ящичек.

«Может, у вас есть карточка и на моего папу?» — «Томас Шелл, так!» — «Так». Он подошел к ящичку «Ш» и выдвинул его до середины. Его пальцы пробежались по карточкам, как пальцы человека, которому намного меньше, чем 103 года. «Увы! Ничего!» — «Вы не могли бы перепроверить?» Его пальцы еще раз пробежались по карточкам. Он помотал головой. «Увы!» — «А что если какая-нибудь карточка лежит не на своем месте?» — «Тогда это проблема!» — «Но это возможно?» — «Изредка случается! Мэрилин Монро затерялась в индексе на целых десять лет! Я все искал ее как Норму Джин Бейкер, напрочь забыв, что родилась-то она Нормой Джин Мортенсон!» — «Кто такая Норма Джин Мортенсон?» — «Мэрилин Монро!» — «Кто такая Мэрилин Монро?» — «Секс!»

«У вас есть карточка на Мохаммеда Атту[1]?» — «Атта! Это мне точно попадалось! Ну-ка, посмотрим!» Он выдвинул ящичек «А». Я сказал: «Мохаммед — самое распространенное имя на свете». Он вытащил карточку и сказал: «Бинго!»

---

[1] Лидер угонщиков самолетов 11 сентября.

МОХАММЕД АТТА: ВОЙНА

Я опустился на пол. Он спросил, что случилось. «Ничего, только почему же это на него у вас есть карточка, а на моего папу нет?» — «В каком смысле!» — «Это несправедливо». — «Что несправедливо!» — «Папа был хороший, а Мохаммед Атта — плохой». — «Ну и что!» — «А то, что папа заслуживает карточку». — «Почему ты думаешь, что карточка — это заслуга!» — «Потому что с ней ты биографически значимый». — «Что в этом хорошего!» — «Я хочу быть значимым». — «Девять из десяти значимых людей связаны либо с деньгами, либо с войной!»

Но у меня все равно возникла сразу целая куча гирь на сердце. Папа не был Выдающимся Человеком, не как какой-нибудь Уинстон Черчилль. Папа был всего лишь главой нашего скромного ювелирного бизнеса. Самый обыкновенный папа. Но как же мне хотелось тогда, чтобы он *был* Выдающимся. Мне хотелось, чтобы он был знаменитым, как знаменитая кинозвезда, потому что он этого заслуживал. Мне хотелось, чтобы мистер Блэк про папу писал, и рисковал жизнью, рассказывая о нем миру, и хранил в квартире всякие штучки, которые были бы с ним связаны.

Я подумал: если уместить папу в одно слово, какое это будет слово? Ювелир? Атеист? А корректор — это одно слово или полтора?

«Ты что-то ищешь?» — спросил мистер Блэк. «Этот ключ раньше был у папы, — сказал я, снова вытягивая ключ из-под рубашки. — Я хочу узнать, от чего он». Он пожал плечами и гаркнул: «Я бы тоже хотел узнать!» Потом мы немного помолчали.

Я думал, что расплачусь, но не хотел перед ним, поэтому спросил, где ванная. Он показал на лестницу. Идя наверх, я крепко держался за перила и изобретал разные вещи у себя в голове: воздушные подушки для небоскребов, лимузины на солнечной батарее, которым не нужна дозаправка, идеальный перпетуум йо-йо. В ванной пахло, как от стариков, и несколько плиток из кафельной стены валялись на полу. В уголок зеркала над раковиной была вставлена фотокарточка женщины. Она сидела за тем же столом на кухне, что и мы недавно сидели, и на ней была громаднейшая шляпа, хотя женщина, само собой, находилась внутри, а не снаружи. Так я понял, что она особенная. Одна ее рука лежала поверх чайной чашки. Улыбка была запредельно красивая. Я подумал, успела ли ее ладонь запотеть от пара, пока делали снимок. Я подумал, снимал ли ее мистер Блэк. Прежде чем пойти вниз, я немного порыскал. Я забалдел от того, какую мистер Блэк прожил жизнь и как он теперь хотел, чтобы эта жизнь его окружала. Я повставлял ключ в скважины разных дверей, хоть он и сказал, что ключ ему незнаком. Не потому, что я ему не поверил, — я поверил. А потому что в конце поиска мне бы хотелось сказать: не знаю, можно ли было искать лучше. Одна дверь была от стенного шкафа, в котором не нашлось ничего, кроме вороха пальто. Другая дверь вела в комнату, заставленную коробками. Я приподнял несколько крышек, и всюду были газеты. В одних коробках газеты были желтые, а в других — как сухие листья.

Я заглянул в другую комнату, которая, очевидно, была спальней. Более обалденной кровати мне еще видеть не приходилось: она состояла из частей дерева. Ножки были пеньками, края — бревнами, и еще был потолок из веток. Еще она была облеплена всякими металлическими фенечками, типа монетами, булавками и значком с надписью РУЗВЕЛЬТ.

«Это из парка дерево!» — сказал мистер Блэк за моей спиной, и я так испугался, что у меня даже руки затряслись. Я спросил: «Вы не сердитесь, что я у вас тут рыскаю?», но, похоже, он не услышал, потому что продолжал говорить: «Рядом с резервуаром росло. Как-то она споткнулась о его корни! В ту пору я еще только за ней ухаживал! Она упала и раскроила руку! Несильно, но я навсегда запомнил! Как же давно это было!» — «А вам кажется, будто вчера, да?» — «Вчера! Сегодня! Пять минут назад! Сейчас!» Он уставился в пол. «Она меня вечно упрашивала бросить репортажи! Я был нужен ей дома!» Он вскинул голову и сказал: «Но меня другое влекло!» Он посмотрел на пол, потом опять на меня. Я спросил: «И как же?» — «Большую часть нашей совместной жизни я с ней вообще не считался! Заезжал домой по дороге с одной войны на другую, бывало, что отсутствовал месяцами! Все война и война!» — «А вы знаете, что за последние 3500 лет цивилизованный мир прожил без войн всего 230 лет?» Он сказал: «Назови мне эти 230, тогда я тебе поверю!» — «Назвать не смогу, но я знаю, что это правда». — «И о каком цивилизованном мире ты говоришь!»

Я спросил, почему же он все-таки перестал быть военным корреспондентом. Он сказал: «Я понял, что, на самом деле, хочу только покоя и чтобы рядом была она!» — «И вы навсегда вернулись домой?» — «Жена важнее, чем война! Но вернувшись, первое, что я сделал, не заходя домой, — пошел в парк и срубил это дерево! Была ночь! Я ждал, что кто-нибудь попытается меня остановить, но никто не попытался! Я приволок его домой по частям! Я сделал из него кровать! Мы с женой делили ее все оставшиеся нам годы! Я жалею, что так поздно в себе разобрался!» Я спросил: «Как называлась ваша последняя война?» Он сказал: «Моя последняя война была с этим деревом!» Я спросил, кто победил, что, по-моему, было хорошим вопросом, потому что позволяло ему ответить, что он, и испытать гордость. Он сказал: «Топор победил! Он всегда побеждает!»

Он подошел к кровати и положил палец на шляпку гвоздя. «Видал!» Я стараюсь быть проницательным человеком, для чего сочетаю научный подход с наблюдательностью, но я не заметил, что кровать была сплошь утыкана гвоздями. «Я вколачиваю в кровать по гвоздю каждое утро с тех пор, как ее не стало! С этого начинается мой день! Восемь тысяч шестьсот двадцать девять гвоздей!» Я спросил его, зачем, что, по-моему, было еще одним хорошим вопросом, потому что позволяло рассказать о том, как сильно он ее любит. Он сказал: «Не знаю!» Я сказал: «Но если не знаете, тогда тем более зачем?» — «Очевидно, мне это помогает! Придает силы! Чушь, я знаю!» — «А по-моему, не чушь». — «Гвозди не из воздуха! Один ничего не весит! Горсть ничего не весит! Но когда их много!» Я сказал: «В теле среднего человека содержится столько железа, что из него можно изготовить гвоздь длинной в два с половиной сантиметра». Он сказал: «Кровать стала неподъемной! Я слышал, как под ней пол кряхтит от натуги, точно живой! Иногда я просыпался среди ночи от страха, что все это может обрушиться на квартиру этажом ниже!» — «Вы за меня беспокоились». — «Поэтому я построил внизу колонну! Ты знаешь про библиотеку в университете штата Индиана!» — «Нет», — сказал я, продолжая думать про колонну. «Она врастает в землю больше, чем на два сантиметра в год, потому что, когда ее проектировали, не приняли в расчет веса книг! Я написал об этом статью! Тогда я не провел параллели, а сейчас думаю про «Затонувший собор» Дебюсси — одно из красивейших произведений мировой музыки! Как же давно я его не слышал! Хочешь испытать новое ощущение!» — «Можно», — сказал я, потому что хоть я его и не знал, мне казалось, что знаю.

«Раскрой кулак!» — сказал он, что я и сделал. Он сунул руку в карман и достал скрепку. Он положил ее на мою ладонь и сказал: «Сожми!» Я сжал. «Теперь вытяни вперед руку!» Я вытянул. «Теперь раскрой кулак!» Скрепка полетела к кровати.

Только в этот момент я заметил, что ключ тоже притягивает к кровати. Просто он был тяжелее скрепки, и поэтому его притягивало слабее. Веревочка запредельно нежно надавила на шею сзади, а ключ немного отделился от груди. Я подумал про весь тот металл, зарытый в Центральном парке. Его тоже хоть чуть-чуть притягивает? Мистер Блэк поймал мой парящий ключ в кулак и сказал: «Я двадцать четыре года не выходил из квартиры!» — «В каком смысле?» — «Увы, мой мальчик, в самом прямом! Я двадцать четыре года не выходил из квартиры! Мои ноги не касались земли!» — «Почему нет?» — «Не было повода!» — «А как же, когда вам что-нибудь надо?» — «Что я такого могу захотеть, чего бы мне не смогли доставить!» — «Еду. Книги. Всякую хрень». — «Я заказываю еду по телефону, и мне ее приносят! Я звоню в книжный, когда хочу прочесть книгу, и в видеомагазин, когда хочу посмотреть фильм! Ручки, канцтовары, мыло, лекарства! Я даже одежду заказываю по телефону! Видал! — сказал он и показал мне свой мускул, который спустил, а не надулся. — Я девять дней был чемпионом в суперлегком весе!» Я спросил: «Какие девять дней?» Он сказал: «Ты что, мне не веришь!» Я сказал: «Конечно, верю». — «Мир большой, — сказал он, — но и внутри квартиры места достаточно! А уж тут — тем более!» — сказал он, показывая на свою голову. «Но ведь вы столько путешествовали. Столько всего испытали. Вы не скучаете по миру?» — «Скучаю! Еще как!»

У меня на сердце возникло сразу столько гирь, что пол подо мной не рухнул только благодаря колонне. Как мог человек, живший так близко от меня всю мою жизнь, быть таким одиноким? Если бы я знал, я бы давно зашел наверх составить ему компанию. Или изготовил бы для него украшение. Или рассказал улетный анекдот. Или устроил частный концерт на тамбурине.

Потом я начал думать о том, что где-то совсем близко могут жить и другие одинокие люди. Я вспомнил песню *Eleanor Rigby*[1]. И правда, «откуда они все берутся? И как с ними со всеми быть»[2]?

Что если воду, которая льется из душа, обрабатывать специальным раствором, который бы реагировал на сочетание таких вещей, как пульс, температура тела и мозговые колебания, чтобы кожа меняла цвет в зависимости от твоего настроения? Когда ты жутко возбужден, кожа будет зеленеть, а когда рассержен, само собой, краснеть, а когда у тебя на душе акшакак — коричневеть, а когда тебя осенило — синеть.

Все бы сразу видели твое самочувствие, и мы были бы осторожней друг с другом, потому что не будешь же говорить девочке с фиолетовой кожей, что тебя достали ее опоздания, но зато обязательно хлопнешь розового приятеля по плечу и скажешь ему: «Поздравляю!»

Еще почему это было бы полезное изобретение, так это потому, что сколько раз бывает, когда ты знаешь, что тебя переполняют разные чувства, но не можешь в них разобраться. *Бесит ли это меня? Или только немного напрягает?* И эта неразбериха портит тебе настроение, становится твоим настроением, превращает тебя в потерянного серого человека. А благодаря моей специальной воде можно будет посмотреть на свои руки, увидеть, что они оранжевые, и подумать: *Я счастлив! Оказывается, все это время я был счастлив! Какое облегчение!*

---

[1] «Посмотри, как много вокруг одиноких людей» — *Oh, look at all these lonely people.*

[2] Прямая цитата из песни *Eleanor Rigby:* «Where do they all come from? And where do they all belong?»

Мистер Блэк сказал: «Однажды я поехал писать репортаж про одну деревню в России — артель художников, которых выдворили из больших городов! По слухам, там повсюду висели картины! Все стены были ими увешаны! Они рисовали на потолках, на посуде, на окнах, на абажурах! Было ли это формой протеста! Или способом самовыражения! Хорошо они рисовали, или это вообще неважно! Я хотел увидеть все своими глазами мир должен был про них узнать! Я жил ради таких репортажей! Сталин проведал про эту артель как раз за несколько дней до моего приезда и послал туда своих громил с приказом переломать художникам руки! Это было хуже, чем их убить! Мне открылась чудовищная картина, Оскар: десятки рук в наскоро наложенных шинах, вытянутые вперед, как у зомби! Они даже поесть не могли, потому что не могли поднести ко рту ложку! И что, ты думаешь, они сделали!» — «Умерли от истощения?» — «Стали кормить друг друга! Этим рай отличается от ада! В аду мы умираем от истощения! В раю мы кормим друг друга!» — «Я не верю в загробную жизнь». — «Я тоже, но я верю в эту историю!»

И тут вдруг мне в голову пришла одна вещь. Огромнейшая. Офонарительная. «Хотите мне помогать?» — «Прошу прощения!» — «С ключом». — «Помогать!» — «Мы можем всюду ходить вместе». — «Тебе нужна моя помощь!» — «Да». — «Ты это говоришь из жалости!» — «Бабай, — сказал я. — Ясно же, что вы очень умный и сведущий и знаете кучу вещей, которых я не знаю, и еще в компании веселее, поэтому, ну, пожалуйста, скажите «да». Он закрыл глаза и ничего не сказал. Трудно было понять, думает ли он над тем, о чем мы говорили, или думает о чем-то другом, или вообще заснул, а я знаю, что старые люди, типа бабушки, иногда так делают, потому что у них это получается само собой. «Вы можете сразу не отвечать», — сказал я, чтобы у него не создалось впечатления, будто я его заставляю. Я сказал ему про

162 миллиона замков, и что поиск, скорее всего, займет много времени, возможно даже, целых полтора года, поэтому совершенно нормально, если ему надо подумать, он всегда может спуститься вниз и дать мне ответ позднее. Он думал. «Не торопитесь», — сказал я. Он думал. Я спросил: «Ну, решили?»

Он ничего не сказал.

«Что вы решили, мистер Блэк?»

Ничего.

«Мистер Блэк?»

Я похлопал его по плечу, и он резко открыл глаза.

«Ку-ку».

Он улыбнулся, как я, когда мама застукивает меня за чем-нибудь, чего нельзя делать.

«Я читал по твоим губам!» — «Что?» Он показал на слуховой аппарат в ушах, который я раньше не заметил, хотя изо всех сил старался замечать все. «Я его давным-давно отключил!» — «Отключили?» — «Давно, очень-очень давно!» — «Нарочно?» — «Хотел сэкономить батарейки!» — «Для чего?» Он пожал плечами. «И вам не хочется слышать?» Он опять пожал плечами, но так, что было неясно, то ли это значит «да», то ли «нет». И тут мне в голову пришла еще одна вещь. Красивая. Стоящая. «Хотите, я вам его включу?»

Он посмотрел на меня и одновременно сквозь меня, типа, как на витраж. Я повторил вопрос, шевеля губами медленно и старательно, чтобы он наверняка меня понял. «Хотите. Я. Вам. Его. Включу?» Он смотрел на меня. Я снова спросил. Он сказал: «Не знаю, как сказать «да»!» Я сказал: «Ну, и не говорите».

Я зашел за него и увидел, что на обоих жучках его аппарата есть маленькие колесики.

«Включай постепенно! — сказал он почти умоляюще. — Давно ведь уже!»

Я вышел из-за него, чтобы он опять видел мои губы, и пообещал быть исключительно осторожным. Потом я зашел за него и стал жутко медленно, по миллиметру, поворачи-

вать колесики. Никакого эффекта. Я еще чуть-чуть повернул. И еще чуть-чуть. Я вышел из-за него. Он пожал плечами, и я тоже. Я зашел за него и повернул колесики еще чуть-чуть — до упора. Я вышел из-за него. Он пожал плечами. То ли аппарат сломался, то ли батарейки сели от старости, то ли он окончательно оглох с тех пор, как их выключил, что возможно. Мы посмотрели друг на друга.

Потом, откуда ни возьмись, мимо его окна пронеслась стая птиц, жутко быстро и запредельно близко. Штук, наверное, двадцать. А может, и больше. Но их также можно было принять и за одну птицу, так слаженно все они действовали. Мистер Блэк схватился за уши и издал целую кучу странных звуков. Он заплакал — не от радости, понятное дело, но и не от горя.

«Вы в порядке?» — прошептал я.

Звук моего голоса заставил его заплакать сильнее, и он кивнул, что да.

Я спросил, не хочет ли он, чтобы я чем-нибудь пошумел.

Он закивал, что да, и слезы просыпались из его глаз на щеки.

Я пошел к кровати и потряс ее, пока не отскочили несколько значков и скрепок.

Он произвел новый выплеск слез.

«Хотите, я его выключу?» — спросил я, но он перестал меня замечать. Он ходил по комнате кругами и прикладывал ухо ко всему, что могло издавать звуки, даже к таким бесшумным вещам, как трубы.

Я бы мог долго смотреть, как он постигает слухом мир, но я и так задержался, а в 16:30 у меня была репетиция «Гамлета», причем жутко важная, потому что впервые со световыми эффектами. Я сказал мистеру Блэку, что зайду за ним в следующую субботу в 7:00, и мы начнем. Я сказал: «Я еще даже с «А» не сдвинулся». Он сказал: «Хорошо», и от звука своего голоса заплакал особенно сильно.

Сообщение третье. 9:31. Алло? Алло? Алло?

Когда в тот вечер мама укладывала меня спать, она почувствовала, что я от нее что-то скрываю, и спросила, не хочу ли поговорить. Я хотел, но не с ней, поэтому сказал: «Не обижайся, но нет». — «Ты уверен?» — *«Très fatigué»*, — сказал я, помахав рукой. «Хочешь, я тебе что-нибудь почитаю?» — «Не-а». — «Можем поискать ошибки в «Нью-Йорк Таймс»». — «Спасибо, нет». — «Ну, ладно, — сказала она, — спи». Она меня чмокнула и выключила свет, а потом, когда почти совсем вышла, я сказал: «Мам?», и она сказала: «Да?», и я сказал: «Обещай, что не похоронишь меня, когда я умру».

Она снова подошла, положила руку на мою щеку и сказала: «Ты не умрешь». Я сказал: «Умру». Она сказала: «Если и умрешь, то очень не скоро. Ты будешь жить долго-долго». Я сказал: «Ты же знаешь, что я жутко храбрый, но вечно лежать в яме под землей я не смогу. Просто не смогу. Ты меня любишь?» — «Конечно, я тебя люблю». — «Тогда положи меня в мавзолей». — «В мавзолей?» — «Как в книжках показано». — «Нам про это обязательно говорить?» — «Да». — «Прямо сейчас?» — «Да». — «Почему?» — «Потому что вдруг я умру завтра?» — «Ты не умрешь завтра». — «Папа тоже не думал, что завтра умрет». — «С тобой такого не может случиться». — «С ним тоже не могло». — «Оскар». — «Просто я запрещаю тебе меня хоронить». — «Неужели ты не хочешь лежать вместе со мной и с папой?» — «Папы там нет!» — «Как это нет?» — «От него ничего не осталось». — «Не говори так». — «А как говорить? Это же правда. Не понимаю, почему все притворяются, что он там». — «Не расходись, Оскар». — «Там просто пустой ящик». — «Нет, не просто пустой». — «Не хочу я лежать рядом с пустым ящиком!»

Мама сказала: «Там его дух», и это меня уже *по-настоя-*

14-1239

щему достало. Я сказал: «У папы не было духа! У него были клетки!» — «Там наша память о нем». — «Наша память о нем здесь», — сказал я, указывая на свою голову. «У папы был дух», — сказала она, точно отматывая наш разговор к началу. «У него были клетки, а теперь эти клетки на крышах, и в реке, и в легких у миллионов людей по всему Нью-Йорку, и они их выдыхают, когда разговаривают!» — «Не говори таких вещей». — «Но это же *правда*! Почему ты запрещаешь мне говорить *правду*!» — «Ты переходишь все границы». — «Если папы нет, мам, это вовсе не значит, что можно быть нелогичной». — «Очень даже значит». — «Нет, не значит». — «Возьми себя в руки, Оскар». — «Отъебись!» — «Что?!» — «Извини. Я хотел сказать, отсовокупись». — «Тебе необходим тайм-аут!» — «Мне необходим мавзолей!» — «Оскар!» — «Перестань мне врать!» — «Кто тебе врет?» — «Где ты была!» — «Где я была когда?» — «В тот день!» — «Какой день?» — «В *тот*». — «В каком смысле?» — «Где ты была!» — «Я была на работе». — «А почему не дома?» — «Потому что я должна ходить на работу». — «Почему ты не забрала меня из школы, как другие мамы?» — «Оскар, я бежала домой со всех ног. Но мне сюда добираться дольше, чем тебе. Я решила, что лучше нам встретиться дома, чем тебе дожидаться меня в школе». — «Ты должна была быть дома, когда я пришел». — «Я бы и сама так хотела, но это было невозможно». — «Надо было, чтобы возможно». — «Я не умею делать невозможное возможным». — «Ты должна была». Она сказала: «Я бежала домой, как сумасшедшая». Потом она заплакала.

Топор побеждал.

Я прижался к ней щекой. «Мавзолей можно без наворотов, мам. Главное, чтобы над землей». Она глубоко вздохнула, обвила меня рукой и сказала: «Если без наворотов, тогда ладно». Я стал придумывать, как бы ее расколоть, потому что решил, что если это получится, она перестанет на меня злиться и снова будет любить. «И обязательно с копытами». — «С чем?» — «Чтобы я мог их отбросить». Она улыбнулась и сказала: «О'кей». Я засопел, поняв, что план срабатывает. «И с биде». — «Непременно. Одно биде клиенту!» — «И с электрическим заграждением?» — «С электрическим заграждением?» — «Чтобы могильщики не разворовали мои драгоценности». — «Драгоценности?» — «Ага, — сказал я. — Драгоценности мне тоже понадобятся».

Мы вместе раскололись, что было необходимо для возвращения к любви. Я достал из-под подушки дневник самочувствия, открыл на текущей странице и заменил ПОДАВЛЕННО на ПОСРЕДСТВЕННО. «Вот и отлично!» — сказала мама, заглядывая мне через плечо. «Не отлично, — сказал я, — а всего лишь посредственно. И, пожалуйста, не подглядывай». Она потерла мне грудь, что было приятно, хотя пришлось немного повернуться, чтобы она не нащупала на шее ключ, тем более, два.

«Мам?» — «Да». — «Ничего».

«Что с тобой, котенок?» — «Правда, было бы здорово, если бы в матрасах делали выемки для рук, чтобы, когда ты поворачиваешься набок, их можно было туда класть?» — «Это было бы отлично». — «И, наверное, полезно для спины, потому что не искривлялся бы позвоночник, а я знаю, как это важно». — «Это очень важно». — «И обниматься удобнее. А то одна рука все время мешается, да?» — «Да». — «Очень важно, чтобы людям было удобно обниматься». — «Очень».

~~ПОСРЕДСТВЕННО~~
СДЕРЖАННО ОПТИМИСТИЧНО

«Я скучаю по папе». — «Я тоже». — «Правда?» — «Конечно, скучаю». — «Нет, *правда*?» — «Неужели ты сомневаешься?» — «Просто ты не ведешь себя так, как когда скучают». — «А как я себя веду?» — «Я думаю, ты сама знаешь, как». — «Нет, не знаю». — «Я слышу, как ты смеешься». — «Как я смеюсь?» — «В гостиной. С Роном». — «Ты думаешь, что если я иногда смеюсь, значит, я не скучаю по папе?» Я повернулся набок, спиной к ней.

~~СДЕРЖАННО ОПТИМИСТИЧНО~~
ЖУТКО ПОДАВЛЕННО

Она сказала: «Я и плачу много, к твоему сведению». — «Я что-то не замечал». — «Может, потому, что я не хочу, чтобы ты замечал». — «Почему не хочешь?» — «Это несправедливо по отношению к нам обоим». — «Нет, справедливо». — «Мы должны жить дальше. — «Сколько ты наплакала?» — «Сколько?» — «Ложку? Миску? Ванну? Если сложить все вместе». — «Слезами горе не измеришь». — «А чем?»

Она сказала: «Я пытаюсь заново научиться радоваться. Когда я смеюсь, мне радостно». Я сказал: «А я не пытаюсь заново научиться радоваться и не буду». Она сказала: «Ну и напрасно». — «Почему?» — «Потому что папе хотелось бы, чтобы ты радовался». — «Папе хотелось бы, чтобы я его помнил». — «Разве нельзя помнить *и одновременно* радоваться?» — «Разве обязательно было влюбляться в Рона?» — «Что?» — «Ясно же, что ты в него влюбилась, вот только не пойму, почему? Что в нем такого особенного?» — «Оскар, ты никогда не думал, что в жизни все не так однозначно?» — «Я об этом думаю постоянно». — «Рон мой *друг*». — «Тогда обещай, что ты больше никогда не влюбишься». — «Оскар, Рону тоже сейчас нелегко. Мы друг другу помогаем. Мы *друзья*». — «Обещай, что не влюбишься». — «Почему ты об этом просишь?» — «Или ты обещаешь, что никогда не влюбишься, или я тебя больше не люблю». — «Это несправедливо». — «Ну и пусть! Я твой сын!» Она сделала громаднейший вздох и сказала: «Как же ты похож на папу». И тогда я сказал то, чего говорить не собирался и вообще не хотел. Говоря это, я одновременно сгорал от стыда за то, что мои сло-

212

ва смешаны с папиными клетками, которые я вдохнул, когда мы были на граунд зеро. «Уж лучше бы на его месте была ты!»

Она продолжала смотреть на меня целую секунду, потом встала и вышла из комнаты. Мне хотелось, чтобы она хлопнула дверью, но она не хлопнула. Она ее осторожно прикрыла, как всегда. Я чувствовал, что она так и стоит под дверью.

~~ЖУТКО ПОДАВЛЕННО~~
ЗАПРЕДЕЛЬНО ОДИНОКО

«Мам?»

Ничего.

Я слез с кровати и подошел к двери.

«Беру сказанное назад».

Она молчала, но я слышал, как она дышит. Я положил ладонь на ручку двери, потому что представил ее ладонь на ручке двери с другой стороны.

«Я же сказал, что беру сказанное назад».

«Такое назад не берется».

«Тогда прости».

Ничего.

«Ты принимаешь мои извинения?»

«Не знаю».

«Как ты можешь не знать?»

«Я *не знаю*, Оскар».

«Ты на меня сердишься?»

Ничего.

«Мам?»

«Да».

«Ты все еще сердишься?»

«Нет».

«Ты уверена?»

«Я на тебя не сердилась».

«А что же тогда?»

«Мне больно».

ВИДНО, Я УСНУЛ НА ПОЛУ. КОГДА Я ПРОСНУЛСЯ, МАМА СТАСКИВАЛА С МЕНЯ РУБАШКУ ЧЕРЕЗ ГОЛОВУ, ЧТОБЫ ПЕРЕОДЕТЬ В ПИЖАМУ, И ЗНАЧИТ, ДОЛЖНА БЫЛА УВИДЕТЬ ВСЕ МОИ СИНЯКИ. Я ИХ ПЕРЕСЧИТАЛ ВЧЕРА ВЕЧЕРОМ ПЕРЕД ЗЕРКАЛОМ, И БЫЛО РОВНО СОРОК ОДИН. НЕКОТОРЫЕ РАСПЛЫЛИСЬ, НО БОЛЬШИНСТВО МАЛЕНЬКИЕ. Я ИХ НАСТАВИЛ НЕ ДЛЯ НЕЕ, НО ВСЕ РАВНО ХОТЕЛ, ЧТОБЫ ОНА СПРОСИЛА, ОТКУДА ОНИ ВЗЯЛИСЬ (ХОТЯ ОНА, СКОРЕЙ ВСЕГО, ЗНАЕТ), И ПОЖАЛЕЛА МЕНЯ (ПОНЯВ, НАКОНЕЦ, КАК МНЕ ТЯЖЕЛО), И УСТЫДИЛАСЬ (ПОТОМУ ЧТО ОНА В ЭТОМ ТОЖЕ ВИНОВАТА), И ПООБЕЩАЛА, ЧТО НЕ УМРЕТ, ОСТАВИВ МЕНЯ СИРОТОЙ. НО ОНА НИЧЕГО НЕ СКАЗАЛА. А УВИДЕТЬ ВЫРАЖЕНИЕ ЕЕ ГЛАЗ ПРИ ВИДЕ СИНЯКОВ Я ТОЖЕ НЕ СМОГ, ПОТОМУ ЧТО ГОЛОВА ЗАСТРЯЛА В РУБАШКЕ, И ЛИЦО БЫЛО, КАК В КАРМАНЕ ИЛИ ПОД ЧЕРЕПОМ.

МОИ ЧУВСТВА

Объявляют рейсы по репродуктору.   Мы не слушаем. Нам все равно, потому что мы никуда не летим.   Я уже скучаю по тебе, Оскар.   Я скучала по тебе, даже когда мы были вместе.   Со мной всегда так.   Мне не хватает тех, кто рядом, а рядом со мной лишь те, кого больше нет. Заправляя в каретку очередной лист, я смотрю на твоего дедушку.   Мне легче, когда я его вижу.   Мне с ним спокойно.   Он кособокий.   У него искривлен позвоночник.   В Дрездене он был великаном.   Я рада, что руки у него все такие же огрубевшие.   Скульптуры навсегда сохранились в них. Я только сейчас заметила обручальное кольцо у него на пальце.   Интересно, надел ли он его, когда вернулся, или так и ходил с ним все эти годы.   Перед тем как идти сюда, я закрыла квартиру.   Я выключила свет и всюду проверила краны.   Тяжело прощаться с домом, в котором жил.   Ничуть не легче, чем с человеком.   Мы сюда въехали, когда поженились.   Здесь было больше места, чем в его квартире.   Место нам было необходимо.   Место для его зверей, место для нас и место между нами.   Твой дедушка купил самую дорогую страховку.   Из компании пришел служащий с фотоаппаратом.   Если что-нибудь случится, они смогут восстановить все в точности, как было. Он отснял целую пленку.   Он сфотографировал пол, сфотографировал камин, сфотографировал ванну.   Я никогда не путала то, что у меня есть, с тем, что я есть.   Когда служащий ушел, твой дедушка достал свой фотоаппарат и тоже начал фотографировать.

Что ты делаешь? — спросила я.

Береженого бог бережет, — написал он.   Тогда я подумала, что он прав, но сейчас в этом не уверена.

Он фотографировал все.   Обратные стороны полок в шкафу.   Обратные стороны зеркал.   Даже поломанные вещи.   Вещи, которые лучше забыть.   Он мог бы восстановить квартиру, склеив все фотографии вместе.

И дверные ручки.   Он сфотографировал каждую дверную ручку в отдельности.   Ни одной не пропустил.   Как будто исчезни одна — и не будет ни мира, ни будущего. Как будто мы и впрямь стали бы заботиться о дверных ручках, если бы до этого дошло.

Не знаю, почему меня это так задело.

Я сказала: В этих ручках нет ничего особенного.

Он написал: Это наши дверные ручки.

Я тоже была его.

Меня он никогда не фотографировал, потому что жизнь мы не страховали.

Один комплект фотографий он держал в своем комоде. Другой расклеил по дневникам, чтобы не потерять в случае, если с домом что-то случится.

Наш брак не был несчастным, Оскар.   Он часто меня смешил.   Иногда и я его смешила.   У нас были правила, но у кого их не бывает.   Нет ничего плохого в компромиссах.   Даже если вся жизнь — сплошной компромисс.

Он нашел работу в ювелирной мастерской, потому что знал станки.   Он так много работал, что его назначили помощником управляющего, а потом управляющим.   Ювелирное дело было ему безразлично.   Драгоценности он ненавидел.   Он часто говорил, что ювелир — прямая противоположность скульптору.

Но мы на это жили, и он уверял, что его все устраивает.

Мы купили свой магазин по соседству с неблагополучным кварталом.   Он был открыт с одиннадцати утра до шести вечера.   Работы всегда хватало.

Жизнь уходила на то, чтобы на нее зарабатывать.

Иногда после работы он уезжал в аэропорт.   Я просила его привозить оттуда газеты и журналы.   Думала с их помощью выучить американизмы.   Но быстро сдалась.   Я по-прежнему его туда посылала.   Знала, что без моего разрешения не поедет.   И не в моей доброте тут дело.

Мы так старались.   Мы все время старались помочь друг другу.   Не потому, что были беспомощны.   Ему необходимо было делать что-нибудь для меня так же, как мне необходимо было делать что-нибудь для него.   Только в этом был смысл.   Иногда я отправляла его за совсем бесполезными вещами, чтобы не лишать его этой возможности.   Целыми днями мы пытались помочь друг другу помочь друг другу.   Я шла за его тапочками.   Он заваривал мне чай.   Я включала отопление, чтобы он мог включить кондиционер, чтобы я могла включить отопление. Его руки были все такими же огрубевшими.

Наступил Хэллоуин.   Наш первый в новой квартире. Раздался звонок в дверь.   Твой дедушка был в аэропорту.

Я открыла, и там стояла девочка в белой простыне с прорезями для глаз.   Впусти или угости![1] — сказала она.   Я попятилась.

Кто ты?

Привидение!

Почему ты так одета?

---

[1] Trick-or-Treat! — традиционное восклицание, с которым дети обходят дома на Хэллоуин.

Потому что Хэллоуин!

Я не знаю, что это.

Дети в костюмах ходят по домам, и им раздают конфеты.

У меня нет конфет.

Но ведь Хэл-ло-уииин!

Я попросила ее подождать.   Я пошла в спальню. Я достала из-под матраса конверт.   Наши сбережения.   Наши средства на жизнь.   Я вынула оттуда две стодолларо-
вые бумажки, положила их в другой конверт и отдала приви-
дению.

Я заплатила ему, чтобы оно поскорей исчезло.

Я закрыла дверь и выключила свет, чтобы дети к нам больше
не звонили.

Звери, должно быть, поняли, потому что они подошли и
прижались ко мне.   Я ничего не сказала твоему дедушке,
когда он вернулся.   Я поблагодарила его за газеты и журналы.   Я пошла в гостевую спальню и притворилась, что
пишу.   Я била по клавише пробела, била, и била, и била.
Моя жизнь была пробелом.

Шли дни, по одному за раз.   А иногда по несколько сразу.   Мы смотрели друг на друга и наносили маршруты на
карту местности.   Я говорила, что у меня глаза паршивят,
потому что хотела его внимания.   Мы отвели в квартире
особые места, чтобы уходить в них и не существовать.

Я на все была готова ради него.   Может, это была болезнь.   Мы занимались любовью в ничто и выключали
свет.   Это было все равно, как плакать.   Мы не смотрели друг на друга.   Он всегда брал меня со спины.   Как
в тот первый раз.   И я знала, что он не обо мне думает.
Он так стискивал мне бедра, так сильно толкал.   Будто
сквозь меня пытался прорваться еще куда-то.

Зачем люди вообще занимаются любовью?

Прошел год.   Еще один.   И еще один.   И еще.
Мы себя обеспечивали.

Я не забыла о привидении.

Я хотела ребенка.

Что это значит — хотеть ребенка?

Я проснулась однажды утром и поняла пустоту внутри себя. Я поняла, что могу пренебречь своей жизнью, но не жизнью, которая будет после меня.   Я не могла это объяснить. Потребность возникла раньше, чем объяснение.

Это случилось не вопреки моей воле, но и не по моей воле. Это не зависело от меня.   Я хотела ребенка.

Я скрывала от него.   Я хотела ему сказать, когда что-либо изменить будет уже невозможно.   Моя самая сокровенная тайна.   Жизнь.   Внутри меня она была в безопасности.   Я всюду носила ее с собой.   Как он — нашу квартиру внутри тетрадей.   Я надевала просторные блузки.   Я сидела в обнимку с подушками.   Я раздевалась, только входя в ничто.

Но вечно этого не скроешь.

Мы лежали в постели в темноте.   Я не знала, как об этом сказать.   Знала, но не могла.   Я взяла один из его дневников с ночного столика.

В квартире никогда еще не было так темно.

Я зажгла лампу.

Вокруг нас стало светло.

В квартире стало еще темнее.

Я написала: Я беременна.

Я протянула ему тетрадь.   Он прочитал.

Он взял ручку и написал: Как ты до этого допустила?

Я написала: Сознательно.

Он написал: А как же наше правило?

На следующей странице была дверная ручка.

Я ее перелистнула и написала: Я нарушила правило.

Он сел на постели.   Я не знаю, сколько прошло времени.

Он написал: Все будет хорошо.

Я сказала, что это общие слова.

Все будет ~~хорошо~~ прекрасно.

Я сказала, что ложь больше не во спасение.

Все будет ~~хорошо~~ ~~прекрасно~~.

Я заплакала.

До этого я никогда при нем не плакала.   Это было все равно, как заниматься любовью.

Я, наконец, решилась задать вопрос, мучивший меня с тех пор, как мы отвели место под наше первое ничто много лет назад.

Что мы?   Нечто или ничто?

Он приложил руки к моему лицу и тут же отдернул.

Я не знала, что это значит.

Утром я встала совсем простуженной.

Я не знала, разболелась ли из-за ребенка или из-за твоего дедушки.

Когда мы прощались перед его отъездом в аэропорт, я приподняла чемодан, и он показался мне тяжелым.

Так я узнала, что он уходит.

Я подумала, стоит ли его останавливать.   Стоит ли побороть его и заставить себя любить.   Мне хотелось уложить его на лопатки и кричать ему в лицо.

Я поехала за ним в аэропорт.

Я следила за ним все утро.   Я не знала, как с ним заговорить.   Я видела, как он пишет в своей книжице.   Я видела, как он спрашивает у прохожих, который час, хотя все они указывали ему на большие желтые часы на стене.

Было так странно видеть его на расстоянии.   Такого маленького.   Снаружи я волновалась за него совсем не так, как внутри квартиры.   Я хотела защитить его от всего ужасного, что могло с ним произойти.

Я оказалась совсем близко.   Прямо за ним.   Я видела, как он написал: Плохо, что приходится жить, но еще хуже, что живешь только однажды.   Я отступила.   Не смогла быть так близко.   Даже тогда.

Из-за колонны я продолжала смотреть, как он пишет, и спрашивает время, и потирает о колени свои огрубевшие руки. Да и Нет.

Я видела, как он встает в очередь за билетами.

Я подумала: Когда же я его остановлю?

Я не знала, просить ли его, объяснять, умолять.   Когда подошла его очередь, я направилась к нему.

Я тронула его за плечо.

Я не слепая, — сказала я. Можно ли было сказать большую глупость. — У меня глаза паршивят, но я не слепая.

Что ты здесь делаешь? — изобразил он руками.

Внезапно я оробела.   Я не привыкла робеть.   Я привыкла стыдиться.   Робость — это когда отворачиваешься от того, что хочешь.   Стыд — это когда отворачиваешься от того, чего не хочешь.

Я знаю, что ты уходишь, — сказала я.

Иди домой, — написал он. — Тебе лучше лежать в постели.

Хорошо, — сказала я.   Я не знала, как сказать то, что должна была сказать.

Давай я тебя провожу.

Нет.   Я не пойду домой.

Он написал: Не сходи с ума.   Ты простудишься.

Я и так простужена.

Ты простудишь свою простуду.

Меньше всего я ждала от него шутки.   Еще меньше — что засмеюсь.

Смех перенес мои мысли за наш кухонный стол — как же много мы там смеялись.   Только за тем столом мы и были близки.   За столом, а не в постели.   Все смешалось в нашей квартире.   Мы ели за журнальным столиком в гостиной, а не за обеденным столом в столовой.   Там было ближе к окну.   Мы хранили тетради для его дневников в корпусе напольных часов, как будто дневники были временем.   Мы клали его исписанные дневники в ванну гостевой ванной, потому что никогда ею не пользовались. Я хожу во сне, если вообще засыпаю.   Однажды я включила душ.   Одни тетради всплыли, другие нет.   Утром я проснулась и увидела, что натворила.   Вода была серой от его дней.

Я не схожу с ума, — сказала я.

Иди домой.

Я устала, — сказала я. — Не изношена, а стерта до дыр. Вроде той жены, что просыпается однажды утром и говорит: Не могу я больше печь хлеб.

Ты его никогда и не пекла, — написал он, и мы все еще шутили.

Тогда будем считать, что я проснулась и испекла, — сказала я, и мы продолжали шутить.   Я подумала, когда же мы перестанем?   И что тогда будет?   И что я почувствую?

Пока я была маленькой, моя жизнь была музыкой, звучавшей громче и громче.   Все находило отзвук в моей душе. Собака, идущая за незнакомцем.   Какая бездна переживаний.   Календарь, открытый не на том месяце.   Я могла из-за этого разреветься.   И ревела.   Где кончился дым из трубы?   Как покатившаяся бутылка остановилась у самого края стола.

Я всю жизнь учусь чувствовать меньше.

Каждый день я чувствую меньше.

Это старость?   Или что-то похуже?

Нельзя отгородиться от грусти, не отгородившись от радости.

Он уткнулся лицом в обложку дневника, как в ладони. Он плакал.   По ком он плакал?

По Анне?

По своим родителям?

По мне?

По себе?

Я взяла у него тетрадь.   Она намокла, и слезы текли по ее страницам, как будто это тетрадь плакала.   Он уткнулся лицом в ладони.

Меня не надо стесняться, — сказала я.

Я не хочу причинять тебе боль, — сказал он, повернув голову слева направо.

Ты делаешь только больнее, когда не хочешь причинять боль, — сказала я. — Меня не надо стесняться.

Он опустил руки.   На одной щеке было написано ДА наоборот.   На другой — НЕТ наоборот.   Он по-прежнему смотрел вниз.   Слезы больше не текли по щекам, а падали из глаз прямо на пол.   Меня не надо стесняться, — сказала я.   Я не считала, что он мне обязан.   Я не считала, что обязана ему.   У нас были взаимные обязательства, а это совсем другая область.

Он поднял голову и посмотрел на меня.

Я на тебя не сержусь, — сказала я.

А должна.

Я сама нарушила правило.

Но я установил правило, которое было для тебя неприемлемо.

Мои мысли сбивчивы, Оскар.   Они уносятся в Дрезден, к маминым жемчугам, влажным от пота на ее шее.   Мои мысли скользят вверх по рукаву отцовской шинели. Какая большая и сильная у него рука.   Я верила, что она всегда меня защитит.   И она защищала.   Даже когда его не стало.   Воспоминания о его руке обвивают меня, как когда-то сама рука.   Каждый день был прикован к прошедшему дню.   Но у недель вырастали крылья.   Тот, кто думает, что секунда быстрее десятилетия, не поймет моей жизни.

Почему ты уходишь?

Он написал: Я не знаю, как жить.

Я тоже не знаю, но я пытаюсь.

Я не знаю, как пытаться.

Я о многом хотела поговорить.   Но знала, что ему будет больно.   Поэтому я зарыла это в себе — пусть мне будет больно.

Я положила на него руку.   Мне всегда было так важно до него дотрагиваться.   Ради этого я жила.   До сих пор не знаю, почему.   Крошечные, ни к чему не обязывающие прикосновения.   Моих пальцев к его плечу.   Наших бедер, когда нас стиснет в битком набитом автобусе. Не знаю зачем, но мне это было необходимо.   Иногда думала: вот бы сшить все эти прикосновения в одно.   Сколько раз сотни тысяч пальцев должны прикоснуться друг к другу, чтобы получилась любовь?   Зачем люди вообще занимаются любовью?

Мои мысли уносятся в детство, Оскар.   Я вижу себя девчонкой.   Вот склоняюсь над горсткой камешков и впервые замечаю у себя под мышками волоски.

Мои мысли вокруг маминой шеи.   Ее жемчуг.

Когда я впервые полюбила запах духов, и как мы с Анной лежим в темноте нашей спальни в нашей теплой кровати.

Однажды ночью я ей рассказала о том, что видела за сараем на задворках нашего дома.   Она взяла с меня слово никогда об этом не говорить.   Я обещала.

Можно я буду смотреть, как вы целуетесь?

Можно ты будешь смотреть, как мы целуемся?

Ты мне заранее говори, где вы будете целоваться, а я буду там прятаться и смотреть.   Она засмеялась и тем сказала мне да.

Мы проснулись посреди ночи.   Не знаю, кто из нас проснулся первым.   Или мы проснулись одновременно.

Что ты в этот момент чувствуешь? — спросила я.

В какой момент?

Когда целуешься.

Она засмеялась.

Чувствую мокрость, — сказала она.

Я засмеялась.

Мокрость и теплоту — в первый раз очень странно.

Я засмеялась.

Вот так, — сказала она, взяла в руки мое лицо и притянула к себе.

Никогда — ни до, ни после — я не испытывала такого прилива любви.

Мы были невинны.

Что может быть невинней того поцелуя в нашей постели?

Что может меньше заслуживать уничтожения?

Я сказала: Я буду пытаться за двоих, если ты останешься.

Хорошо, — написал он.

Только, пожалуйста, не уходи.

Хорошо.

И не будем к этому возвращаться.

Хорошо.

Почему-то я думаю про туфли.   Сколько пар я износила за жизнь.   И сколько раз надевала их и снимала. И как ставлю их в ногах кровати мысками наружу.

Мои мысли спускаются по дымоходу в камин и воспламеняются.

Шаги наверху.   Жарят лук.   Позвякивает хрусталь.

Мы не были богаты, но ни в чем не нуждались.   Из окна моей спальни я познавала мир.   Окно защищало меня от мира.   Отец сдавал на глазах.   Чем ближе подходила война, тем дальше отходил он.   Может, у него не было

другого способа нас защитить? Каждый вечер он допоздна оставался в своем сарае. Иногда там и ночевал.
На полу.

Он хотел спасти мир. Вот он был какой. Но не хотел
подвергать семью опасности. Вот он был какой. Возможно, у него на одной чаше весов лежала моя жизнь, а на
другой — жизнь, которую он мог бы спасти. Или десять
жизней. Или сто. Видимо, он решил, что моя жизнь
весит больше, чем сто жизней.

В ту зиму он совсем поседел. Я думала, это снег.
Он твердил нам, что все будет хорошо. Я была ребенком, но знала, что все хорошо не будет. Он не был об-
манщиком. Он был отцом.

В утро накануне бомбежки я решила, что напишу осужден-
ному на принудительные работы. Не знаю, почему я так
долго тянула с ответом и почему захотела написать ему
именно в тот день.

Он просил мою фотокарточку. Я себе ни на одной не
нравилась. Вот она, драма моего детства. Не бомбежка. А то, что я себе ни на одной фотокарточке не нравилась. Терпеть себя не могла.

Я решила, что схожу завтра в фотоателье и сфотографиру-
юсь.

Вечером я перемерила перед зеркалом все свои наряды.
Прямо как кинозвезда, только уродливая. Я попросила
маму поучить меня макияжу. Она не спросила, зачем.
Она показала мне, как класть румянец на щеки. Как
подводить глаза. Она редко когда дотрагивалась до моего лица. У нее не было повода.

Мой лоб. Мой подбородок. Мои виски. Моя шея.
Почему она плакала?

Недописанное письмо осталось на столе.

Бумага прибавила жару, когда дом загорелся.

Надо было отправить его с плохой фотокарточкой.

Все надо было отправить.

Люди ходили по аэропорту туда и сюда, водоворот людей. Но мы с твоим дедушкой их не замечали.

Я полистала его дневник.   Я указала на: «как неловко, как горько, как грустно».

Потом он полистал и указал на: «вы сейчас подали мне этот нож совсем как».

Я указала на: «будь я другим человеком в другом мире, я бы поступил как-нибудь иначе».

Он указал на: «а иногда из нее просто хочется выпасть».

Я указала на: «это нормально — не разбираться в себе».

Он указал на: «как грустно».

Я указала на: «от сладкого я еще никогда не отказывался».

Он указал на: «рыдала, и рыдала, и рыдала».

Я указала на: «не плачь».

Он указал на: «сломленными и в смятении».

Я указала на: «как грустно».

Он указал на: «сломленными и в смятении».

Я указала на: «Нечто».

Он указал на: «Ничто».

Я указала на: «Нечто».

Никто не указал на: «с любовью».

Эта была пропасть.   Мы не могли ни перепрыгнуть через нее, ни обойти по краю.

Мне жаль, что вся жизнь уходит на то, чтобы научиться жизни, Оскар.   Будь у меня еще одна жизнь, я бы прожила ее по-другому.

Я бы все изменила.

Я бы поцеловала учителя музыки, не боясь, что он меня засмеет.

Я бы скакала на постели с Мэри, не заботясь о том, как выгляжу.

Я бы не стеснялась своих фотокарточек, рассылала бы их тысячами.

Что же теперь? — написал он.

Тебе решать, — сказала я.

Он написал: Я хочу домой.

Что для тебя дом?

Дом там, где больше всего правил.

Я его поняла.

Нам понадобятся еще правила, — сказала я.

Чтобы дом стал похож на дом.

Да.

Хорошо.

Мы поехали в наш ювелирный магазин.   Он оставил чемодан в задней комнате.   В тот день мы продали пару изумрудных сережек.   И обручальное кольцо с бриллиантом.   И детский браслетик из золота.   И часы — путешественнику в Бразилию.

Ночью мы лежали, обнявшись.   Он покрывал меня поцелуями.   Я ему верила.   Не по глупости.   Потому что была его женой.

Утром он уехал в аэропорт.   Я не решилась дотронуться до его чемодана.

Я ждала его возвращения.

Прошли часы.   И минуты.

Я не открыла магазин в 11:00.

Я ждала у окна.   Я все еще в него верила.

Я не обедала.

Прошли секунды.

День миновал.   Наступил вечер.

Я не ужинала.

В промежутках между мгновениями умещались годы.

Твой отец толкался у меня в животе.

Что он пытался мне сказать?

Я поднесла к окнам птичьи клетки.

Я открыла окна и открыла клетки.

Я спустила рыбок в унитаз.

Я отвела вниз собак и кошек и сняла с них ошейники.

Я выпустила насекомых на улицу.

И змей.

И мышей.

Я сказала им: Вон.

Все вы.

Вон.

И они ушли.

И больше не вернулись.

РАДОСТЬ, РАДОСТЬ

ИНТЕРВЬЮЕР. Вы можете описать события того утра?

ТОМОЯСУ. Я вышла из дома вместе с Масако, моей дочерью. Она шла на работу. Я собиралась зайти к подруге. Объявили воздушную тревогу. Я сказала Масако, что возвращаюсь домой. Она сказала: «Я побегу в контору». Я занялась делами и ждала, когда отменят тревогу.

Я свернула циновки. Я убрала в шкафу. Я протерла окна на влажной тряпкой. Что-то вспыхнуло. Моей первой мыслью было, что это вспышка фотоаппарата. Сейчас это звучит смешно. Мне пронзило глаза. В голове все погасло. Вокруг стоял шип от крошившихся стекол. Таким звуком мать в детстве меня успокаивала, когда я раскричусь.

Когда ко мне вернулось сознание, я поняла, что не стою. Меня отбросило в другую комнату. Тряпка по-прежнему была в руке, только уже сухая. Моей единственной мыслью было найти дочь. Я посмотрела в окно и увидела одного из своих соседей, почти нагого. Кожа отслаивалась от него, как кожура. Она свисала с кончиков пальцев. Я спросила, что случилось. Он был не в силах ответить. Он смотрел во все стороны — очевидно, искал своих. Я подумала: *Я должна идти. Я должна найти Масако.*

Я обулась и взяла свой противопожарный капюшон. Я дошла до остановки поезда. Очень много людей двигалось мне навстречу, из города. Мне показалось, что пахнет жареными кальмарами. Должно быть, я была в шоке, потому что и люди выглядели, как кальмары, выброшенные на берег.

Я увидела, что ко мне идет девочка. Кожа на ней плавилась. Она была, как воск. Она бормотала: «Мама. Воды. Мама. Воды». Я подумала, что это может быть Масако. Но нет. Я не дала ей воды. Каюсь, что не дала. Мне надо было найти мою Масако.

Я бежала до самого хиросимского вокзала. Там было много людей. Некоторые умерли. Многие лежали на полу. Они кричали «мамочка» и просили пить. Я пошла к мосту Токива. Надо было перейти через мост, чтобы попасть в контору к моей дочери.

ИНТЕРВЬЮЕР. Вы видели грибовидное облако?

ТОМОЯСУ. Нет, я не видела облака.

ИНТЕРВЬЮЕР. Вы не видели грибовидного облака?

ТОМОЯСУ. Я не видела грибовидного облака. Я пыталась найти Масако.

ИНТЕРВЬЮЕР. Но над городом висело облако?

ТОМОЯСУ. Я пыталась ее найти. Мне сказали, что через мост нельзя. Я подумала, что она могла уже и вернуться, поэтому пошла обратно. Я как раз была возле Храма Никицу, когда пошел черный дождь. Я не знала, что это.

ИНТЕРВЬЮЕР. Вы можете описать черный дождь?

ТОМОЯСУ. Я ждала ее дома. Я открыла окна, хоть в них и не было стекол. Я не сомкнула глаз всю ночь. Но она не пришла. Около 6:30 утра пришел господин Ишидо. Наши дочери работали в одной конторе. Он крикнул с улицы, не здесь ли живет Масако. Я выбежала. Я закричала: «Здесь, сюда!» Господин Ишидо подошел. Он сказал: «Быстро! Возьмите что-нибудь из одежды и идите к ней. Она на берегу реки Ота».

Я бросилась бежать со всех ног. Я бежала быстрее бега. Добежав до моста Токива, я увидела на земле солдат. Возле хиросимского вокзала мертвых стало больше. Седьмого утром их было больше, чем шестого. Добравшись до реки, я уже не отличала мертвых от живых. Я искала Масако. Я услышала чей-то плач — «Мамочка!». Я узнала ее голос. Она была в ужасающем состоянии. Во сне я до сих пор вижу ее такой. Она сказала: «Как же ты долго».

Я извинилась. Я сказала: «Я бежала со всех ног».

Мы были одни. Я не знала, что делать. Я не медсестра. В ее ранах были белые личинки и липкая желтая жидкость. Я попробовала их промыть. Но стала сходить кожа. Личинки лезли отовсюду. Их нельзя было смахнуть, не содрав кожу и мышцы. Я стала их выбирать. Она спросила, что я делаю. Я сказала: «О, Масако. Это пустяки». Она кивнула. Через девять часов она умерла.

ИНТЕРВЬЮЕР. Все это время вы держали ее на руках?

ТОМОЯСУ. Да, я держала ее на руках. Она сказала: «Я не хочу умирать». Я сказала: «Ты не умрешь». Она сказала: «Я постараюсь не умереть до дома». Но ей было больно, и она плакала: «Мамочка».

ИНТЕРВЬЮЕР. Наверное, вам тяжело об этом говорить.

ТОМОЯСУ. Когда мне сказали, что ваша организация ищет очевидцев, я решила прийти. Она умерла у меня на руках, повторяя: «Я не хочу умирать». Вот что такое смерть. Неважно, какая на солдатах форма. Неважно, современное ли у них оружие. Я подумала, если бы все видели то, что видела я, мы бы никогда больше не воевали.

Я нажал «стоп» на магнитофоне, потому что интервью кончилось. Девочки плакали, а мальчишки имитировали отрыжку.

«Ну, что же, — сказал мистер Киган, вытирая носовым платком лоб и одновременно поднимаясь со стула, — Оскар предоставил нам богатый материал для размышления». Я сказал: «Это еще не все». Он сказал: «По-моему, картина полная». Я объяснил: «Поскольку тепловое излучение от взрыва распространялось прямолинейно, ученые сумели определить его эпицентр из нескольких точек, проследив за направлением теней от разных предметов. Тени помогли вычислить высоту, на которой разорвалась бомба, а также диаметр огненного шара в момент его наибольшего накала. Обалдеть, да?»

Джимми Снайдер поднял руку. Я его вызвал. Он спросил: «Ты почему такой тормоз?» Я спросил, был ли это риторический вопрос. Мистер Киган отправил его в кабинет директора Банди. Некоторые из ребят раскололись. Я знал, что они раскалываются по-плохому, то есть надо мной, но попытался на этом не зацикливаться.

«Еще одна интересная особенность этого взрыва обнаружилась во взаимосвязи уровня разрушений и цвета, потому что темные цвета поглощают свет, само собой. Например, в то утро в одном из больших городских парков два знаменитых шахматных гроссмейстера играли матч на доске с фигурами в человеческий рост. Взрыв уничтожил все: зрителей на трибунах, операторов, которые снимали матч, их черные кинокамеры, шахматные часы, даже гроссмейстеров. Уцелели только белые фигуры на белых клетках».

Перед тем как выйти из класса, Джимми сказал: «Эй, Оскар, кто такой Бакминстер?» Я сказал: «Ричард Бакминстер Фуллер был ученым, философом и изобретателем, который прославился изобретением геодезического купола, который больше всего известен как фуллерен. Он умер в 1983 году, кажется». Джимми сказал: «Я про *твоего* Бакминстера».

Я не знал, зачем ему это, тем более что пару недель назад я приносил Бакминстера в школу для наглядного эксперимента и сбросил его с крыши, чтобы показать, как кошки достигают критической скорости, превращая свое тело в парашют, и как у них больше шансов уцелеть при падении с двадцатого этажа, чем с восьмого, потому что восемь этажей у них обычно уходит на то, чтобы разобраться в ситуации, расслабиться и перегруппироваться. Я сказал: «Бакминстер — моя кисонька».

Джимми показал на меня пальцем и сказал: «Ха-ха!» Класс раскололся по-плохому. Я не просек, почему. Мистер Киган покраснел и сказал: «Джимми!» Джимми сказал: «Что? Что я сделал?» Я видел, что внутри мистер Киган тоже раскалывается.

«А еще там нашли обрывок бумаги, где-то в полукилометре от эпицентра, и на нем были буквы, которые называются иероглифы, и все они прожглись. Мне стало жутко интересно, как это выглядело, и сначала я попробовал вырезать буквы сам, но не справился, поэтому нашел в Интернете типографа на Спринг Стрит, специалиста по фигурной резьбе, и он сказал, двести баксов. Я спросил, с налогом? Он сказал — без, но я все равно решил, что оно того стоит, поэтому взял мамину кредитку и, короче, вот». Я развернул лист с первой страницей из «Краткой истории времени» по-японски, которую скачал с Amazon.co.jp. Я взглянул на свой класс сквозь историю про черепах.

Это было в среду.

В четверг я всю перемену просидел в библиотеке, читая свежий выпуск «Американского ударника», который библиотекарь Хиггинс выписывает специально для меня. Скукотища. Потом зашел в лаборантскую узнать у мистера Пауэрса, нельзя ли поделать опыты. Он сказал, что договорился идти на ланч с другими учителями, а одному мне в лаборантской нельзя. Поэтому я занялся изготовлением украшений в художественной студии, где одному можно.

Пятница, Джимми Снайдер окликнул меня с другого конца площадки, а потом подошел с дружками. Он сказал: «Эй, Оскар, ты что больше хочешь: чтобы Эмма Уотсон тебе подрочила или отсосала?» Я сказал, что не знаю, кто такая Эмма Уотсон. Мэт Колбер сказал: «Гермиона, дебил». Я сказал: «Кто такая Гермиона? И я не страдаю олигофренией». Дейв Мэллон сказал: «Из «Гарри Поттера», пидор». Стив

Уикер сказал: «У нее уже и сиськи торчат». Джейк Райли сказал: «Выбирай: дрочка или минет?» Я сказал: «Я ее даже ни разу не видел».

Я достаточно знаю про аистов, чтобы понимать, что они не приносят детей. То, что я знаю не про аистов, я знаю из Интернета, потому что спросить мне некого. Например, я знаю, что минет делают пенисом, засовывая его кому-нибудь в рот. Еще я знаю, что член — это пенис, и фаллос — пенис. А буцефаллос, само собой, конский пенис. Я знаю, что когда женщина занимается сексом, у нее мокро в ПЗ, хотя *почему* мокро, я не знаю. Я знаю, что ПЗ — это пизда и еще жопа. Я знаю, что такое вибраторы, в принципе, но не знаю, что такое конч, если конкретно. Я знаю, что анальный секс — это когда трахают в анус, хотя об этом предпочел бы не знать.

Джимми Снайдер толкнул меня в плечо и сказал: «Скажи, твоя мама — шлюха». Я сказал: «Твоя мама — шлюха». Он сказал: «Скажи, *твоя* мама — шлюха». Я сказал: «*Твоя* мама — шлюха». — «Скажи: моя мама — шлюха». — «Твоя мама шлюха». Мэтт, Дейв, Стив и Джейк раскололись, но Джимми всего заколбасило. Он занес надо мной кулак и сказал: «Прощайся с жизнью». Я огляделся в поисках учителей, но никого не было. «Моя мама — шлюха», — сказал я. В школе я прочел еще несколько предложений из «Краткой истории времени». Потом сломал механический карандаш. Когда я пришел домой, Стэн сказал: «Вам письмо!»

Дорогой Оскар!

Спасибо, что прислал мне $76.50, как обещал. Сказать по правде, я не думал, что когда-нибудь получу эти деньги. Отныне я буду верить всем.

(водитель такси) Марти Махальтра
P.S. А чаевые?

В ту ночь я ждал, когда пройдут семь минут, потом четырнадцать минут, потом тридцать. Я знал, что не усну, так мне хотелось, чтобы поскорее настало завтра и можно было искать замок. Я начал изобретать, как бобер. Я подумал про то, как через сто лет все имена из телефонного справочника «Желтые страницы» за 2003 год будут для людей, которые умрут, и как один раз, когда я был у Минчей, по телеку шло шоу, в котором какой-то качок разорвал телефонный справочник пополам голыми руками. Я подумал про то, как не хочу, чтобы через сто лет кто-нибудь разорвал пополам «Желтые страницы» за 2003 год, потому что хоть все и умрут, мне казалось важным, чтобы их имена сохранились. Поэтому я изобрел для «Желтых страниц» черный ящик, который будет из того же материала, что и черные ящики в самолетах. Я продолжал не спать.

Я изобрел марку, липкая сторона которой будет как крем-брюле.

Я продолжал не спать.

Что если натренировать собак-поводырей вынюхивать бомбы, чтобы они стали собаками-повонюхбомбодырями? Тогда слепым можно будет платить за то, что они за ними ходят, и они почувствуют себя полноправными членами общества, а заодно и терактов можно будет не опасаться. Спать совсем расхотелось.

Когда я проснулся, была суббота.

Я пошел наверх за мистером Блэком, и он уже ждал меня на пороге, пощелкивая пальцами над ухом. «Что это?» — спросил он, когда я вручил ему мой подарок. Я пожал плечами, совсем как папа. «И что прикажешь с этим делать?» Я сказал: «Само собой, развернуть». Но меня распирала радость, и еще до того как он разорвал обертку, я сказал: «Эта цепочка, которую я изготовил специально для вас: там вместо кулона компас, чтобы вы всегда знали свое месторасположение относительно кровати!» Продолжая борьбу с оберткой, он сказал: «Это очень мило!» — «Ага, — сказал я, вырывая у него коробочку, чтобы побыстрее ее открыть. — Снаружи он вряд ли будет работать, потому что чем дальше вы от кровати, тем слабее ее магнитное поле, но все равно». Я отдал ему цепочку, и он тут же ее надел. Сразу стало понятно, что кровать находится от него к северу.

«Так куда мы сегодня?» — спросил он. «В Бронкс», — сказал я. «Поедем на IRT[1]?» — «На чем?» — «На поезде IRT». — «Такого поезда нет, и я не езжу на общественном транспорте». — «Почему не ездишь?» — «Слишком очевидная мишень для террористов». — «Как же ты планируешь туда добираться?» — «Пешком». — «Но это километров тридцать отсюда, — сказал он. — Ты видел, как я хожу?» — «Это правда». — «Поедем на IRT». — «Такого поезда нет». — «Но ведь какой-нибудь есть — на нем и поедем».

Когда мы выходили, я сказал: «Стэн, это мистер Блэк. Мистер Блэк, это Стэн». Мистер Блэк протянул руку, и Стэн ее пожал. Я сказал: «Мистер Блэк живет в квартире 6А». Стэн отдернул руку, но не думаю, что мистера Блэка это обидело.

Почти всю дорогу до Бронкса поезд шел под землей, что меня запредельно напрягало, но когда мы доехали до бедных районов, он пошел над землей, и стало легче. В Бронксе было много пустующих домов — я это понял, потому что в них не было окон, и все было видно насквозь, особенно на большой скорости. Мы вышли из поезда и спустились на улицу. Мистер Блэк настоял, чтобы я держал его за руку, пока мы не найдем адрес. Я спросил, не расист ли он. Он сказал, что его беспокоит нищета, а не люди. Для прикола я спросил, не гей ли он. Он сказал: «Я еще вполне э-ге-гей». — «Серьезно?» — спросил я, но руку не отдернул, потому что не гомофоб.

Домофон не работал, но дверь в подъезд не захлопывалась из-за подложенного кирпича. Квартира Агнии Блэк была на третьем этаже, но лифта не оказалось. Мистер Блэк

---

[1] IRT, или Interborough Rapid Transit, — название частной компании, проложившей первую линию подземного метро в Нью-Йорке, которая соединяла Манхэттен и Бронкс.

сказал, что подождет меня внизу, потому что по лестницам он уже в метро находился. Пришлось идти одному. Лестница была липкая, и все глазки на дверях почему-то были замазаны черным. За одной дверью кто-то пел, а за несколькими другими работали телеки. Я попробовал открыть дверь Агнии своим ключом, но не смог и постучал.

Открыла небольшая женщина в инвалидной коляске. Мексиканка, наверное. Или бразильянка, или что-то типа того. «Извините, вы Агния Блэк?» Она сказала: «Но эспака инглиш». — «Что?» — «Но эспака инглиш». — «К сожалению, — сказал я, — я вас не понимаю. Вы могли бы повторить медленнее и более внятно». — «Но эспака инглиш», — сказала она. Я поднял указательный палец вверх, а это универсальный жест для «подождите», и прокричал вниз мистеру Блэку: «Кажется, она не говорит по-английски!» — «А на каком говорит?» — «На каком языке вы говорите?» — спросил я, но тут же сообразил, что это бесполезный вопрос, и попробовал по-другому: *«Parlez-vous francais?»* — «Español», — сказала она. *«Español»*, — заорал я вниз. «Великолепно! — заорал он в ответ. — *Español* я немного нахватался!» Я подкатил ее коляску к лестнице, и они стали перекрикиваться, в чем был особый прикол, потому что слышать друг друга они могли, а видеть — нет. Один раз они даже вместе раскололись, и их смех курсировал между этажами. Потом мистер Блэк заорал: «Оскар!» И я заорал: «Меня уже девять лет так зовут!» И он заорал: «Спускайся!»

Когда я спустился, мистер Блэк объяснил, что женщина, которую мы разыскиваем, работала официанткой в ресторане «Окна в мир»[1]. *«Ты чё?»* — «А эту женщину зовут Фелиз, и она ее лично не знала. Ей о ней рассказали, когда она сюда въехала». — «Серьезно?» — «Мне такого не выдумать».

---

[1] Ресторан «Окна в мир» (Windows on the World) находился на предпоследнем этаже одной из башен-близнецов. Все, кто был там утром 11 сентября 2001 года, погибли.

Мы вышли на улицу и двинулись обратно. Нас обогнала машина, из которой неслась жутко громкая музыка, так что даже сердце завибрировало. Я задрал голову, и там была куча веревок между окнами, и с некоторых свисала одежда. Я спросил у мистера Блэка, не это ли называют бельевыми веревками. Он сказал: «Именно это». Я сказал: «Так я и думал». Мы прошли еще немного. Дети гоняли камушки по мостовой и раскалывались по-хорошему. Мистер Блэк поднял один камушек и положил в карман. Он посмотрел на табличку с названием улицы, а потом на свои часы. Два старика сидели на стульях у входа в магазин. Они курили сигары и смотрели на мир, как в телек.

«Все-таки странно, если подумать», — сказал я. «Что странно?» — «Что она там работала. Может, они с папой друг друга знали. Или не знали, а просто она его в то утро обслуживала. Он ведь был там, в ресторане. У него была встреча. Может, она ему кофе подливала или типа того». — «Вполне возможно». — «Может, они вместе погибли». Я знаю, что ему нечего было на это сказать, потому что, конечно, они вместе погибли. Вопрос в том, *как* они вместе погибли, ну, типа, в разных концах ресторана, или рядом, или еще как. Может, они вместе пробрались на крышу. На некоторых фото видно, как люди вместе бросаются вниз и держатся за руки. Может, и они так же. А может, они просто разговаривали, пока не рухнуло здание. О чем они могли говорить? Ясно же, что они были совсем разные. Может, он рассказал ей про меня. Что он ей рассказал? Я не мог определить, что чувствую, представляя, как он держит кого-то за руку.

«У нее были дети?» — спросил я. «Не знаю». — «А вы спросите». — «У кого спросить?» — «У женщины, которая там живет вместо Агнии. Если у нее были дети, я уверен, что она про них знает. Давайте вернемся и спросим». Он не спросил, почему мне это важно, и не стал убеждать, что она и так уже обо всем рассказала. Мы вернулись на три квартала назад, и я поднялся по лестнице, и выкатил ее на площадку, и они опять стали перекрикиваться. Наконец мистер Блэк заорал: «Не было!» Но я заподозрил, что он меня обманывает, потому что хоть и не говорю по-испански, понял, что она сказала намного больше, чем просто нет.

Когда мы шли обратно к метро, мне было озарение, и после него я разозлился. «Минуточку, — сказал я. — Над чем вы тогда раскалывались?» — «Когда тогда?» — «Когда в первый раз с ней говорили. Вы над чем-то вместе раскололись». — «Не знаю», — сказал он. «Не знаете?» — «Не помню». — «Постарайтесь вспомнить». Он задумался на минуту. «Не могу». Ложь № 77.

У входа в метро мы купили несколько тамалес[1] у женщины, которая торговала ими из огромной кастрюли на тележке супермаркета. Обычно я не доверяю еде, которая свернута не при мне или не приготовлена мамой, но мы сели на тротуар и съели наши тамалес. Мистер Блэк сказал: «Теперь я, по крайней мере, снова воспрял». — «Что значит «воспрял»?» — «Ожил. Посвежел». — «Я тоже воспрял». Он опустил на меня руку и сказал: «Вот и славно». — «Они ведь виганские, да?» Я тряс тамбурином, поднимаясь по лестнице в метро, и задержал дыхание, когда поезд ушел под землю.

Алберт Блэк был родом из Монтаны. Он хотел быть актером, но не хотел в Калифорнию, потому что Калифорния рядом с Монтаной, а для актера главная фишка — перевоплощаться в кого-нибудь подальше.

Алиса Блэк была запредельно напуганная, потому что жила в здании, предназначенном для промышленных нужд, и жить там вообще-то не разрешалось. Прежде чем открыть дверь, она заставила нас дать клятву, что мы не из жилищного управления. Я сказал: «Да вы посмотрите в глазок». Она посмотрела и сказала: «Ах, вы», что было странно, и после этого впустила. Руки у нее были в угле, и я заметил, что всюду

---

[1] Рулетики из листьев маиса, начиненные мелко нарубленным маисом, остатками дичи, мяса и рыбы или разными овощами. Распространены в центральноамериканской кухне.

16-1239

были рисунки, и на каждом — один и тот же мужчина. «Вам есть сорок?» — «Мне двадцать один». — «Мне девять». — «Мне сто три». Я спросил, ее ли это рисунки. «Да». — «Все?» — «Да». Я не стал спрашивать, кем ей приходится мужчина на рисунках, мне и без этого хватало на сердце гирь. Столько раз рисовать можно только того, кого любишь и по кому скучаешь. Я сказал: «Вы жутко красивая». — «Спасибо». — «Мы можем поцеловаться?» Мистер Блэк ткнул меня локтем в бок и сказал: «Вы что-нибудь знаете про этот ключ?»

Уважаемый Оскар Шелл!

Пишу Вам по просьбе профессора Кейли, которая в данный момент находится в экспедиции в Конго. Она просила передать Вам свою признательность за Ваше желание принять участие в ее работе со слонами. Учитывая, что у нее уже есть ассистент (я), а с бюджетными ограничениями Вы, я уверен, сталкивались, она пока не может предложить Вам работу. Но она просила передать, что если Вы не утратите интерес и будете по-прежнему свободны, то следующей осенью у нее может возникнуть проект в Судане, на котором ей понадобится еще один ассистент. (Заявки на грант сейчас рассматриваются.)

Пришлите, пожалуйста, свое резюме с перечислением Ваших предыдущих экспедиций, копии университетского и аспирантского дипломов, а также два рекомендательных письма.

С наилучшими пожеланиями

Гари Франклин

243

Аллен Блэк жил на Нижнем Ист-сайде, но работал швейцаром в доме на Сентрал Парк Саут[1], где мы его и нашли. Он сказал, что швейцаром ему быть скучно, потому что в России он был инженером, а теперь у него сохнет мозг. У него в кармане оказался маленький переносной телек. «Дивишки показывает, — сказал он. — И емельки можно проверять, только у меня адреса нет». Я сказал, что могу зарегистрировать ему адрес, если он хочет. Он сказал: «Да ну?» Я такой модели раньше не видел, но быстро разобрался и начал его регистрировать. Я сказал: «Вам нужно выбрать имя пользователя». Я предложил: «Allen», или «AllenBlack», или какое-нибудь прозвище. «А еще можно «Ingener». Тоже клевое имя». Он положил палец на усы и стал думать. Я спросил, есть ли у него дети. Он сказал: «Сын. Скоро меня обгонит. И по росту, и по уму. Будет выдающимся врачом. Нейрохирургом. Или адвокатом Верховного Суда». — «Вы можете взять его имя, если не боитесь запутаться». Он сказал: «Shveitsar». — «Что?» — «Назови меня «Shveitsar». — «Вы можете выбрать любое имя». — «Shveitsar». Я назвал его «Shveitsar215», потому что 214 швейцаров уже было зарегистрировано. Когда мы уходили, он сказал: «Удачи, Оскар». Я сказал: «Как вы узнали, что меня зовут Оскар?» Мистер Блэк сказал: «Ты ему сам сказал». Вернувшись домой, я отправил ему имейл: «Жаль, конечно, что вы ничего не знали про ключ, но все равно было приятно познакомиться».

Уважаемый Оскар!

    Хотя из Вашего письма видно, что Вы, безусловно, человек образованный, не зная Вас лично и не представляя, насколько Вы готовы к участию в научных

---

[1] Улица Central Park South идет параллельно южной окраине Центрального парка — одна из самых дорогих в Манхэттене. Нижний Ист-сайд (Lower East Side) — район Манхэттена, расположенный в его нижней восточной части. Он всегда был и по сей день считается одним из «дешевых».

экспериментах, мне будет трудно напи-
сать Вам рекомендацию.

Спасибо за добрые слова о моей ра-
боте и удачи в Ваших исследованиях, на-
учных и прочих.

Искренне Ваша

Джейн Гудал

Арнольд Блэк встретил нас словами: «Ничем не могу помочь. Я извиняюсь». Я сказал: «Но мы ведь еще даже не сказали, что нам надо». Он чуть не расплакался, сказал: «Извиняюсь», — и закрыл дверь. Мистер Блэк сказал: «Двигаем дальше». Я кивнул, но внутри себя подумал: *Странно.*

Спасибо за Ваше письмо. Ввиду огромно-
го количества получаемой корреспонден-
ции, я не в состоянии вести личную пе-
реписку. Но знайте, что я прочитываю
и сохраняю все письма в надежде, что
когда-нибудь смогу ответить на каждое
так, как автор того заслуживает. До той
поры

Искренне Ваш

Стивен Хокинг

Следующая неделя была запредельно скучная, особенно когда я не думал про ключ. Хоть я и знал, что в Нью-Йорке 161 999 999 замков, к которым он не подходит, мне все равно казалось, что он открывает все. Иногда я до него просто дотрагивался, чтобы убедиться, что он есть, как к газовому баллончику, который лежал у меня в кармане. Или прямо противоположно тому, как к газовому баллончику. Я подтянул веревочку таким образом, чтобы оба ключа — один от квартиры, другой неизвестно-от-чего — оказались напротив моего сердца, так мне было спокойнее, только ключи иногда были жутко холодными, поэтому я залепил часть груди пластырем, и с тех пор они лежали на нем.

В понедельник была скукотища.

Во вторник после школы пришлось тащиться к доктору Файну. Я не мог понять, почему мне требуется профессиональная помощь: я считал, что у человека *должны быть* гири на сердце, когда у него умирает папа, и что если у человека *нет* гирь на сердце, *тогда* ему нужна помощь. Но я все-таки к нему пошел, потому что от этого зависело, дадут ли мне денег на карманные расходы.

«Привет, старина» — «Вообще-то, для вас я не старина». — «Да. Действительно. Погода сегодня отличная, ты не находишь? Может, выйдем на воздух, побросаем мяч?» — «Да — на вопрос о погоде. Нет — на вопрос о мяче». — «Уверен?» — «Я спортом не увлекаюсь». — «А чем увлекаешься?» — «Вы какой ответ хотите?» — «Почему ты думаешь, что я чего-то хочу?» — «А почему вы думаете, что я полный дебил?» — «Я не думаю, что ты полный дебил. Я вообще не думаю, что ты дебил». — «Ну, спасибо». — «Как тебе кажется, Оскар, почему ты здесь?» — «Я здесь, доктор Файн, потому что у меня невыносимый период в жизни, и это расстраивает маму». — «Надо ли ей расстраиваться?» — «Да нет. Жизнь вообще невыносима». — «Когда ты говоришь «невыносимый период», что ты под этим понимаешь?» — «У меня переизбыток чувств». — «И сейчас тоже?» — «Сейчас вообще жутко». — «Какие же это чувства?» — «Все сразу». — «Например...» — «Сейчас грусть, радость, раздражение, любовь, вина, восторг, стыд и немножко юмора, потому что часть моего мозга все время прокручивает одну шутку Тюбика, только не скажу, какую». — «Чувств действительно многовато». — «Он подсыпал слабительное в *pain au chocolat*, который мы продавали на кулинарной ярмарке во французском клубе». — «Смешная шутка». — «Я все чувствую». —

«А это твое многочувствие, мешает оно тебе в повседневной жизни?» — «Я не могу ответить на ваш вопрос, потому что, по-моему, такого слова не существует. Многочувствие. Но я понимаю, что вы хотите им выразить, поэтому — да. Я из-за него много плачу, правда, тайком. Мне жутко тяжело находиться в школе. Еще я не могу ночевать у друзей, потому что меня напрягает, когда мама не рядом. И люди меня тоже достали». — «В чем, по-твоему, причина?» — «Слишком много чувствую. Вот в чем причина». — «Разве можно чувствовать слишком много? Может, дело в том, как ты воспринимаешь?» — «Внутри я совсем не такой, как снаружи». — «Думаешь, у других не так?» — «Не знаю. Я всего лишь я». — «Может, это и делает нас теми, кто мы есть: разница между тем, какие мы внутри и какие снаружи». — «У меня она больше». — «Не исключаю, что каждый человек про себя так думает». — «Возможно. Но у меня она действительно больше».

Он откинулся в кресле и положил ручку на стол. «Могу я задать тебе личный вопрос?» — «Вы в свободной стране». — «Ты не замечал волоски у себя на мошонке?» — «На мошонке?» — «Мошонка — это мешочек в основании пениса, который поддерживает твои яички». — «Яйца». — «Да». — «Обалдеть». — «Можешь немного об этом подумать. Я отвернусь». — «Я и так знаю. У меня нет волосков на мошонке». Он что-то записал на листе бумаги. «Доктор Файн?» — «Говард». — «Вы просили говорить, когда я комплексую». — «Да». — «Я комплексую». — «Извини. Я знаю, что это очень личный вопрос. Мне было важно его задать, потому что иногда изменения, происходящие с нашим телом, существенно влияют на наше самочувствие». — «У меня не поэтому. У меня потому — что мой папа умер самой страшной смертью, какую только можно изобрести».

Он посмотрел на меня, а я посмотрел на него. Я дал себе слово не отводить глаза первым. Но, как обычно, отвел.

«Сыграем в одну игру?» — «Для развития мозга?» — «Не совсем». — «Мне нравятся игры для развития мозга». — «Мне тоже. Но эта не для развития мозга». — «Облом». — «Я сейчас назову слово и хочу, чтобы ты сказал мне первое, что придет тебе в голову. Можно слово, можно чье-нибудь имя, а можно и звук. Все равно. Любой ответ годится. Никаких правил. Попробуем?» Я сказал: «Валяйте». Он сказал: «Семья». Я сказал: «Семья». Он сказал: «Извини. Боюсь, что я плохо объяснил. Я называю слово, а ты — первое, что приходит на ум». Я сказал: «Вы сказали «семья», и мне на ум пришла семья». Он сказал: «Только давай мы будем говорить разные слова. Хорошо?» — «Хорошо. То есть ага». — «Семья». — «Глубокий петтинг». — «Глубокий петтинг?» — «Это когда мужчина лезет в ПЗ пальцами. Правильно?» — «Да, правильно. Ладно. Здесь не может быть неправильного ответа. Как у нас с безопасностью?» — «Как у нас с ней?» — «Хорошо». — «Ага». — «Пупок». — «Пупок?» — «Пупок». — «Ничего не приходит на ум, кроме пупка». — «Постарайся. Пупок». — «Никаких ассоциаций». — «А если покопаться». — «В пупке?» — «В себе, Оскар». — «Уф». — «Пупок. Пупок». — «Анус живота?» — «Классно». — «Фигово». — «Классно» относилось к твоему ответу». — «Ответ классный, а не классно». — «Классный». — «Школа». — «Ликовать». — «Гав-гав». — «Это лай?» — «Неважно». — «Хорошо. Выдающийся». — «Ага». — «Грязный». — «Пупок». — «Неудобный». — «Запредельно». — «Желтый». — «Цвет пупка желтого человека». — «Давай все-таки стараться отвечать одним словом, ладно?» — «Ничего себе — никаких правил». — «Обиженный». — «Практичный». — «Огурец». — «Полипласт». — «Полипласт?» — «Огурец?» — «Дом». — «Там, где все». — «Тревога». — «Папа». — «Твой отец — источник тревоги или спасение от нее?» — «И то, и другое». — «Радость» — «Радость. Ой. Извиняюсь». — «Радость». — «Не знаю». — «Попытайся. Радость». — «Сдаюсь». — «Радость. Покопайся в себе». Я пожал плечами. «Радость, радость». — «Доктор Файн?» — «Говард». — «Говард?» — «Да?» — «Я комплексую».

Оставшееся до конца сорока пяти минут время мы просто беседовали, хотя мне ему сказать было нечего. Я у него быть не хотел. Там, где я не искал замок, я вообще быть не хотел. Когда уже вот-вот должна была войти мама, доктор Файн сказал, что хотел бы наметить план, как сделать мою следующую неделю лучше предыдущей. Он сказал: «Давай ты мне расскажешь, что бы ты мог изменить, на чем заострришь внимание. А на следующей неделе мы обсудим, что из этого у тебя получилось». — «Я постараюсь ходить в школу». — «Хорошо. Очень хорошо. Что еще?» — «Может, постараюсь не раздражаться на дебилов». — «Хорошо. А еще что?» — «Не знаю, может, постараюсь перестать все портить своим многочувствием». — «Еще что-нибудь? » — «Постараюсь не грубить маме». — «И?» — «А что, этого мало?» — «Немало. Более чем достаточно. Но как ты собираешься всего этого достичь, позволь мне спросить?» — «Упрячу свои чувства поглубже внутрь». — «Что значит, упрячешь чувства?» — «Не буду их демонстрировать. Если потекут слезы, пущу их по изнанке щек. Если кровь — получится синяк. И если сердце начнет выпрыгивать из груди, никому не скажу. Мне это все равно не помогает. А другим только хуже». — «Но если ты упрячешь чувства глубоко внутрь, ты перестанешь быть тем, кто ты есть, как с этим быть? — «Ну и что?» — «Могу я задать тебе один последний вопрос?» — «Не считая этого?» — «Ты не допускаешь, что смерть твоего отца может пойти чему-нибудь на пользу?» — «Не допускаю ли я, что смерть моего отца может пойти чему-нибудь на *пользу*?» — «Да. Ты не допускаешь, что смерть твоего отца может пойти *чему-нибудь* на пользу?» Я отшвырнул свой стул, разбросал по полу его бумаги и заорал: «Нет! Конечно, нет, акшакак недорезанный!»

Это то, что я хотел сделать. Но только пожал плечами.

Я вышел сказать маме, что теперь ее очередь. Она спросила, как у меня прошло. Я сказал: «Нормально». Она сказала: «У меня в сумке твои журналы. И сок». Я сказал: «Спасибо». Она наклонилась и поцеловала меня.

Когда она вошла, я бесшумно достал стетоскоп из своего походного набора, встал на колени и прижал конец со штуковиной-которая-не-знаю-как-называется к двери. Блямба? Папа бы знал. Я мало что мог расслышать и часто не понимал, молчат ли они, или мне их просто не слышно.

ожидать слишком быстрых результатов
Я знаю
                вы?
Что   *меня?*
      вы делаете?

Не во мне дело.

Пока вы не почувствуете   *Оскар просто не сможет*

Но пока он чувствует   *этим*   *смириться.*
    не знаю.   *проблема.*
    вам?
Я не
   не знаете?

     слишком много времени, чтобы все объяснить.

    попробовать начать?
Начать   *легко*   *вы*   *радоваться?*

Почему вы смеетесь?

раньше я умела   спрашивал, и я могла сказать просто да или
    но   больше не верит односложным ответам.

Может быть   неправильные вопросы. Может
напомнить об элементарных вещах.

Каких, например?
Сколько пальцев   правой руке?
Это не так просто

Я хочу поговорить   будет нелегко.

            никогда не думали
Что?

        как его малюют.   даже больница, и не такая,
как мы обычно ее себе представляем   в надежных руках.

    Дома он в надежных руках.

Да какое вы вообще имеете право?

Я извиняюсь.
                извиняться. Вы погорячились.
    не в том, что   погорячилась
Что вас злит?

    детям полезно видеть   испытывают те же чувства,
что и они.

Оскар не   другие дети   даже не любит проводить
время со своими сверстниками

        на пользу?

Оскар — это Оскар, и никто   и это замечательно.

Меня беспокоит, что   себе.

Мне даже странно, что я с вами об этом говорю.

говорить обо всем,   поймем   нет повода для разговора

для себя опасность?

меня беспокоит.   указывает на то, что ребенок

абсолютно исключено   госпитализировать моего сына.

Всю дорогу домой мы ехали молча. В машине я включил радио и нашел станцию, которая играла *Hey, Jude*[1]. Там было про меня: я тоже не хотел сгущать краски. Я хотел взять грустную песню и переписать слова заново. Просто я не знал, как.

После ужина я пошел к себе в комнату. Я достал из шкафа коробку, из этой коробки — другую коробку, и пакет, и недовязанный шарф, и телефон.

Сообщение четвертое. 9:46. *Это папа. Томас Шелл. Это Томас Шелл. Алло? Ты меня слышишь? Ты там? Подними трубку. Пожалуйста! Подними трубку. Я под столом. Алло? Минуту. У меня лицо замотано мокрой салфеткой. Алло? Нет. Попробуйте этот. Алло? Минуту. Все как обезумели. Я видел вертолет, и. Думаю, мы пойдем на крышу. Говорят, эвакуировать. Будут — не знаю, попробуйте тот — говорят, эвакуировать будут оттуда, это реально при ус-*

---

[1] Песня «Битлз».

ловии. Что вертолеты смогут подлететь достаточно
близко. Это реально. Пожалуйста, возьми трубку. Не знаю.
Да, вон тот. Ты там? Тот попробуйте.

Почему он не попрощался?

Я наставил себе синяк.

Почему он не сказал: «Я тебя люблю»?

В среду была скукотища.

В четверг была скукотища.

В пятницу тоже была скукотища, только это была пятница, а значит, почти суббота, а значит, я был намного ближе к замку, а это радость.

ПОЧЕМУ Я НЕ ТАМ, ГДЕ ТЫ
12/4/78

Моему сыну: я пишу с того места, где стоял сарай отца твоей матери, сарая здесь больше нет, ни ковров на полу, ни окон в стенах, перемена декораций. Теперь это библиотека, твой дед был бы рад, как если бы книги, которые он зарывал, оказались семенами, посадил одну — взошла сотня. Я сижу в конце длинного стола, окруженный энциклопедиями, иногда снимаю их с полки и читаю о жизни других людей, о королях, актриссах, убийцах, судьях, антропологах, чемпионах по теннису, магнатах, политиках, если ты не получаешь от меня писем, не думай, что я их не пишу. Я пишу ежедневно. Иногда мне кажется, если бы я смог рассказать тебе обо всем, что случилось со мной в ту ночь, я бы, наконец, забыл о ней, может, даже вернулся, но у той ночи нет ни начала, ни конца, она настала, когда я еще не родился, и продолжается до сих пор. Я пишу в Дрездене, а твоя мать пишет в Ничто гостевой спальни, так я думаю, так надеюсь, временами рука начинает гореть — убежден, что в этот миг мы с ней выводим одинаковое слово. Машинка, на которой твоя мать печатала историю своей жизни, у меня от Анны. Она дала ее мне за несколько недель до бомбежек, я поблагодарил, она сказала: «Не стоит. Это подарок мне». — «Тебе?» — «Ты никогда мне не пишешь». — «Но ведь мы вместе». — «Ну и что?» — «Пишут только в разлуке». — «Раз ты меня не лепишь, то хотя бы пиши». В этом трагедия любви,

254

сильнее всего любишь в разлуке. Я сказал: «Ты никогда мне не пишешь». Она сказала: «Ты же не подарил мне печатную машинку». Я стал изобретать наши будущие дома, по ночам печатал, а утром отдавал ей. Я навоображал десятки домов, одни были заоблачные (башня с остановившимися часами в городе, где застыло время), другие — земные (мещанское поместье за городом с розарием и павлинами), все казались возможными, все были безупречны, не знаю, видела ли их твоя мать. «Дорогая Анна, мы поселимся в доме, который будет стоять на вершине самой длинной приставной лестницы в мире». «Дорогая Анна, мы поселимся в пещере на склоне холма в Турции». «Дорогая Анна, мы поселимся в доме без стен, чтобы всюду, куда бы мы ни пошли, был наш дом». Я изобретал дома не для того, чтобы их улучшить, а чтобы показать ей, что они неважны, мы могли жить в любом доме, в любом городе, в любой стране, в любом веке, и быть счастливы, как если бы весь мир был нашим домом. В ночь перед тем как все потерять, я напечатал на машинке наш последний будущий дом: «Дорогая Анна, мы поселимся в веренице домов, ютящихся по склонам альп, и ни в одном не будем спать дважды. Проснувшись и позавтракав, мы будем на санках съезжать к следующему дому. И едва распахнем дверь, как наш вчерашний дом будет разрушен и воздвигнут заново. А от подножия нас опять вознесут к вершине, и все начнется сначала». Наутро я понес это ей, подходя к дому твоей матери, я услышал шум в сарае, из которого сейчас тебе пишу, и решил, что это Симон Голдберг. Я знал, что отец Анны его укрывает, случалось, до меня доносились их голоса, когда мы с Анной прокрадывались мимо сарая в поля, они всегда говорили шепотом, я видел его рубашку в иссине-угольных пятнах на их бельевой веревке. Я хотел остаться незамеченным, поэтому бесшумно вынул из стены одну книгу. Отец Анны, твой дед, сидел в своем кресле, закрыв лицо ладонями, я его боготворил. Сколько ни возвращаюсь в тот миг, никогда не вижу его с ладонями на лице, я запретил себе видеть его таким, я вижу у себя в руках книгу, иллюстрированное издание «Метаморфозы» Овидия. Я долго потом искал это издание в Штатах, как будто его можно было вдвинуть обратно в стену сарая, скрыть от глаз наваждение — образ поникшего кумира, как будто оно позволяло остановить жизнь и историю за миг до того, как я это увидел, я спрашивал о нем во всех книжных лавках Нью-Йорка, но так и не смог найти, сквозь брешь в стене в комнату хлынул свет, твой дед поднял голову, он подошел к полке, и мы посмотрели друг на друга сквозь вынутую «Метаморфозу», я спросил, что случилось, он ничего не сказал, я видел лишь узкую полоску его лица, корешок книги его лица, мы смотрели друг на друга до тех пор, пока я не почувствовал, что все вокруг сейчас взорвется и запылает, вся моя жизнь уместилась в этом молчании. Анна была в своей комнате. «Привет». — «Привет». — «Только что видел твоего отца». — «В сарае?» — «Мне показалось, что он расстроен». — «Ему надоело в этом участвовать». Я сказал: «Конец уже скоро». — «Откуда ты знаешь?» — «Все говорят». — «Все всегда ошибаются». — «Война скоро кончится, и все станет, как было». Она сказала: «Какой наивный». — «Не отворачивайся». Она прятала от меня глаза. Я спросил: «Что случилось?» Я никогда не видел ее плачущей. Я сказал: «Не плачь». Она сказала: «Не прикасайся ко мне». Я спросил: «Что с тобой?» Она сказала: «Можешь помолчать!» Мы сидели на ее постели и молчали. Молчание давило на нас с потолка, как рука. Я сказал: «Что бы там ни было...» Она сказала: «Я беременна». Я не могу написать, что мы сказали друг другу после. Перед моим уходом она сказала: «Радуйся донебес». Я сказал, что радуюсь, еще бы не до небес, я поцеловал ее и ее живот, больше я никогда ее не видел. В 9:30 вечера завыли сирены воздушной тревоги, все начали расходиться по убежищам, но как-то не спеша, мы привыкли к тревогам, считали их ложными, кому нужно бомбить Дрезден? Семьи на нашей улице потушили в своих домах свет и организованно спустились в убежище, я стоял на крыльце, я думал об Анне. Была мертвая тишина, и так темно, что собственных рук не видать. Сто самолетов пролетели над головой, массивных, тяжеловесных, они вспороли ночь, как сто китов воду, они сбросили гроздья красных сигнальных ракет, чтобы разбавить тьму в преддверии следующего акта, я был на улице один, с неба сыпались красные всполохи, они были повсюду, я знал, что надвигается что-то невообразимое, я думал об Анне, радовался до небес. Я кубарем слетел вниз, они все поняли по моему лицу, я ничего не успел сказать — да и что бы я мог? — сверху загрохотало, стремительное крещендо взрывов, как неистовые аплодисменты приближающейся толпы, потом они зазвучали прямо над нами, нас разбросало по углам, погреб стал в огне и дыму, еще несколько мощных взрывов, стены оторвались от пола и расступились, успев впустить свет прежде, чем с грохотом обрушиться на землю, взрывы оранжевые и синие, лиловые и белые, позднее я прочитал, что первая бомбардировка длилась менее получаса, а показалось — дни и недели, показалось — миру конец, бомбардировка прекратилась так же прозаически, как началась, «Ты в порядке?», «Ты в порядке?», «Ты в порядке?». Мы выбежали из погреба, заполненного желто-серым дымом, мы ничего не узнали, полчаса назад я стоял на крыльце, а теперь не было ни крылец, ни домов, ни улицы, только море огня, вместо нашего дома — обломок фассада, на котором упрямо держалась входная дверь, лошадь в огне галопом промчалась мимо, горели машины и повозки с горевшими на них бежинцами, стоял крик, я сказал родителям, что пойду искать Анну, мать попросила остаться, я сказал, что вернусь и буду ждать их у нашей двери, отец заклинал не ходить, я взялся за дверную ручку, и на нее перешла моя кожа, я увидел мышцы ладони, красные и пульсирующие, почему я взялся за нее и другой рукой? Отец сорвался, он кричал на меня впервые в жизни, я не могу написать, что он кричал, я сказал, что вернусь и буду ждать их у нашей двери, он дал мне пощечину, он впервые поднял на меня руку, я больше никогда не видел своих родителей. По пути к дому Анны начался второй рейд, я бросился в ближайший погреб, в него попал снаряд, он заполнился розовым дымом и золотистым пламенем, я добежал до соседнего погреба, он загорелся, я перебегал от погреба к погребу, и в миг, когда достигал следующего, предыдущий был разрушен, горящие обезьяны вопили с деревьев, птицы с огненными крыльями чирикали с телеграфных проводов, по которым метались отчаянные звонки, я вбежал в очередное убежище, оно было заполнено по самые стены, коричневый дым давил с потолка, как рука, стало почти невозможно дышать, мои легкие пытались втянуть в себя комнату ртом, был серебряный взрыв, все мы рванулись к выходу одновременно, мертвых и умирающих затоптали, я прошел по старику, я прошел по детям, никого нельзя было уберечь, водопад бомб, я бежал по улицам от погреба к погребу и видел кошмары: ноги и шеи, я видел женщину, на ней горели светлые волосы и зеленое платье, она бежала с безмолвным младенцем на руках, я видел людей, переплавленных в жирные лужи жижи, они порой достигали целого метра в глубину, я видел трупы, потрескивавшие, как угли, хохочущие, и многочисленные останки тех, кто пытался спастись от огненной бури, прыгнув в низ головой в озеро или пруд, те части тел, что успели уйти под воду, были нетронуты, те, что торчали над водой, были обуглены дотла, бомбы падали, пурпурные, оранжевые и белые, я бежал, мои руки кровоточили, в грохоте рушащихся зданий я слышал рокочущее безмолвие того младенца. Я пробежал через зоопарк, клетки были разворочены, все вверх дном, ошалевшие звери вопили от боли и растерянности, один из смотрителей звал на помощь, он

был богатырь с обгоревшими пустыми глазницами, он схватил меня за руку и спросил, умею ли я стрелять, я сказал, что спешу, он сунул мне в руки винтовку и сказал: «Найди хищников», я сказал, что я неважный стрелок, сказал, что не знаю, кто хищники, а кто нет, он сказал: «Стреляй во всех», не знаю, сколько зверей я убил, я убил слона, взрыв отбросил его метров на двадцать от клетки, я прижал дуло к его затылку и подумал, давя на курок: так ли необходимо убивать это животное? Я убил макаку, сидевшую на обрубке поваленного дерева и выдиравшую из себя шерсть при виде пепелища, я убил двух львов, они стояли рядом и смотрели на запад, что их связывало — родство, дружба, случай, могут ли львы любить? Я убил медвежонка, который карабкался на тушу громадного мертвого медведя, был ли это его родитель? Я убил верблюда двенадцатью пулями, я предполагал, что он не хищник, но убивал всех, все должны были быть убиты, носорог бился лбом о скалу снова и снова, то ли чтобы прикончить себя и избавиться от страданий, то ли чтобы сильнее страдать, я выстрелил в него, он продолжал биться, я снова выстрелил, он стал биться сильней, я подошел вплотную и уткнул дуло ему между глаз, я его убил, я убил зебру, убил жирафа, окрасил в красное воду в бассейне с морским котиком, на меня шла макака, в макаку я уже до этого стрелял, я считал, что убил ее, она медленно приближалась, прикрывая уши руками, что ей от меня надо, я крикнул: «Что тебе от меня надо?», я выстрелил ей туда, где обычно бывает сердце, она посмотрела на меня, я уверен, что увидел в ее глазах нечто, похожее на понимание, но не увидел прощения, я пытался застрелить грифов, но я неважный стрелок, позднее я видел их пиршество на месте человеческой бойни и понял, что все из-за меня. Вторая бомбежка прекратилась так же внезапно и сразу, как начилась, с обгоревшими волосами, с почерневшими руками и пальцами я дошел, как завороженный, до Лешвитцерского моста, я погрузил черные руки в черную воду и увидел свое отражение, я испугался себя, слипшиеся от крови волосы, потрескавшиеся кровоточащие губы, красные пульсирующие ладони, которые даже сейчас, спустя тридцать пять лет, выглядят так, будто остались на конце моих рук по ошибке. Я помню, что потерял равновесие, помню свою единственную мысль: *Думай. Пока способен думать, ты жив,* но в какой-то момент я перестал думать, дальше помню, что мне ужасно холодно, я осознаю, что лежу на земле, и нет ничего, кроме боли, боль подсказала мне, что я жив, я стал шевелить ногами и руками, очевидно, это заметил кто-то из солдат, разосланных по всему городу искать уцелевших, позднее я выяснил, что у подножия моста подобрали больше 220 человек, и только 4 были живы, я был в их числе. Они погрузили нас на грузовики и вывезли из Дрездена, я выглянул из-под брезента, закрывавшего грузовик с боков, горели здания, горели деревья, асфальт, я видел и слышал людей под завалами, я чувствовал запах тех, кто стоял посреди расплавленых выжженных мостовых, подобно живым факелам, взывая о помощи, которую невозможно было оказать, горел сам воздух, грузовику пришлось изрядно покружить, чтобы оставить позади хаос, сверху вновь надвинулись самолеты, нас стащили из кузова и бросили под грузовик, самолеты спикировали, опять пулеметные очереди, опять взрывы, желтые, красные, зеленые, синие, коричневые, я снова потерял сознание, и очнулся уже на белой больничной койке, я не мог пошевелить ни рукой, ни ногой, я подумал, что потерял их, но у меня не было сил приподняться и посмотреть, прошло несколько часов или дней, когда я, наконец, приподнялся, то увидел, что привязан к кровати, возле меня стояла сестра, я спросил: «Зачем вы это сделали?» Она сказала, что я все время норовил себя ударить, я попросил развязать меня, она сказала, что не может, она сказала, что я опять начну себя бить, я стал ее умолять, я сказал, что больше не буду себя бить, я дал слово, она извинилась и прикоснулась ко мне, доктора меня оперировали, они делали уколы и перевязки, но мою жизнь спасло только это прикосновение. В дни и недели после выписки я искал родителей, и Анну, и тебя. Под каждой грудой камней, что некогда были зданиями, кто-нибудь обязательно кого-нибудь искал, но все поиски были напрасны, я нашел наш старый дом, упрямая дверь болталась на прежнем месте, кое-что из мебели уцелело, печатная машинка, я вынес ее на руках, как младенца, перед отъездом в эвакуацию я написал на двери, что жив, и адрес лагеря беженцев в Ошаце, я ждал письма, но письмо не пришло. Поскольку погибших было так много и поскольку многие из них сгорели дотла, списков умерших не составляли, тысячи людей были обречены на пытку надеждой. Когда я решил, что умираю у подножия Лешвитцерского моста, в голове была единственная мысль: *Думай*. Мысли вернули меня к жизни. Но теперь я жив, и мысли меня убивают, я думаю, и думаю, и думаю. Я не перестаю думать о той ночи, гроздья красных сигнальных ракет, небо, похожее на черную воду, и как всего за несколько часов до того, как все потерять, я все имел. Твоя тетя сказала мне, что беременна, я обрадовался до небес, нельзя было безоглядно этому отдаваться, сто лет радости могут быть перечеркнуты в одну секунду, я поцеловал ее живот, хотя в нем еще некого было целовать, я сказал: «Я люблю нашего сыночка». Это ее рассмешило, последний раз она так смеялась в тот день, когда мы налетели друг на друга на полпути между нашими домами, она сказала: «Ты любишь абстракцию». Я сказал: «Я люблю нашу абстракцию». В этом вся суть, у нас была одна абстракция на двоих. Она спросила: «Ты боишься?» — «Чего боюсь?» Она сказала: «Жить страшнее, чем умирать». Я вынул из кармана наш будущий дом и отдал ей, я поцеловал ее, я поцеловал ее живот, больше я никогда ее не видел. Я был уже почти у калитки, когда меня окликнул ее отец. Он вышел из сарая. «Чуть не забыл! —

крикнул он. — Здесь для тебя письмо. Вчера доставили. Чуть не забыл». Он скрылся в доме и вернулся с конвертом. «Чуть не забыл», — сказал он, у него были воспаленные глаза, и побелевшие костяшки пальцев, позднее я узнал, что он выжил в бомбежке и вскоре покончил с собой. Мать тебе об этом сказала? Может, она и сама не знает? Он протянул мне письмо. Оно было от Симона Голдберга. Судя по штампу, его отправили из транзитного лагеря Вестерборк в Голландии, куда свозили местных евреев, дальше их ждала либо каторга, либо смерть. «Уважаемый Томас Шелл. Рад нашему знакомству, пусть и такому краткому. По вполне понятным причинам вы произвели на меня сильное впечатление. Очень надеюсь, что наши пути, сколь бы длинными и запутанными ни оказались, пересекутся вновь. До той поры желаю вам всего наилучшего в эти нелегкие времена. Искренне ваш, Симон Голдберг». Я вложил письмо обратно в конверт а конверт в карман, из которого только недавно достал наш будущий дом, уходя, я услышал голос твоего деда, он так и стоял в дверях, «Чуть не забыл». Когда твоя мать подсела ко мне в булочной на Бродвее, я захотел рассказать ей все, как знать, если бы я сумел, наша жизнь могла сложиться совсем иначе, и сейчас я был бы там, с тобой, а не здесь. Как знать, если бы я сказал: «Я потерял сыночка», если бы сказал «Я так боюсь потерять то, что люблю, что запрещаю себе любить», это могло сделать невозможное возможным. Как знать, но я не смог, я зарыл в себе слишком многое, слишком глубоко. И вот я здесь, а не там. Я сижу в этой библиотеке, за тысячи километров от собственной жизни, сочиняя очередное письмо, про которое знаю, что не отправлю, сколько бы ни пытался и как бы сильно этого ни хотел. Как мальчик, познавший любовь у стены этого сарая, превратился в того, кто пишет эти строки за этим столом?

С любовью,
твой отец

ШЕСТОЙ ОКРУГ

«В давние времена был в Нью-Йорке Шестой муниципальный округ». — «Что такое округ?» — «Кто-то обещал не перебивать». — «Да, но как же я пойму твою историю, если не знаю, что такое округ?» — «Это все равно что район. Или несколько районов». — «Но если Шестой округ был, то какие пять есть?» — «Манхэттен, само собой, Бруклин, Квинс, Статен Айленд и Бронкс. — «А я бывал где-нибудь, кроме Манхэттена?» — «Ну, начинается». — «Мне просто интересно». — «Пару лет назад мы с тобой ходили в зоопарк в Бронксе. Помнишь?» — «Нет». — «И еще мы ездили в Бруклин смотреть на розы в ботаническом саду. — «А в Квинсе я когда-нибудь бывал?» — «Сомневаюсь». — «А в Статен Айленде?» — «Нет». — «А Шестой округ *по правде* был?» — «Ты же не даешь мне дорассказать». — «Больше не перебиваю. Честное слово».

«Книги по истории о нем умалчивают, ибо не сохранилось ничего (за вычетом косвенных улик в Центральном парке), что могло бы послужить доказательством его существования. Каковое именно поэтому так легко отрицать. И хотя большинство людей наверняка скажут, что им недосуг или что у них нет оснований верить в Шестой округ, и *не* верят в него, они все равно употребят слово «верить».

Шестой округ тоже был островом, отделенным от Манхэттена мелководным проливом, самая узкая часть которого совпадала с мировым рекордом по прыжкам в длину, и следовательно, только один человек в мире мог добраться из Манхэттена в Шестой округ, не промочив ног. Из ежегодного прыжка сделали грандиозное празднование. Гирлянды из бубликов растягивали между островами на специальных спагетти, боулинговали самосами[1] по багетам, греческий салат разбрасывали, как конфетти. Городские дети ловили светлячков в склянки и пускали их по проливу от округа к округу. Прежде чем умереть от асфиксии, жучки...» — «Что такое асфиксия?» — «Удушье». — «Они что, не догадывались проделать в крышках дырочки?» — «За несколько минут до смерти светлячки мерцали особенно ярко. Все было точно рассчитано, и река заливалась светом именно в тот миг, когда ее пересекал прыгун». — «Клево».

«Свой разбег прыгун начинал ровно в назначенный час от Ист-Ривер. Он пробегал с востока на запад через весь Манхэттен, а жители Нью-Йорка болели за него, толпясь по обе стороны улицы, свисая из окон квартир и контор, с ветвей деревьев. Вторая авеню, Третья авеню, Лексингтон Парк, Мэдисон, Пятая авеню, Коламбус, Амстердам, Бродвей, Седьмая, Восьмая, Девятая, Десятая... И стоило ему оттолкнуться, как ньюйоркцы, собравшиеся на берегах Манхэттена и Шестого округа, разражались бурной овацией в честь прыгуна и друг друга. В те несколько секунд, что прыгун находился в воздухе, им всем казалось, что и они способны взлететь.

Или, лучше сказать, «повиснуть». Потому что больше всего в этом зрелище окрыляло не то, как прыгун перелетал из одного округа в другой, а то, как надолго он зависал посередине». — «Это точно».

«Но однажды, много-много лет назад, кончик большого пальца на ноге прыгуна чиркнул по поверхности реки, и по воде пошла рябь. Все затаили дыхание, пока она бежала от

---

[1] Круглые пирожки с овощами, традиционное индийское блюдо.

Шестого округа к Манхэттену, сталкивая друг с другом склянки со светлячками, подобно тому, как ветер сталкивает ветряные колокольчики.

«По-видимому, вы неудачно оттолкнулись!» — крикнул член муниципального совета Манхэттена через пролив.

Прыгун отрицательно покачал головой, скорее в недоумении, чем от неловкости.

«Вы прыгнули против ветра», — высказал предположение член муниципального совета Шестого округа и протянул прыгуну полотенце, чтобы тот вытер ногу.

Прыгун отрицательно покачал головой.

«Может, он лишнего съел за обедом», — сказал один зевака другому.

«А может, и вовсе потерял форму», — сказал другой. Он привел посмотреть на прыжок своих детей.

«Да просто не собрался как следует, — сказал третий. — Без полной выкладки далеко не прыгнешь».

«Нет, — сказал прыгун, отвечая всем сразу. — Все это ерунда. Я прыгнул прекрасно».

«Озарение...» — «Озарение?» — «Осознание». — «Ага». — «Оно прокатилось по толпе, подобно ряби, пущенной по воде большим пальцем на ноге прыгуна, и когда мэр Нью-Йорка облек его в слова, все только согласно выдохнули: «Шестой округ отодвигается». — *«Отодвигается!»*

«По миллиметру Шестой округ стал отдаляться от Нью-Йорка. Настал год, когда прыгун промочил ступню, а еще через несколько лет — ногу по самую голень, а еще через много-много лет (так много, что никто уже не помнил празднований, не омраченных волнением) он с трудом дотянулся до Шестого округа вытянутыми руками, а потом и вовсе не смог до него достать. Восемь мостов, соединявших Манхэттен с Шестым округом, постепенно обрушились в воду. Тоннели до того растянулись, что вот-вот должны были лопнуть.

Оборвались телефонные и электрические провода, и это

вынудило жителей округа вспомнить старинные приспособления, большинство из которых выглядели, как детские игрушки: они использовали увеличительные стекла, чтобы подогревать себе еду; делали бумажные самолетики из важных документов и пускали их из офиса в офис; а склянки со светлячками, что некогда служили исключительно для украшения на фестивалях прыжка, теперь были в каждой комнате каждого дома, заменив собой искусственное освещение.

Те же инженеры, что пытались удержать от падения Пизанскую башню... которая где?» — «*В Италии!*» — «Правильно. Они съехались оценить ситуацию.

«Он уходит по собственному желанию», — сказали они.

«Ну, и что вы скажете?» — спросил мэр Нью-Йорка.

И они ответили: «А нечего нам сказать».

Конечно, они попытались его спасти. Хотя слово «спасти» вряд ли сюда подходит, потому что он действительно уходил по собственному желанию. «Удержать», пожалуй, будет точнее. Набережные островов скрепили якорными цепями, но их звенья вскоре полопались. По периметру всего округа насыпали груды бетона, но и они не помогли. Лямки не помогли, магниты не помогли, даже молитвы не помогли.

Двое юных друзей, чей веревочный телефон[1] протянулся между островами, были вынуждены постоянно разматывать мотки, как при запуске воздушных змеев, когда хочешь, чтобы они взмыли повыше.

«Тебя уже почти не слышно», — сказала девочка из своей комнаты в Манхэттене, щурясь в отцовский бинокль в надежде отыскать окошко своего друга.

«Значит, придется кричать», — сказал ее друг из своей комнаты в Шестом округе, наводя подаренный ему в прошлом году телескоп на ее квартиру.

---

[1] Веревка с двумя пустыми консервными банками на концах.

Веревочка их телефона то и дело запредельно натягивалась, и ее приходилось все время удлинять другими веревочками, связанными вместе: веревочкой от его йо-йо, шнурком от ее говорящей куклы, жгутом, скреплявшим дневник его отца, вощеной леской, не дававшей жемчугу из ожерелья ее бабушки рассыпаться по полу, нитью, удерживавшей детское лоскутное одеяльце брата его прадеда от превращения в гору ветоши. Отныне помимо всего остального их связывало йо-йо, кукла, дневник, ожерелье и лоскутное одеяльце. Им еще столько нужно было друг другу сказать, а веревочек становилось все меньше.

Мальчик попросил девочку шепнуть: «Я тебя люблю» — в ее консервную банку, не объясняя, зачем.

И она не спросила, зачем, и не сказала: «Глупости» или «Нам еще рано любить», и даже не стала оправдываться, утверждая, что говорит «я тебя люблю» только потому, что он ее просит. Она просто сказала: «Я тебя люблю». Ее слова побежали по йо-йо, кукле, дневнику, ожерелью, лоскутному одеяльцу, бельевой веревке, рождественскому подарку, арфе, чайному пакетику, теннисной ракетке, оборке юбки, которую он однажды должен был на ней расстегнуть». — «Бякость!» — «Мальчик закрыл консервную банку крышкой, отвязал от веревки и спрятал пойманную в нее любовь на полке у себя в шкафу. Конечно, открывать банку было нельзя, потому что тогда бы ее содержимое улетучилось. Но ему достаточно было просто знать, что она у него есть.

Одни люди (и среди них семья этого мальчика) не хотели покидать Шестой округ. Они говорили: «С какой стати? Это мир от нас отодвигается. Наш округ стоит на месте. Пусть из Манхэттена уезжают». Что можно было им возразить? Мог ли кто-нибудь их переспорить?» — «Я бы не мог». — «Я бы тоже. И дело не в том, что они отказывались признавать очевидное, или поступали так из упрямства, или из принципа, или чтобы показать свою храбрость. Им просто-напросто не хотелось уезжать. Им все нравилось и ни к чему были перемены. И они отплывали все дальше, миллиметр за миллиметром.

Что возвращает нас в Центральный парк. Раньше Центральный парк находился совсем в другом месте». — «Ты это выдумываешь, да?»

«Раньше он располагался в самом центре Шестого округа. Был его гордостью, его душой. Но как только выяснилось, что округ отчаливает, что его не удастся ни спасти, ни удержать, на общегородском референдуме постановили оставить Нью-Йорку хотя бы парк». — «Что такое референдум?» — «Голосование». — «И что?» — «Оно было единогласным. Даже самые упрямые обитатели Шестого округа признали, что это справедливо.

Восточную оконечность подцепили громаднейшими крюками, и горожане поволокли парк, как ковер по полу, из Шестого округа в Манхэттен.

Детям разрешили полежать на парке, пока его перетаскивают. Это считалось уступкой, хотя никто не понимал, зачем она нужна и почему ее сделали именно детям. В ту ночь грандиознейший фейерверк озарил небо над Нью-Йорком, а оркестр Филармонии никогда еще не играл так проникновенно.

Городские дети лежали на спинах, плечом к плечу, так плотно, что яблоку негде было упасть, как если бы парк был скроен специально для них, ради этой ночи. Залпы салюта рассыпались и таяли в воздухе, не успевая коснуться земли, и с каждым миллиметром, с каждой секундой детей втаскивали все глубже в Манхэттен и во взрослую жизнь. К моменту, когда парк расстелили на его новом месте, дети успели заснуть, и парк стал мозаикой их сновидений. Одни вскрикивали, другие улыбались, третьи спали, не шелохнувшись».

«Пап?» — «Да?» — «Я же знаю, что Шестого округа не было. Если объективно». — «Ты оптимист или пессимист?» — «Не помню. Кто?» — «Ты знаешь, в чем разница?» — «Не совсем». — «Оптимист настроен конструктивно и надеется на лучшее. Пессимист — циник и критикан». — «Я оптимист». — «Что ж, это хорошо, потому что неопровержимые доказательства отсутствуют. Того, кто не хочет верить, ничто не убедит. Зато тому, кто хочет, есть за что уцепиться. Ключей предостаточно». — «Например?» — «Например, специфические ископаемые свидетельства, найденные в Центральном парке. Или совершенно немыслимый pH[1] резервуара. Или расстановка водосборных баков в зоопарке: не исключено, что они стоят в углублениях, проделанных гигантскими крюками, которыми тащили парк». — «Бабай».

«Есть дерево (ровно в двадцати четырех шагах к востоку от входа на карусель), на стволе которого вырезано два имени. Их нет ни в телефонных справочниках, ни в переписях. Они отсутствуют в больничных, налоговых и избирательных ведомостях. Единственное, что хранит память о людях с этими именами, — это публичное признание в любви на дереве. А как тебе такой факт: не меньше пяти процентов имен, вырезанных на деревьях Центрального парка, неизвестного происхождения». — «Обалдеть».

«Поскольку все документы Шестого округа уплыли вместе с Шестым округом, нам никогда не доказать, что это имена жителей Шестого округа и что их вырезали в то время, когда Центральный парк находился там, а не в Манхэттене. Одни верят в то, что это выдуманные имена, и даже рискуют утверждать, что признания в любви тоже выдуманные. Другие верят в другие вещи». — «А ты во что веришь?»

«Видишь ли, любой, даже самый пессимистичный пессимист, оказавшись в парке, не может не почувствовать себя существующим во времени, которое нельзя назвать просто настоящим, ты согласен?» — «*Ну, типа*». — «Мы то ли тоскуем по чему-то безвозвратно утраченному, то ли надеемся

---

[1] pH — водородный показатель.

на воплощение своей заветной мечты. А может, это обрывки снов, оставшиеся от той ночи, когда парк передвинули. Может, мы тоскуем по тому, что дети тогда утратили, и надеемся на воплощение их мечтаний».

«Ну, а Шестой округ?» — «Что именно тебя интересует?» — «Что с ним стало?» — «В нем теперь огромная прямоугольная дырка, в самом центре, там, где когда-то был Центральный парк. Перемещаясь по планете, остров служит рамой для всего, что в ней оказывается». — «А где он сейчас?» — «В Антарктике». — «Правда?»

«Тротуары покрыты льдом, витражи публичной библиотеки проседают под тяжестью снега. В обледеневших дворах ледяные фонтаны, и дети, скованные льдом, застыли в верхней точке разлетевшихся качелей — обледеневшие веревки создают иллюзию полета. Извозчичьи лошади...» — «Это какие?» — «Лошади, которые возят повозки по парку». — «С ними негуманно обращаются». — «Они застыли на всем скаку. На блошином рынке торговцы застыли в разгар торговли. Женщины средних лет застыли посередине своих жизней. Молоточки обледеневших судей застыли во взмахе между обвинением и оправданием. Снежинки на земле — это замерзшие первые крики младенцев и предсмертные хрипы стариков. На обледеневшей полке в смерзшемся шкафу консервная банка, хранящая голос».

«Пап?» — «Да?» — «Я не хочу перебивать, но это все?» — «Конец». — «Крутейшая история». — «Я рад, что тебе понравилось». — «Крутейшая».

«Пап?» — «Да?» — «Я тут подумал. Тебе не кажется, что некоторые из вещей, которые я откопал в Центральном парке, могут быть из Шестого округа?»

Он пожал плечами — я это обожал.

«Пап?» — «Что, старина?» — «Ничего».

МОИ ЧУВСТВА

Я была в гостевой спальне, когда это случилось.   Смотрела телевизор и вязала тебе белый шарф.   Передавали новости.   Время промелькнуло, как взмах руки из окна поезда, ушедшего без меня.   Ты едва успел уйти в школу, а я уже ждала тебя назад.   Дай Бог, чтобы тебе никогда не пришлось думать о ком-нибудь столько же, сколько я думаю о тебе.

Помню, они брали интервью у отца исчезнувшей девочки.   Помню его брови.   Помню его грустное чисто выбритое лицо.

Вы по-прежнему верите, что ее найдут живой?

Верю.

Я смотрела то в телевизор.

То на свои руки со спицами.

То в окно — на твое окно.

Удалось ли следствию на что-нибудь выйти?

Насколько я знаю, нет.

Но вы не теряете веру?

Нет.

Наступит ли день, когда вы ее потеряете?

Почему надо было так его мучить?

Он взялся за лоб и сказал: Если найдут тело.

Женщина, которая задавала вопросы, дотронулась до своего уха.

Она сказала: Я извиняюсь.   Секундочку.

Она сказала: Что-то случилось в Нью-Йорке.

Отец исчезнувшей девочки скрестил руки на груди и посмотрел мимо камеры.   На жену?   На незнакомого? Или во что-то всматривался?

Наверное, это звучит странно, но я ничего не почувствовала, когда показали горящую башню.   Даже не удивилась. Все вязала и думала об отце исчезнувшей девочки.   Как он не теряет веру.

Из дыры в здании валил дым.

Черный дым.

Я помню ужасную грозу из детства.   Стою у окна и вижу, как ветер срывает книги с отцовских полок.   Они летят.   Дерево, пережившее многих людей, повалило в противоположную сторону от дома.   А могло ведь и в нашу.

Когда врезался второй самолет, женщина, которая вела новости, завизжала.

Шар пламени выкатился из здания вверх.   Миллионы разных бумаг просыпались в небо.   Они вились вокруг здания, как кольца.   Кольца Сатурна.   Кольца следов от кофе на рабочем столе моего отца.   Кольцо, про которое Томас сказал, что обойдется и без него.   На что я сказала: не ты один обойдешься.

Наутро отец велел вырезать наши имена на пне дерева, которое не упало на дом.   Так мы его отблагодарили.

Позвонила твоя мать.

Вы смотрите новости?

Да.

Томас не звонил?

Нет.

Мне тоже.   Я волнуюсь.

Что ты волнуешься?

Я же вам сказала.   От него не было звонка.

Разве он не в магазине?

У него была встреча в этом здании, и он не позвонил.

273

Я повернула голову и почувствовала, что сейчас вырву.

Я выронила трубку, добежала до туалета и вырвала.

Не могла на ковер.   Вот я какая.

Я перезвонила твоей матери.

Она сказала, что ты дома.   Вы с ней только что разговаривали.

Я сказала, что пойду к вам и побуду с тобой.

Не давайте ему смотреть новости.

Хорошо.

Если начнет расспрашивать, говорите, что все будет в порядке.

Я сказала: Все и будет в порядке.

Она сказала: В метро кошмар.   Я пойду пешком. Наверное, через час буду.

Она сказала: Я люблю вас.

Она уже двенадцать лет замужем за твоим отцом. А знакомы мы лет пятнадцать.   В любви она мне признавалась впервые.   В тот момент я поняла, что она знает.

Я перебежала через дорогу.

Швейцар сказал, что ты вернулся минут десять назад.

Он спросил, все ли в порядке.

Я кивнула.

Что с вашей рукой?

Я посмотрела на свою руку.   Рукав был весь в крови. Могла ли я не заметить, как упала?   Могла ли бессознательно ее расчесать?   В тот момент я поняла, что я знаю.

Никто не открыл, когда я позвонила, поэтому я открыла своим ключом.

Я позвала тебя.

Оскар!

Тебя не было, но я знала, что ты есть.   Я чувствовала.

Оскар!

Я заглянула в платяной шкаф.   Я заглянула за диван.

На журнальном столике доска от скрэбла.   Слова выехали из ячеек.   Я пошла в твою комнату.   Там было пусто.   Я заглянула в твою кладовку.   Тебя в ней не было.
Я пошла в спальню твоих родителей.   Ведь где-то ты есть.
Я проверила в кладовке твоего отца.   Я погладила смокинг, который висел там на стуле.   Я подержала руки в его карманах.   У него такие же руки, как у отца.   Как у твоего деда.   У тебя тоже будут такие руки?   Это я из-за карманов подумала.

Я вернулась в твою комнату и легла на твою кровать.

Звезд на потолке видно не было, потому что было светло.

Я подумала про стены дома, в котором росла.   Сколько раз я до них дотрагивалась.   Рухнув, они рассыпались вместе с моими прикосновениями.

Я услышала, как ты сопишь подо мной.

Оскар?

Я опустилась на пол.   На четвереньки.

Нет ли там и для меня места?

Нет.

Ты уверен?

Абсолютно.

Ничего, если я попробую?

Ну, давай.

Я едва смогла втиснуться.

Мы лежали на спинах.   Кровать так низко, что даже головы не повернуть.   Свет нас не достигал.

Как было в школе?

Нормально.

Не опоздал?

Я раньше пришел.

Ждал на улице?

Ага.

А что делал?

Читал.

Что?

Что что?

Что читал?

«Краткую историю времени».

Хорошая книжка?

Про нее нельзя так спросить.

А домой как дошел?

Нормально.

Погода прекрасная.

Ага.

Не помню, чтобы когда-нибудь была такая погода.

Я тоже.

Грех сидеть дома.

Ну, типа.

А мы сидим.

Я хотела повернуть голову, чтобы взглянуть на тебя, но не смогла.   Я подвинула руку, чтобы дотронуться до твоей руки.

Вас отпустили из школы?

Практически сразу.

Ты знаешь, что случилось?

Ага.

Ты с мамой или с папой говорил?

С мамой.

Что она сказала?

Она сказала, что все нормально, скоро придет.

Папа тоже скоро придет.   Ему надо закрыть магазин.

Ага.

Ты уперся ладонями в кровать, как будто пытался приподнять ее над нами.

Я хотела что-нибудь тебе сказать, но не знала, что.   Только знала, что мне надо что-нибудь сказать.

Хочешь показать мне свои марки?

Нет, спасибо.

Можем побороться на пальцах.

В другой раз.

Есть не хочешь?

Нет.

Хочешь просто ждать маму и папу?

Ну, типа.

Хочешь, будем их ждать вместе?

Не стоит.

Ты уверен?

Абсолютно.

Можно я с тобой буду ждать, Оскар?

О'кей.

Иногда мне казалось, что кровать на меня наваливается. Она не была пустой. На ней прыгала Мэри. Спал твой отец. Анна меня целовала. Мне казалось, что я в могиле. Анна, обхватившая мое лицо. Отец, треплющий мои щеки. Все это сверху.

Когда пришла твоя мать, она так неистово тебя стиснула. Захотелось защитить тебя от нее.

Она спросила, не звонил ли отец.

Нет.

Есть ли на автоответчике сообщения?

Нет.

Ты спросил, пошел ли отец на свою встречу в то здание.

Она ответила нет.

Ты хотел заглянуть ей в глаза, и в этот момент я поняла, что ты знаешь.

Она позвонила в полицию. Занято. Она набрала снова. Занято. Она опять набрала. Когда стало не занято, она сказала: «Поговорить с оператором». Оператор не отвечал.

Ты пошел в ванную. Я сказала, чтобы она взяла себя в руки. Хотя бы при тебе.

Она обзвонила газеты. Там ничего не знали.

Она позвонила в пожарную.

Никто ничего не знал.

Остаток дня я вязала тебе шарф.   Он становился длиннее и длиннее.   Твоя мать закрыла окна, но запах гари все равно чувствовался.   Она спросила, не кажется ли мне, что надо развесить объявления.

Я сказала, что, наверное, надо.

Она заплакала, потому что зависела от меня.

Шарф еще удлинился.

Она взяла снимок, сделанный на отдыхе.   Всего две неде-ли назад.   Отец на нем был с тобой.   Увидев это, я сказала, чтобы она не брала снимки, где ты.   Она сказала, что не собирается брать весь снимок.   Только ту часть, где отец.

Я сказала: Все равно не стоит.

Она сказала: Сейчас мне только об этом не хватает забо-титься.

Возьми другую фотографию.

Бросьте, мама.

Никогда раньше она не называла меня мамой.

У вас же столько фотографий.

Это не ваше дело.

Мое.

Мы не ссорились.

Не знаю, что из этого ты понял, но, скорее всего, ты понял все.

Вечером она поехала в центр расклеивать объявления. Она набила ими чемодан на колесиках.   Я подумала про твоего дедушку.   Подумала, где он может быть.   Не знаю, хотелось ли мне, чтобы и он страдал.

Она взяла степлер.   И упаковку скоб.   И скотч. И вот я про них теперь думаю.   Бумага, степлер, скобы, скотч.   Тошнит от этого.   Вещи.   Сорок лет лю-бишь кого-то, а потом только скобы и скотч.

Мы остались вдвоем.   Ты и я.

Мы поиграли в разные игры в гостиной.   Ты помастерил драгоценности.   Шарф еще удлинился.   Мы пошли на прогулку в парк.   Мы не говорили про то, что было над нами.   Что давило на нас, как потолок.   Когда ты уснул, положив голову мне на колени, я включила телевизор.

Я уменьшила звук до тишины.

Те же кадры, снова и снова.

Самолеты врезаются в здания.

Летящие вниз тела.

Люди размахивают рубашками в окнах верхних этажей.

Самолеты врезаются в здания.

Летящие вниз тела.

Люди, покрытые серой пылью.

Летящие вниз тела.

Здания обрушиваются.

Самолеты врезаются в здания.

Самолеты врезаются в здания.

Здания обрушиваются.

Люди размахивают рубашками в окнах верхних этажей.

Летящие вниз тела.

Самолеты врезаются в здания.

Иногда я чувствовала трепет твоих век.   Ты не спал? Или тебе что-то снилось?

Твоя мать возвратилась поздно.   Чемодан был пуст.

Она обняла тебя и не отпускала, пока ты не сказал: Больно.

Она обзвонила всех, кого знал твой отец, и всех, кто мог знать хоть что-то о нем.   Она говорила: Извините, что разбудила.   Мне хотелось крикнуть ей в ухо: Не извиняйся!

Она промакивала глаза, хотя в них не было слез.

Они думали, что будут тысячи раненых.   Без сознания.

Без памяти. Они думали, что будут тысячи тел. Их собирались свозить на каток[1].

Помнишь, пару месяцев назад, когда мы были с тобой на катке, я отвернулась, сказав, что не могу смотреть, как люди катаются, — кружится голова? На самом деле я увидела лица мертвецов подо льдом.

Твоя мать сказала, что я могу идти домой.

Я сказала, что не хочу.

Она сказала: Съешьте что-нибудь. Попробуйте заснуть.

Я не смогу ни поесть, ни заснуть.

Она сказала: Я должна лечь.

Я сказала, что люблю ее.

Она заплакала, потому что зависела от меня.

Я пошла через дорогу домой.

Самолеты врезаются в здания.

Летящие вниз тела.

Самолеты врезаются в здания.

Здания обрушиваются.

Самолеты врезаются в здания.

Самолеты врезаются в здания.

Самолеты врезаются в здания.

Без тебя мне не надо было быть сильной, и я стала слабой. Я сползла на пол — туда мне и дорога. Я била кулаками в паркет. Хотела сломать себе руки, но когда стало совсем больно, остановилась. Я слишком большая эгоистка, чтобы сломать себе руки ради единственного ребенка.

Летящие вниз тела.

Скобы и скотч.

Пустоты не было. Хотелось опустеть.

Люди размахивают рубашками в окнах верхних этажей.

---

[1] В первые часы трагедии, когда точное число погибших не было установлено, городская администрация считала, что могут быть несколько тысяч трупов. Их планировали свозить в помещение крытого катка в Квинсе до проведения опознания.

Хотелось опустеть, как перевернутый кувшин.   Но я была переполнена, как камень.

Самолеты врезаются в здания.

Нужно было пойти в туалет.   Не хотелось вставать. Хотелось валяться в собственных испражнениях — туда мне и дорога.   Хотелось копошиться в собственном дерьме, как свинья.   Но я встала и пошла в ванную.   Вот я какая.

Летящие вниз тела.

Здания обрушиваются.

Годовые кольца дерева, которое не упало на дом.

Мне так хотелось самой оказаться под обломками.   Хотя бы на миг.   Всего на одну секунду.   Естественный порыв поменяться с ним местами.   Только все гораздо сложнее.

Телевизор освещал комнату.

Самолеты врезаются в здания.

Самолеты врезаются в здания.

Я думала, что буду чувствовать себя иначе.   Но даже тогда я была я.

Вспоминаю тебя на сцене, Оскар, в зале было столько чужих людей.   Я хотела сказать им: Он мой.   Хотела встать и крикнуть: Это чудо — мое!   Мое!

Глядя на тебя, я испытывала такую гордость и такую грусть.

Увы.   Его губы.   Твои песни.

Стоило посмотреть на тебя, и жизнь обретала смысл. Все плохое в ней обретало смысл.   Без этого ты бы не был возможен.

Увы.   Твои песни.

Жизни моих родителей обретали смысл.

Моих бабушек и дедов.

Даже жизнь Анны.

Но я знала правду — и поэтому была грусть.

Все, что было до этой минуты, зависит от этой минуты.

Вся мировая история может быть перечеркнута в один миг.

Твоя мать захотела похороны, хотя нечего было хоронить.

Что тут можно сказать?

Мы все поехали на лимузине.   Я тебя постоянно трогала. Не могла натрогаться.   Мало мне было рук.   Ты перешучивался с водителем, но я видела, чего тебе это стоит. Его смех был мерилом твоей боли.   Уже у могилы, когда опускали пустой гроб, ты издал какой-то звериный звук. Я никогда ничего подобного не слышала.   Ты был раненым зверем.   Этот звук все еще стоит у меня в ушах. У меня ушло сорок лет на то, чтобы его найти, — лейтмотив всей моей жизни.   Твоя мать отвела тебя в сторону и прижала к себе.   Могилу твоего отца стали забрасывать лопатами.   Земля падала на пустой гроб моего сына. В нем ничего не было.

Все мои звуки остались закупоренными во мне.

Лимузин повез нас домой.

Мы молчали.

Подъехав к дому, ты пошел проводить меня до дверей.

Швейцар сказал, что для меня есть письмо.

Я сказала, что заберу его завтра или послезавтра.

Швейцар сказал, что его только что доставили.

Я сказала: Завтра.

Швейцар сказал: Мне кажется, это срочно.

Я попросила тебя прочесть.   Я сказала: У меня глаза паршивят.

Ты открыл его.

Прости, — сказал ты.

Почему ты просишь прощения?

Это не я, это в письме.

Я взяла его у тебя и посмотрела.

После ухода твоего дедушки сорок лет назад я стерла все его записи.   Смыла слова с зеркал и полов.   Закрасила на стенах.   Отскребла с занавески в ванной.   Даже паркет отциклевала заново.   Сколько лет мы были знакомы, столько лет мне потребовалось на то, чтобы вывести отовсюду его слова.   Хоть по песочным часам замеряй.

Я думала, он уходит, чтобы самому убедиться, что того, что он ищет, больше нет или никогда не было.   Я думала, он будет писать.   Или посылать деньги.   Или просить фотографии, если не мои, то хотя бы нашего малыша.

Сорок лет ни слова.

Только пустые конверты.

А затем, в день похорон моего сына, — одно словечко.

Прости.

Он вернулся.

ЖИВОЙ И ОДИНОКИЙ

Шесть с половиной месяцев мы искали вместе, а потом мистер Блэк сказал, что завязывает, и опять я оказался один, и ни к чему не приблизился, и таких тяжелых гирь у меня на сердце еще никогда не было. С мамой я, само собой, поговорить не мог и с Тюбиком и Минчем (хотя они мои лучшие друзья) тоже. Дедушка умел разговаривать с животными, а я не умею, поэтому на Бакминстера рассчитывать не приходилось. Доктора Файна я не уважал, а объяснять Стэну все, что требовалось объяснить перед тем, как рассказывать, было бы слишком долго, а в разговоры с мертвыми я не верил.

Фарли не знал, дома ли бабушка, потому что его смена только началась. Он спросил, не случилось ли чего. Я сказал: «Есть дело». — «Хочешь, наберу ее[1]?» — «Не стоит». Я побежал семьдесят две ступеньки наверх, и пока бежал, подумал: *Все равно он был запредельно старый, здорово тормозил и не приносил никакой пользы.* Я нажал на звонок, даже не успев отдышаться. *Ну и хорошо, что он завязывает. Не понимаю, зачем я его вообще пригласил.* Она не открыла, и я опять позвонил. *Почему она не ждет у двери? Я единственное, что у нее в жизни осталось.*

---

[1] Во многих нью-йоркских домах швейцары звонят в квартиру жильца по внутреннему телефону, прежде чем пропускать посетителя.

Я вошел.

«Бабушка? Ау? Бабушка?»

Я прикинул, что она могла пойти в магазин или типа того, и сел на диван ждать. Еще она могла пойти гулять в парк, чтобы поспособствовать пищеварению, что, я знаю, она иногда делает, хотя, по-моему, это странно. Еще она могла пойти за сухим мороженым для меня или отправить что-нибудь с почты. Только кому ей писать?

Я не хотел изобретать, но начал.

Она попала под такси, когда переходила Бродвей, и такси умчалось, и все это видели, но никто не помог, потому что боялись неправильно сделать искусственное дыхание.

Она упала с приставной лестницы в библиотеке и разбила голову. Она истекает кровью, потому что это случилось в разделе книг, которыми никто не интересуется.

Она лежит без сознания на дне бассейна. В четырех метрах над ней плавают дети.

Я попробовал подумать про другие вещи. Изобрести оптимистические изобретения. Но пессимистические звучали жутко громко.

У нее случился инфаркт.

Кто-то столкнул ее на рельсы.

Ее изнасиловали и убили.

Я стал искать ее по квартире.

«Бабушка?»

Я только хотел услышать: «Я в порядке» — но не услышал ничего.

Я посмотрел в столовой и на кухне. На всякий случай открыл дверь в кладовку, но там была одна еда. Посмотрел в гардеробе и в ванной. Открыл дверь второй спальни, где спал и видел сны папа, когда был в моем возрасте.

Я впервые находился в квартире бабушки без бабушки, и это было запредельно странно, типа как увидеть ее платья без нее в них, а я их увидел, когда зашел в ее спальню и заглянул в шкаф. Я выдвинул верхний ящик комода, хотя, само собой, понимал, что там ее быть не может. Зачем же я тогда его выдвинул?

В нем были конверты. Сотни конвертов. Они были связаны в пачки. Я выдвинул ящик пониже — в нем тоже были конверты. И в ящике под ним тоже. Во всех ящиках.

По штемпелям я понял, что конверты подобраны хронологически, то есть по датам, и отправлены из Дрездена в Германии, откуда бабушка родом. С 31 мая 1963 года до наихудшего дня на каждый день было по конверту. Некоторые были адресованы «Моему нерожденному сыну». Некоторые — «Моему сыну».

Ты чё?

Я знал, что, наверное, не следует, потому что они не мои, но открыл один.

Он был отправлен 6 февраля 1972 года. «Моему сыну». Он был пустой.

Я открыл другой из другой пачки. 22 ноября 1986 года. «Моему сыну». Тоже пустой.

14 июня 1963 года. «Моему нерожденному сыну». Пустой.

2 апреля 1979 года. Пустой.

Я нашел день, когда я родился. Пустой.

Что бы я хотел знать, так это куда она положила письма.

Я услышал звук в одной из комнат. Я быстро задвинул ящики, чтобы бабушка не догадалась о том, что у нее кто-то шарил, и на цыпочках пошел к входной двери, потому что испугался, как бы то, что я услышал, не было грабителем. Я опять услышал звук и на этот раз понял, что он доносится из гостевой спальни.

Я подумал: *Жилец!*

Я подумал: *Он настоящий!*

Никогда еще я не любил бабушку сильнее, чем в ту минуту.

Я повернулся кругом, и на цыпочках пошел к двери гостевой спальни, и прижался к ней ухом. Я ничего не услышал. Но когда я встал на колени, то увидел, что в комнате горит свет. Я выпрямился.

«Бабушка? — прошептал я. — Ты там?»

Ничего.

«Бабушка?»

Я услышал жутко тихий звук. Я опять встал на колени и на этот раз увидел, что свет не горит.

«Есть там кто-нибудь? Мне восемь лет, и я ищу бабушку, потому что она мне очень нужна».

К двери подошли шаги, но я их едва расслышал, потому что они были жутко неслышные и по ковру. Шаги остановились. Я услышал дыхание, но знал, что оно не бабушкино; оно было тяжелее и медленнее. Что-то коснулось двери. Рука? Две руки?

«Кто вы?»

Ручка двери повернулась.

«Если вы грабитель, пожалуйста, не убивайте меня».

Дверь открылась.

Человек стоял и молчал, но было ясно, что он не грабитель. Он был запредельно старый, с лицом, противоположным маминому, потому что оно казалось нахмуренным, даже когда не хмурилось. На нем была белая рубашка с коротким рукавом, и на локтях были волосы, и дырка между двух передних зубов была в точности, как у папы.

«Вы жилец?»

Он сосредоточился на секунду, а потом закрыл дверь.

«Эй!»

Я услышал, как он двигает по комнате вещи, а потом он вернулся и опять открыл дверь. У него в руках была небольшая тетрадь. Он раскрыл ее на первой странице, она была пустой. «Я не говорю, — написал он. — Прости».

«Кто вы?» Он перелистнул страницу и написал: «Меня

зовут Томас». — «Папу тоже так звали. Это расхожее имя. Он умер». На следующей странице он написал: «Прости». Я сказал: «Не вы же его убили». На следующей странице почему-то было фото дверной ручки, он ее пропустил и написал на следующей: «Все равно прости». Я сказал: «Спасибо». Он отлистнул несколько страниц назад и указал на «Прости».

Мы постояли. Он в комнате. Я в коридоре. Дверь была открыта, но у меня было такое чувство, что между нами есть другая дверь, невидимая: я не знал, что говорить, он не знал, что писать. Я сказал: «Я Оскар», — и дал ему свою визитку. «Вы знаете, где моя бабушка?» Он написал: «Вышла». — «Куда?» Он пожал плечами, совсем как папа. «Вы знаете, когда она вернется?» Он пожал плечами. «Она мне нужна».

Под ним был один ковер, подо мной — другой. Линия их стыка напомнила мне про места, которые не попадают ни в какой округ.

«Если ты зайдешь, — написал он, — мы могли бы ждать ее вместе». Я спросил, был ли он незнакомый. Он спросил, в каком смысле. Я сказал: «Мне нельзя заходить к незнакомым». Он ничего не написал, как будто не знал, незнакомый он или нет. «Вам больше семидесяти?» Он показал левую ладонь с татуировкой ДА. «У вас есть судимости?» Он показал правую ладонь с татуировкой НЕТ. «Какие еще языки вы знаете?» Он написал: «Немецкий. Греческий. Латынь». «*Parlez-vous francais?*» Он открыл и закрыл левую ладонь, и я подумал, что это означает *un peu*.

Я вошел.

Стены были в каракулях, каракули повсюду, типа: «Так хотелось быть, как все» и «Хоть раз, хоть на мгновение». Я надеялся ради его же блага, что бабушка этого не видела. Он положил тетрадь и зачем-то тут же взял другую.

«Как давно вы тут живете?» — спросил я. Он написал: «Бабушка разве не говорила тебе, как давно я тут живу?» — «Ну, типа, — сказал я. — Со дня папиной смерти, получает-

288

ся около двух лет». Он раскрыл левую ладонь. «А где вы были до этого?» — «Бабушка разве не говорила тебе, где я был до этого?» — «Не говорила». — «Не здесь». Я подумал, что это странный ответ, но уже начинал привыкать к странным ответам.

Он написал: «Хочешь чего-нибудь перекусить?» Я сказал нет. Мне не нравилось, как много он на меня смотрит, я от этого комплексовал запредельно, но я не мог ничего сказать. «Хочешь чего-нибудь выпить?»

«Так что с вами приключилось?» — спросил я. «Что со мной приключилось?» — «Ага, с вами». Он написал: «Я не знаю, что со мной приключилось». — «Как вы можете этого не знать?» Он пожал плечами, совсем как папа. «Где вы родились?» Он пожал плечами. «Как вы можете не знать, где вы родились!» Он пожал плечами. «Где вы выросли?» Он пожал плечами. «Ладно. У вас есть братья или сестры?» Он пожал плечами. «Кем вы работаете? А если уже на пенсии, то кем *работали*?» Он пожал плечами. Я стал думать, о чем бы его спросить, чтобы он не смог пожать плечами. «Вы человек?» Он отлистнул назад и указал на «Прости».

Никогда еще я не нуждался в бабушке сильнее, чем в ту минуту.

Я спросил у жильца: «Хотите, расскажу, что со мной приключилось?»

Он открыл левую ладонь.

И я все в нее вывалил.

Я представил, что он бабушка, и начал с самого начала.

Я рассказал про смокинг на стуле, и как я разбил вазу, и нашел ключ, и про мастерскую, и про конверт, и про магазин художественных принадлежностей. Я рассказал про голос Аарона Блэка, и как я чуть не поцеловал Абби Блэк. Она была не против, только сказала, что это не очень хорошая мысль. Я рассказал про Ави Блэка из Кони Айленда, и про Аду Блэк с двумя подлинниками Пикассо, и про птиц, пролетевших за окном мистера Блэка. Шелест крыльев был первым звуком, который он услышал за двадцать с лишним лет. Потом был Берни Блэк с окном, выходящим на Грэмерси парк, но без ключа от его ворот[1], почему он и сказал, что лучше бы его окна выходили на кирпичную стену. У Челси Блэк был загар и светлая полоска вокруг безымянного пальца, потому что она развелась с мужем сразу после медового месяца, а Дон Блэк был еще и борцом за права животных, а Юджин Блэк коллекционировал монеты. Фо Блэк жил на улице Канал, которая когда-то по правде была каналом. Он плохо говорил по-английски, потому что с тех пор, как приехал из Тайваня, не покидал Чайнатаун — ему было незачем. Пока мы разговаривали, я все время воображал воду с другой стороны окна, типа как мы в аквариуме. Он предложил мне чаю, но мне не хотелось, но я все равно выпил из вежливости. Я спросил, правда ли он любит Нью-Йорк или просто носит такую майку. Он улыбнулся, как от волнения. Я видел, что он не понял, и почему-то почувствовал себя виноватым за то, что говорю по-английски. Я показал пальцем на его майку. «Вы? Правда? Любите? Нью-Йорк?» Он сказал: «Нью Йорк?» Я сказал: «Ваша. Майка». Он посмотрел на свою майку. Я показал на N и сказал «Нью», а потом на Y и сказал «Йорк». Он выглядел озадаченным, или смущенным, или удивленным, или даже рассерженным. Я не понимал, какое чувство им владеет, потому что не владел языком его чувств. «Я не знай Нью-Йорк. По-китайски, *ну* означает «ты». Я думай «Я тебя люблю». Только тогда я заметил плакат «I♥NY» на стене, и флажок «I♥NY» над дверью, и посудные полотенца «I♥NY», и контейнер для ланча «I♥NY» на кухонном столе. Я спросил: «Тогда почему вы всех так сильно любите?»

---

[1] Небольшой парк (скорее даже изысканный сад) в районе двадцатых улиц Восточной части Манхэттена. Обнесен чугунной решеткой с воротами, ключ от которых есть лишь у жильцов близлежащих домов.

Джорджия Блэк из Статен Айленда превратила гостиную в музей жизни своего мужа. Там были его детские фото, и его первая пара обуви, и его старые школьные табели, не такие хорошие, как мои, но неважно. «Вы, мальчики, за последний год мои первые посетители», — сказала она и показала нам крутейшую золотую медаль в бархатной коробочке. «Он был морским офицером, а меня вполне устраивало звание морской жены. Нас то и дело перебрасывали в какие-нибудь экзотические места. Корни пустить нигде не успевали, зато сколько впечатлений. Мы два года прожили на Филиппинах». — «Клёво», — сказал я, а мистер Блэк запел на каком-то странном языке, который, очевидно, был филиппиньим. Она показала нам свой свадебный альбом, каждое фото в отдельности, и сказала: «Даже не верится, что я была такой красивой и стройной». Я сказал: «Были». Мистер Блэк сказал: «И остаётесь». Она сказала: «Ах вы мои сладкие». Я сказал: «Ага».

«Вот третий вуд[1], которым он загнал мяч в лунку с одного удара. Страшно этим гордился. Потом несколько недель только об этом и было разговоров. Вот билет на самолет из нашей поездки на Мауи, на Гавайях. Не могу не похвастаться, это была наша тридцатая годовщина. Тридцать лет. Мы решили заново обменяться обетами. Прямо как в рыцарском романе. У него в портфеле были цветы, святая душа. Он хотел меня ими удивить в самолете, но я смотрела на экран, когда вещи просвечивали — и нате вам, такой мрачный черный букет. Не цветы, а тени цветов. Я такая везунья». Тряпочкой она стерла следы от наших пальцев.

До ее дома мы добирались четыре часа. Два из них мистер Блэк уговаривал меня поехать на Статенайлендском пароме. Плюс к тому, что он очевидная потенциальная мишень, один паром недавно попал в аварию, и во «Всякой всячине, которая со мной приключилась» у меня были фото людей,

---

[1] Деревянная клюшка для гольфа, обычно используемая для дальних ударов в начале игры.

оставшихся без рук и без ног. Еще я не любитель водных пространств. В особенности лодок. Мистер Блэк спросил, как я буду себя чувствовать сегодня вечером, если не сяду на паром. Я сказал: «Ну, типа гири на сердце». — «А как будешь чувствовать, если сядешь?» — «На сто долларов». — «Ну?» — «Но что будет, пока я *на* пароме? Что если он утонет? Что если кто-нибудь меня столкнет? Что если в него попадут из гранатомета? Тогда у сегодня не будет вечера». Он сказал: «В этом случае ты себя и чувствовать никак не будешь». Я над этим задумался.

«Это характеристика от его командира, — сказала Джорджия, постукивая пальцем по стеклу. — Образцовая. Это галстук, в котором он был на похоронах своей матери, царствие ей небесное. Хорошая была женщина. Лучше многих. А вот здесь фотография дома, в котором он вырос. Тогда я его, конечно, еще не знала». Она постукивала пальцем по стеклу каждой рамки и тут же стирала свои отпечатки, по типу ленты Мебиуса. «Это его студенческие письма. Это его портсигар, когда он еще курил. Это его «Пурпурное сердце»[1].

У меня возникли гири на сердце, по понятным причинам, типа: а где же все *ее* вещи? Где *ее* обувь и *ее* диплом? Где тени *ее* цветов? Я принял решение, что не буду спрашивать у нее про ключ, потому что хотел, чтобы она думала, будто мы пришли только в музей, и мне кажется, мистера Блэка посетила аналогичная мысль. Я для себя решил, что если мы пройдем весь список и по-прежнему ничего не найдем, то тогда, возможно, за неимением другого выхода, нам придется вернуться сюда и задать ей несколько вопросов. «Это его детские ботиночки».

Но потом я кое-что прикинул: она сказала, что за последний год мы были ее первыми посетителями. Папа умер чуть больше года назад. Не *он* ли посещал ее перед нами?

---

[1] Purple Heart — медаль США за ранение, полученное в ходе боевых действий.

«Всем привет», — сказал мужчина в дверях. Он держал две кружки с паром, который поднимался из них, и волосы у него были мокрые. «Ах, ты проснулся!» — сказала Джорджия, забирая у него кружку с надписью «Джорджия». Они поцеловались взасос, а я был, типа: *Ты чё, блин, ты чё?* «Вот и он», — сказала она. «Вот и кто?» — спросил мистер Блэк. «Мой муж», — сказала она, как если бы он был еще одним экспонатом выставки. Мы постояли вчетвером, глупо улыбаясь, а потом мужчина сказал: «Теперь, полагаю, вы хотите заглянуть в мой музей». Я сказал: «Мы только что заглянули. Все очень здорово». Он сказал: «Нет, Оскар, это был *ее* музей. Мой в другой комнате».

> Спасибо за Ваше письмо. Ввиду огромного количества получаемой корреспонденции я не в состоянии вести личную переписку. Но знайте, что я прочитываю и сохраняю все письма в надежде, что когда-нибудь смогу ответить на каждое так, как автор того заслуживает. До той поры
>
> искренне Ваш
> Стивен Хокинг

Неделя пролетела быстро. Ирен Блэк. Йоэл Блэк. Кайль Блэк. Лори Блэк... Марк Блэк заплакал, когда открыл дверь и увидел нас: он хотел, чтобы к нему кто-то вернулся, и каждый стук возрождал в нем надежду, что за дверью окажется именно этот человек, хотя он знал, что надеяться не на что.

Квартирная соседка Нэнси Блэк сказала, что Нэнси на работе в кафе на Девятнадцатой улице, и мы пошли туда, и я объяснил ей, что в обычном кофе кофеина больше, чем в эспрессо, хотя многие так не считают, хотя это очевидно, потому что вода в обычном кофе намного дольше находится в контакте с зернами. Она сказала, что не знала об этом. «Если он говорит, значит, правда», — сказал мистер Блэк и потрепал меня по голове. Я сказал: «А еще вы знали, что если кричать девять лет подряд, то произведенной звуковой энергии хватит, чтобы подогреть одну чашечку кофе?» Она сказала: «Не знала». Я сказал: «Почему и надо открыть *кафе* рядом с «Циклоном» на Кони Айленде! Дошло?» Тут я раскололся, правда, один. Она спросила, будем ли мы что-нибудь заказывать. Я сказал: «Кофе со льдом, пожалуйста». Она сказала: «Большой, средний или маленький?» Я сказал: «Vente[1], и если можно, с кофейным льдом, чтобы когда он растает, кофе не стал водянистым». Она сказала, что у них нет кофейного льда. Я сказал: *«Вот именно»*. Мистер Блэк сказал: «Лично я перехожу к делу», что он и сделал. Я пошел в туалет и наставил себе синяк.

Рэй Блэк был в тюрьме, поэтому мы не смогли с ним поговорить. Я полазил в Интернете и узнал, что он в тюрьме, потому что убил двух детей, которых сначала изнасиловал. Там еще были фото мертвых детей, но даже зная, что мне будет больно на них смотреть, я посмотрел. Я их распечатал и вклеил во «Всякую всячину, которая со мной приключилась» прямо за фото Жан-Пьера Эньере, французского космонавта, которого пришлось вытаскивать из космического корабля после возвращения с орбитальной станции «Мир», потому что гравитация существует не только для того, чтобы мы падали, но и чтобы у нас работали мышцы. Я написал Рэю Блэку письмо в тюрьму, но ответа не получил. Внутри себя я надеялся, что он не имеет отношения к ключу, хотя не мог не изобрести, что ключ был от его камеры.

Судя по адресу, Рута Блэк жила на восемьдесят шестом этаже Эмпайр Стейт Билдинг, что, на мой взгляд, было запредельно странно, и на взгляд мистера Блэка тоже, потому что мы оба не знали, что люди могут там жить. Я сказал мистеру Блэку, что напрягаюсь, и он сказал, что это естественно. Я сказал, что почти уверен, что не смогу, а он сказал,

---

[1] Название большого стаканчика кофе в сети кофеен *Starbucks*.

что и это естественно. Я сказал, что ничего страшнее и придумать было нельзя. Он сказал, что понимает, почему. Я хотел, чтобы он возразил, но он не возражал, и я не мог с ним поспорить. Я сказал, что подожду его в фойе, и он сказал: «Хорошо». «Ну, ладно, ладно, — сказал я. — Иду».

Пока лифт везет вас наверх, вы слушаете информацию про здание, что довольно-таки обалденно, и обычно я такое записываю, но тогда не записывал, потому что был слишком сосредоточен на том, чтобы быть храбрым. Я сжимал руку мистера Блэка и беспрерывно изобретал: кабели лопаются, лифт падает, внизу трамплин, нас подбрасывает обратно вверх, крыша открывается, как в упаковке с сухим завтраком, мы летим по направлению к таким частям Вселенной, в которых даже Стивен Хокинг не был уверен...

Когда двери лифта открылись, мы вышли на смотровую площадку. Мы не знали, кого искать, поэтому сначала просто оглядывались. Хоть я и увидел, что вокруг запредельная красота, мой мозг начал пошаливать, и мне стало казаться, будто в здание вот-вот врежется самолет, прямо под нами. Я не хотел изобретать, но ничего не мог поделать. Я представил, как в последнюю секунду увижу лицо пилота, и что он террорист. Я представил, как мы встретимся взглядами, когда нос самолета будет в миллиметре от здания.

Я тебя ненавижу, скажет ему мой взгляд.

Я тебя ненавижу, скажет мне его.

Потом будет громаднейший взрыв, и здание качнется, и покажется, что оно падает, а я знаю, что многим так показалось, из записей в Интернете, хотя лучше бы их не читал. Потом все утонет в дыму, и вокруг будут кричать люди. Я читал одну запись, автор которой спустился с восемьдесят пятого этажа, а это около двух тысяч ступеней, и там говорится, что люди кричали: «Помогите!» и «Я не хочу умирать!», и что один человек, владелец компании, кричал: «Мамочка!»

Станет так жарко, что на коже появятся волдыри. Выпрыгнуть бы из этого пекла, но, с другой стороны, ударившись об асфальт, я, само собой, умру. Какой конец я выберу? Прыгну или сгорю? Пожалуй, все-таки прыгну, потому что тогда не почувствую боли. С другой стороны, может, и сгорю, потому что это все-таки оставляет шанс на спасение, а если и нет, то ведь чувствовать боль все равно лучше, чем совсем ничего не чувствовать, правда?

Я вспомнил про свой мобильник.

У меня остается несколько секунд.

Кому я позвоню?

Что скажу?

Я подумал про все, что люди когда-либо друг другу говорят, и как каждый человек умрет — кто-то через миллисекунду, кто-то через несколько дней, или месяцев, или 76,5 лет, если он только родился. Все родившееся обречено на смерть, а значит, наши жизни — как небоскребы. Дым поднимается с разной скоростью, но горят все, и мы в ловушке.

Каких только красот ни увидишь со смотровой площадки Эмпайр Стейт Билдинг. Я где-то читал, что люди на улицах похожи на муравьев, но это неправда. Они похожи на маленьких людей. И машины похожи на маленькие машины. И даже дома кажутся маленькими. И типа Нью-Йорк — это не Нью-Йорк, а его миниатюрная копия, что клево, потому что видно, какой он на самом деле, а не каким ты его представляешь изнутри. Жутко одиноко там наверху, и все кажется далеким. Ну, и страшно, конечно, потому что можно по-разному умереть. Но одновременно нестрашно, потому что вокруг так много людей. Я касался рукой стены, когда переходил по площадке с одного места на другое. Я увидел те несколько замков, которые уже попробовал открыть, и 161 999 831, которые еще не попробовал.

Я опустился на четвереньки и подполз к одному из платных биноклей на стальной ноге. Держась за нее, я выпрямился и достал квотер из монетодержателя на своем ремне. Когда веки бинокля открылись, все, что было далеким, стало запредельно близким — ну, типа, здание Вулворт, и площадь

Юнион сквер, и гигантская дыра на месте Всемирного торгового центра. Я заглянул в окно офисного здания, которое, по моим подсчетам, было от меня кварталах в десяти. Несколько секунд я возился с фокусом, а потом увидел мужчину, сидящего за столом; он что-то писал. Что он писал? Он был совсем не похож на папу, но напомнил мне папу. Я сильнее вжался в бинокль, и мой нос расплющило о холодный металл. Он был левша, как папа. А была ли у него дырка между двух передних зубов, как у папы? Мне хотелось знать, о чем он думает. По кому скучает. О чем сожалеет. Мои губы встретились с металлом, как в поцелуе.

Я разыскал мистера Блэка, который любовался на Центральный парк. Я сказал, что готов спускаться. «А как же Рута?» — «Зайдем в другой раз». — «Но ведь мы уже здесь». — «Мне не хочется». — «Это займет всего несколько…» — «Я хочу домой». Наверное, он увидел, что я вот-вот расплачусь. «Хорошо, — сказал он, — пойдем домой».

Мы встали в конец очереди на лифт.

Я смотрел на людей и пытался угадать, откуда они родом, и по кому скучают, и о чем сожалеют.

Вот толстая женщина с толстым ребенком, вот японец с двумя фотиками, вот девочка с костылями и в гипсе, который исписан множеством разных почерков. У меня было странное чувство, что если я его рассмотрю, то непременно найду папин. Наверное, он бы написал: «Поправляйся скорее». Или просто бы расписался. Неподалеку стояла старушка и неотрывно на меня пялилась, отчего я закомплексовал. Она держала дощечку с зажимом (но что было на дощечке, я не разглядел) и одета была старомодно. Я дал себе слово, что не отведу глаза первым, но отвел. Я потянул мистера Блэка за рукав и попросил на нее посмотреть. «Знаешь что», — прошептал он. «Что?» — «Бьюсь об заклад, это она». Почему-то я знал, что он прав. И ни на секунду не заподозрил, что нас могли привлечь разные вещи.

«Надо бы к ней подойти». — «Наверное». — «Как?» —

«Не знаю». — «Просто подойти и поздороваться». — «Ни с того ни с сего?» — «Можно сказать время». — «Но она не спрашивала». — «Тогда спросить у нее». — «Вот ты и спроси». — «Нет, *вы* спросите». Мы были настолько поглощены спором о том, как лучше к ней подойти, что даже не заметили, когда она успела подойти к нам. «Я вижу, вы настроились уходить, — сказала она, — но, может, вас заинтересует необычная экскурсия по этому необычному зданию?» — «Как вас зовут?» — спросил я. Она сказала: «Рута». Мистер Блэк сказал: «Мы хотим на экскурсию».

Она улыбнулась, сделала глубокий вдох и потом пошла, рассказывая на ходу. «Работы по строительству Эмпайр Стейт Билдинг начались в марте 1930 года на месте старой гостиницы «Вордолф-Астория» по адресу 350 Пятая авеню, на углу Тридцать четвертой улицы. Здание было закончено спустя год и сорок пять дней — это семь миллионов трудочасов, включая воскресенья и праздники. Все было спланировано с таким расчетом, чтобы ускорить строительство, — где возможно, использовались стальные конструкции, — и в результате здание, в среднем, росло со скоростью четыре с половиной этажа в неделю. Каркас был закончен менее чем через полгода». Быстрее, чем сколько я уже искал замок.

Она сделала новый вдох.

«Разработанный архитектурной фирмой «Шрив, Лэмб и Хармон», проект изначально предусматривал восемьдесят шесть этажей, но к ним была добавлена 46-метровая мачта для швартовки дирижаблей. Сегодня мачта используется для теле- и радиовещания. Стоимость здания, включая стоимость земли, на которой оно стоит, составила $40 948 900. Само здание обошлось в $24 718 000 — меньше, чем вполовину от запланированной сметы в $50 000 000, благодаря упавшим ценам на труд и материалы в период Великой депрессии». Я спросил: «Что такое Великая депрессия?» Мистер Блэк сказал: «Я тебе потом объясню».

«При высоте в 381 метр Эмпайр Стейт Билдинг оставалось самым высоким зданием в мире до завершения строительства первой башни Всемирного торгового центра в 1972 году. Когда здание открылось, никто не хотел снимать в нем помещения, и ньюйоркцы прозвали его «Ктофраер Стейт Билдинг». Тут я раскололся. «Лишь благодаря этой смотровой площадке зданию удалось избежать банкротства». Мистер Блэк похлопал рукой по стене, точно хотел похвалить смотровую площадку.

«Стальной каркас Эмпайр Стейт Билдинг весит 60 000 тонн. В здании около 6500 окон и 10 000 000 кирпичей общим весом порядка 365 000 тонн». — «Нехилый порядок», — сказал я. «На внешнюю облицовку этого небоскреба ушло более 46 000 квадратных метров мрамора и индианского известняка. Внутри есть также мрамор из Франции, Италии, Германии и Бельгии. Символично, что самое знаменитое здание Нью-Йорка построено из материалов, привезенных буквально отовсюду, кроме Нью-Йорка, так же как и сам город прославили прежде всего иммигранты». — «Очень меткое наблюдение», — сказал мистер Блэк, покачав головой.

«В Эмпайр Стейт Билдинг проходили съемки десятков кинофильмов, здесь принимали высоких иностранных гостей, а во время Второй мировой войны, в 1945-м, в семьдесят девятый этаж здания даже врезался бомбардировщик». Я постарался сосредоточиться на счастливых, мирных вещах, типа «молнии» на спине маминого платья или как папе всегда нужно было глотнуть воды, если он долго свистел. «Один лифт сорвался в шахту. Но не пугайтесь: его пассажир не пострадал — спасли аварийные тормоза». Мистер Блэк сжал мою руку. «Кстати, о лифтах, всего их в здании семьдесят, включая шесть грузовых. Они движутся со скоростью от 183 до 427 метров в минуту. Но если хотите, можно подниматься по лестнице: между первым и последним этажом 1860 ступеней». Я спросил, можно ли по лестнице спуститься.

«В такой ясный день, как сегодня, видно на сто тридцать

километров вперед — чуть не до середины Коннектикута[1]. С тех пор как в 1931 году смотровая площадка открылась для посещения, почти 110 миллионов желающих смогли насладиться захватывающим дух зрелищем города у себя под ногами. Каждый год более 3,5 миллионов человек устремляются на восемьдесят шестой этаж, чтобы побыть там, где Кэри Грант напрасно ждал Дебору Керр в «Незабываемом романе»[2], где состоялась судьбоносная встреча Тома Хэнкса и Мэг Райн в фильме «Неспящие в Сиэтле»[3]. Кстати сказать, смотровая площадка оборудована и для инвалидов».

Она остановилась и положила руку на сердце.

«Одним словом, атмосфера и дух Нью-Йорка нашли свое воплощение в Эмпайр Стейт Билдинг. От влюбленных до тех, кто возвращается сюда со своими детьми и внуками, все понимают, что это не просто ошеломляющий памятник архитектуры, с вершины которого открывается один из самых захватывающих видов на свете, но и непревзойденный символ американской самобытности».

Она поклонилась. Мы похлопали.

«Есть у вас, молодые люди, еще минутка?» — «У нас есть много минут», — сказал мистер Блэк. «Потому что формально это конец экскурсии, хотя есть еще несколько вещей, за которые я по-настоящему люблю это здание, но рассказываю о них, только если чувствую, что слушателям это небезразлично». Я сказал: «Нам запредельно небезразлично».

«Мачта для швартовки дирижаблей, которая теперь в основании телевизионной башни, была частью оригинальной конструкции здания. Первая попытка пришвартовать к ней частный цеппелин увенчалась успехом. Но во время второй, в сентябре 1931 года, военно-морской цеппелин едва не перевернулся и чудом не сбросил вниз знаменитостей, пришедших на это историческое мероприятие, в то время

---

[1] Штат, граничащий со штатом Нью-Йорк на севере.

[2] *An affair to remember*, 1957.

[3] *Sleepless in Seattle*, 1993.

как в нескольких кварталах от здания опрокинувшийся водный балласт, как из ведра, окатил прохожих. В итоге от идеи швартовочной мачты пришлось отказаться, несмотря на всю ее романтичность». Она опять пошла, и мы за ней, но я подумал, что она продолжала бы говорить, даже если бы мы не пошли. Я не мог понять, делает ли она все, что делает, для нас, или для себя, или по какой-то совсем другой причине.

«В сезон весенней и осенней миграции птиц, в туманные ночи, подсветка башни отключается, чтобы птицы не путались и не врезались в здание». Я сказал: «Ежегодно десять тысяч птиц погибает, врезаясь в окна», — потому что случайно обнаружил этот факт, когда собирал информацию про окна башен-близнецов. «Сколько разбившихся птиц», — сказал мистер Блэк. «И сколько разбитых стекол», — сказала Рута. Я сказал: «В том-то и дело, поэтому я изобрел прибор, который будет определять, насколько близко птицы подлетели к дому, и если запредельно близко, то соседний небоскреб будет издавать жутко громкий птичий крик, и они рванутся туда. Они будут отскакивать от домов». — «Похоже на пинбол», — сказал мистер Блэк. «Что такое пинбол?» — спросил я. «Но ведь птицы не смогут улететь из Манхэттена», — сказала Рута. «Что мне и надо, — сказал я, — потому что тогда спасательный жилет из птичьего корма точно сработает». — «Можно я расскажу про десять тысяч птиц в следующей экскурсии?» Я сказал, что они же не мои.

«Естественный громоотвод, Эмпайр Стейт Билдинг принимает на себя до пятисот ударов молнии в год. Выход на смотровую площадку во время гроз запрещен, но внутри залы открыты. Статическое электричество аккумулируется в таких гигантских количествах на вершине здания, что если после грозы выставить руку за ограду смотровой площадки, на кончиках пальцев вспыхнет огонь святого Эльма[1]». —

---

[1] Электрический разряд в форме светящихся пучков или кисточек, возникающий во время гроз на острых концах высоких предметов (башни, мачты, одиноко стоящие деревья, острые вершины скал и т.п.).

«Огонь святого Эльма — это *тааак* круто!» — «Влюбленные, которые здесь целуются, порой обнаруживают у себя на губах крошечные искорки электричества». Мистер Блэк сказал: «Это моя самая любимая подробность». Она сказала: «Моя тоже». Я сказал: «А моя — про огонь святого Эльма». — «Эмпайр Стейт Билдинг находится в точке с координатами 40 градусов 44 минуты 53,977 секунды северной широты и 73 градуса 59 минут 10,812 секунды западной долготы. Спасибо».

«Это было восхитительно», — сказал мистер Блэк. «Благодарю», — сказала она. Я спросил, откуда она столько всего знает. Она сказала: «Я знаю об этом здании, потому что люблю его». От этого у меня возникли гири на сердце, потому что я вспомнил про замок, который все еще не нашел, и как, пока я его не найду, получается, что недостаточно люблю папу. «Но почему именно это здание?» — спросил мистер Блэк. Она сказала: «Разве это любовь, когда знаешь ответ?» — «Вы бесподобны», — сказал он и потом спросил, откуда родом ее семья. «Я родилась в Ирландии. Мы приехали сюда, когда я была ребенком». — «Ваши родители?» — «Ирландцы». — «А их родители?» — «Тоже ирландцы». — «Какая удача», — сказал мистер Блэк. «Почему?» — спросила она, и это был тот самый вопрос, который и мне хотелось задать. «Потому что моя семья не имеет ничего общего с Ирландией. Мы сюда приплыли на "Мэйфлауэре"¹». Я сказал: *Клёво*. Рута сказала: «Боюсь, я не совсем понимаю». Мистер Блэк сказал: «Мы не родственники». — «Почему бы нам быть родственниками?» — «Потому что у нас одна фамилия». Внутри себя я подумал: *Вообще-то, она не говорила, что ее фамилия Блэк. Но даже если и Блэк, почему она не спрашивает, откуда ему известно про ее фамилию?* Мистер Блэк снял берет и опустился на одно колено, на что ушло много времени. «Рискуя все испортить своей откровенностью, надеюсь, вы не откажете мне в удовольствии провести со мной

¹ Корабль *Mayflower* привез в Америку первых переселенцев из Англии в 1615 году.

свободный вечер. Я буду огорчен, но ни в коем случае не обижен, если откажете». Она отвернулась. «Простите, — сказал он. — Мне не следовало». Она сказала: «Я отсюда не ухожу». Мистер Блэк сказал: «*Ты чё?*» — «Я отсюда не ухожу». — «Никогда?» — «Да». — «И давно?» — «О-о. Очень давно. Много лет». Мистер Блэк сказал: «Бабай!» Я спросил, как это. «В каком смысле?» — «Где вы спите?» — «В теплые дни — прямо здесь. Но когда прохладно — а на такой высоте почти всегда прохладно, — у меня есть кровать в одном из подсобных помещений». — «Что вы едите?» — «Здесь есть два буфета. А когда хочется разнообразия, кто-нибудь из молодых людей приносит мне еду снизу. Не мне вам рассказывать, в Нью-Йорке столько гастрономических изысков».

Я спросил, знают ли про нее они. «Кто *они?*» — «Ну, те, кто владеет зданием, или типа того». — «У здания сменилось несколько владельцев с тех пор, как я сюда переехала». — «А служащие?» — «Служащие приходят и уходят. Новые видят, что я здесь, и считают, что так и надо». — «Вас ни разу не прогоняли?» — «Ни разу».

«Почему вы не ходите вниз?» — спросил мистер Блэк. «Мне здесь лучше». — «Как здесь может быть лучше?» — «Это трудно объяснить». — «Как это началось?» — «Мой муж был коммивояжером». — «И?» — «Еще в прежние времена. То одно продавал, то другое. Верил, что вещи способны изменить жизнь. Он все время что-нибудь выдумывал, чудесное, безумное. Почти как ты», — повернулась она ко мне, и я почувствовал гири на сердце: ну, почему я никогда не напоминаю людям самого себя? «Однажды он нашел в армейском магазине прожектор. После войны чего там только не продавалось. Он подсоединил его к аккумуляторной батарее и укрепил на тачке, с которой ходил по домам. Он сказал, чтобы я поднялась на смотровую площадку Эмпайр Стейт Билдинг, и, идя по Нью-Йорку, иногда светил мне лучом, и так я узнавала, где он».

«И это срабатывало?» — «Нет, днем не срабатывало.

305

Должно было хорошенько стемнеть, чтобы я могла видеть луч, но зато когда видела, это было не сравнимо ни с чем. Как будто во всем Нью-Йорке гас свет, и только его луч горел. Вот как ясно я его видела». Я спросил, не преувеличивает ли она. Она сказала: «Я преуменьшаю». Мистер Блэк сказал: «Наверное, вы рассказываете все точно, как было».

«Помню ту первую ночь. Я пришла, а люди вокруг глазеют по сторонам, высматривают что-то. Отсюда ведь такое великолепие открывается. Зато оттуда высматривали только меня». — «Высматривал», — сказал я. «Да, он один и высматривал. Но я чувствовала себя королевой. Смешно, да? Глупо?» Я отрицательно покачал головой. Она сказала: «Я чувствовала себя королевой. Когда луч гас, я знала, что его рабочий день завершен, и шла вниз, и ждала его дома. После его смерти я пришла сюда. Это глупо». — «Нет, — сказал я, — это не глупо». — «Я не пыталась его найти. Я не ребенок. Но здесь ко мне вернулось чувство, которое я испытывала днем, отыскивая луч. Я знала, что он есть, я просто его не видела». Мистер Блэк приблизился к ней на шаг.

«Я не могла заставить себя пойти домой», — сказала она. Я спросил, почему не могла, хотя и боялся, что узнаю такое, чего мне было бы лучше не знать. Она сказала: «Потому что знала, что дома его не будет». Мистер Блэк поблагодарил ее, но она не закончила. «Той ночью я свернулась калачиком в углу, вон в том углу, и заснула. Может, я хотела, чтобы меня заметили охранники. Не знаю. Когда я проснулась среди ночи, вокруг не было ни души. Было холодно. Я испугалась. Я подошла к ограждению. Вон туда. Никогда я не чувствовала себя такой одинокой. Как будто здание стало еще выше. Или город потемнел. Но я никогда не чувствовала себя и такой живой. Никогда я не чувствовала себя ни такой живой, ни такой одинокой».

«Вам необязательно идти вниз, — сказал мистер Блэк. — Мы могли бы и здесь провести вечер». — «Я такая нескладная», — сказала она. «Я тоже», — сказал мистер Блэк. «И со-

307

беседник из меня неважный. Все, что могла, я вам уже рассказала». — «Из меня отвратительный собеседник», — сказал мистер Блэк, хотя это была неправда. «Спросите у него», — сказал он, указывая на меня. «Правда, — сказал я. — Просто кранты». — «Вы можете мне хоть весь вечер рассказывать об этом здании. Будет божественно. Я ничего другого и не хочу». — «Мне даже губы подвести нечем». — «Мне тоже». Она засмеялась, но тут же закрыла ладонью рот, точно рассердилась на себя, что перестала грустить.

Было почти 14:32, когда я закончил спускаться по 1860 ступеням и оказался в фойе. Я был без сил и, видно, мистер Блэк тоже, поэтому мы сразу пошли домой. У дверей его квартиры (всего несколько минут назад), я начал рассказывать ему свой план на следующие выходные, в которые нам предстояло идти в Фар Рокавей, и Бойрум Хил, и Лонг Айленд Сити, и, если уложимся, еще в Дамбо[1], но он прервал меня и сказал: «Послушай, Оскар». — «Меня уже девять лет так зовут». — «Я, пожалуй, завязываю». — «Что завязываете?» — «Надеюсь, ты понимаешь». Он выставил руку для рукопожатия. «Что завязываете?» — «Мне было с тобой хорошо. Очень хорошо. Ты вернул меня в мир. Это лучшее, что кто-либо мог для меня сделать. Но теперь я завязываю. Надеюсь, ты понимаешь». Его протянутая рука по-прежнему ждала мою руку.

Я сказал: «Ничего я не понимаю».

Я пнул ногой его дверь и сказал: «Ты же обещал!»

Я толкнул его и заорал: «Это нечестно!»

Я встал на цыпочки, прижал губы к самому его уху и заорал: «Ну и катись!»

Нет. Я пожал его руку...

«А потом я сразу пришел сюда и теперь не знаю, что делать».

Пока я все это рассказывал, жилец качал головой и смот-

---

[1] Название районов в Бруклине и Квинсе.

рел мне в лицо. Он так сосредоточенно вглядывался, что я не знал, слушает ли он меня или пытается уловить что-то запредельно тихое под поверхностью моих слов, типа как металлодетектором, только для правды, а не металла.

Я сказал: «Я ищу больше шести месяцев, а знаю столько же, сколько шесть месяцев назад. Вообще-то в плане знаний я даже в минусе из-за всех этих пропущенных уроков французского с Марселем. Еще мне пришлось соврать гуголплекс раз, за что я себя не уважаю, и побеспокоить кучу людей, хотя это мог быть мой единственный шанс с ними подружиться, и по папе я скучаю сильнее, чем когда начал, хотя начал я для *того*, чтобы больше по нему *не* скучать».

Я сказал: «Эта боль становится просто невыносимой».

Он написал: «Какая боль?»

То, что я тогда сделал, меня самого удивило. Я сказал: «Я щас», — и побежал 72 ступени вниз, через дорогу, мимо Стэна, не остановившись на его «Вам письмо!», и 105 ступеней наверх. В квартире было пусто. Я хотел услышать красивую музыку. Хотел папин свист, и царапающий звук его красной ручки, и маятник, раскачивающийся в кладовке, и чтобы он склонился, завязывая шнурки. Я пошел в свою комнату и взял телефон. Я побежал 105 ступеней вниз, мимо Стэна, продолжающего говорить: «Вам письмо!», 72 ступени наверх, и по бабушкиной квартире. Я вошел в гостевую спальню. Жилец стоял в той же позе, как будто я и не уходил, как будто меня вообще там никогда не было. Я достал телефон из шарфа, который не довязала бабушка, воткнул штепсель в розетку и проиграл ему первые пять сообщений. На его лице не было выражения. Он просто смотрел на меня. Даже не на меня, а в меня, как будто его детектор нащупал огромнейшую правду глубоко под поверхностью.

«Ни один человек этого больше не слышал», — сказал я.

«Даже мама?» — написал он.

«Она тем более».

Он скрестил руки и зажал ладони под мышками, что для

него было все равно как зажать себе рот. Я сказал: «Даже бабушка», и его ладони забились, как птицы, пойманные скатертью. Наконец он их отпустил. Он написал: «Может, он увидел, что произошло, и побежал туда, чтобы кого-то спасти». — «Обязательно. Он бы иначе не мог». — «Хороший он был человек?» — «Самый лучший. Только у него в том здании была встреча. И еще он сказал, что идет на крышу, а значит, был выше, чем куда врезался самолет, а значит, не мог побежать туда, чтобы кого-то спасти». — «Может, он только сказал, что идет на крышу?» — «С какой стати?»

«Что это была за встреча?» — «Он же глава ювелирного бизнеса нашей семьи. У него постоянно встречи». — «Ювелирного бизнеса вашей семьи?» — «Его основал мой дедушка». — «Кто твой дедушка?» — «Не знаю. Он ушел от бабушки, когда я еще не родился. Она говорит, что он умел разговаривать с животными и что его скульптуры были реальнее, чем вещи, с которых он их лепил». — «А ты что думаешь?» — «Я не думаю, что с животными можно разговаривать. Если только с дельфинами. Или жестами с шимпанзе». — «Что ты думаешь о своем дедушке?» — «Я о нем не думаю».

Он нажал на Play и снова прослушал сообщения, а я снова нажал на Stop после пятого.

Он написал: «В последнем он совсем спокоен». Я сказал: «Я читал в *National Geographic* про то, как когда животное думает, что может погибнуть, оно напрягается и беснуется. Но когда оно *знает*, что погибнет, становится совсем спокойным». — «Может, он просто не хотел, чтобы ты волновался». Может. Может, он не сказал, что любит меня, *потому что* любил. Только это не объяснение. Я сказал: «Я должен знать, как он умер».

Он отлистнул назад и указал на «Почему?»

«Чтобы не изобретать его смерть. Я постоянно изобретаю».

Он отлистнул назад и указал на «Прости».

«Я нашел в Интернете видео падающих тел. Я их нашел на португальском сайте, там была целая куча вещей, которых здесь не показывали, хотя это случилось здесь. Когда я пытаюсь выяснить, как папа умер, мне каждый раз приходится идти в программу-переводчик и узнавать, как будет та или иная вещь на других языках, типа что «сентябрь» — это «Wrzesien», а «люди, выпрыгивающие из горящих зданий» — это «Menschen, die aus brennenden Gebäuden springen». Потом я ввожу эти слова в «Гугл». Меня запредельно бесит, что во всем мире людям можно знать вещи, которые мне знать нельзя, хотя это случилось *здесь*, и случилось *со мной*, и разве не должно быть *моим*?

Я распечатал португальское видео по кадрам и каждый жутко внимательно изучил. Одно тело может быть им. Оно так же одето, а если укрупнить пиксели до размера, когда они больше не человек, то я даже вижу очки. Или мне кажется, что вижу. Потому что, скорее всего, не вижу. Просто мне хочется, чтобы оно оказалось им».

«Тебе бы хотелось, чтобы он прыгнул?»

«Мне бы хотелось перестать изобретать. Если бы я узнал, как он умер, узнал подробности, то не изобретал бы, как он умирает в лифте, который застрял между этажами, хотя с некоторыми это случилось, и не изобретал бы, как он пытается ползти вниз снаружи здания, хотя я видел видео на польском сайте, где один человек это делает, или как он пытается приспособить скатерть под парашют, хотя некоторые из тех, кто был в «Окнах в мир», так делали. Там можно было по-разному умереть, и мне надо знать, какую смерть он выбрал».

Он протянул ко мне руки, как будто хотел, чтобы я их взял. «Это татуировки?» Он закрыл правую ладонь. Я отлистнул назад и указал на «Почему?» Он опустил руки и написал: «Для простоты. Вместо того чтобы все время писать «да» и «нет», я их просто показываю. — «Но почему только ДА и НЕТ?» — «У меня всего две руки». — «А как же «посмотрим», и «возможно», и «почему бы нет»?» Он закрыл глаза и на несколько секунд сосредоточился. Потом он пожал плечами, совсем как папа.

«Вы всегда молчали?» Он раскрыл правую ладонь. «Тогда почему не разговариваете?» Он написал: «Не могу». — «Почему не можете?» Он указал на «Не могу». — «Разрыв голосовых связок?» — «Какой-то разрыв». — «Когда вы в последний раз разговаривали?» — «Давно, очень давно». — «Какое слово вы сказали последним?» Он отлистнул назад и указал на «Я». — «Я было последним словом, которое вы сказали?» Он открыл левую ладонь. «Разве это слово?» Он пожал плечами. «Вы пытаетесь говорить?» — «Я знаю результат». — «Какой?» Он отлистнул назад и указал на: «Не могу».

«Попытайтесь». — «Сейчас?» — «Попытайтесь что-нибудь сказать». Он пожал плечами. Я сказал: «Пожалуйста».

Он открыл рот и положил пальцы себе на шею. Они задрожали, как пальцы мистера Блэка, когда он искал слова-биографии, но звука не было, ни хрипа, ни даже вздоха.

Я спросил: «Что вы пытались сказать?» Он отлистнул назад и указал на «Прости». Я сказал: «Да ладно». Я сказал: «Может, у вас действительно разрыв связок. Вам надо обратиться к специалисту». Я спросил: «Что вы пытались сказать?» Он указал на «Прости».

Я спросил: «Можно мне сфотографировать ваши руки?»

Он положил руки себе на колени ладонями вверх, как раскрытую книгу.

ДА и НЕТ.

Я навел фокус дедушкиного фотика.

Он держал руки жутко неподвижно.

Я щелкнул.

Я сказал: «Я пойду домой». Он взял тетрадь и написал: «А как же бабушка?» — «Передайте, что я с ней поговорю завтра».

Уже переходя улицу, я услышал за спиной хлопок, похожий на взмах птичьих крыльев у мистера Блэка за окном. Я обернулся, и в дверях подъезда стоял жилец. Он положил руку на шею и открыл рот, как будто снова пытался заговорить.

Я крикнул: «Что вы хотите сказать?»

Он написал что-то в тетради и показал мне, но издали я не увидел, и опять подбежал к нему. Там было: «Пожалуйста, не говори бабушке, что мы виделись». Я сказал: «Если вы не скажете, я не скажу», — и даже не задумался над такой очевидной вещью, как почему *он* хочет сохранить это в тайне? Он написал: «Если я вдруг тебе понадоблюсь, брось камушек в окно гостевой спальни. Я выйду и буду ждать тебя под фонарем». Я сказал: «Спасибо». Хотя внутри себя подумал: *На кой ты мне можешь понадобиться?*

В ту ночь мне хотелось только заснуть, но получалось только изобретать.

Что если обледенять самолеты, чтобы их не могли найти ракеты с тепловым наведением?

Что если турникеты в метро делать одновременно детекторами радиации?

Что если запредельно удлинить машины «Скорой помощи», чтобы подсоединять ими дома к больнице?

Что если продавать парашюты в поясных сумках?

Что если в кобуру пистолетов ставить сенсоры злобы, чтобы когда ты зол, они не стреляли даже у полицейских?

Что если делать комбинезоны из кевлара[1]?

Что если строить небоскребы из движущихся частей, чтобы они могли самопереставляться при необходимости и даже раздвигаться посередине для пропуска самолетов?

Что если...

Что если...

Что если...

Потом в моем мозгу зародилась мысль, не похожая ни на что. Она была мне ближе, чем другие мысли, и звучала громче. Я не знал ни откуда она взялась, ни зачем, ни того, нравится она мне или отвратительна. Она раскрылась, как кулак или бутон.

Что если выкопать пустой папин гроб?

---

[1] Полимер, используемый среди прочего для изготовления пуленепробиваемых жилетов.

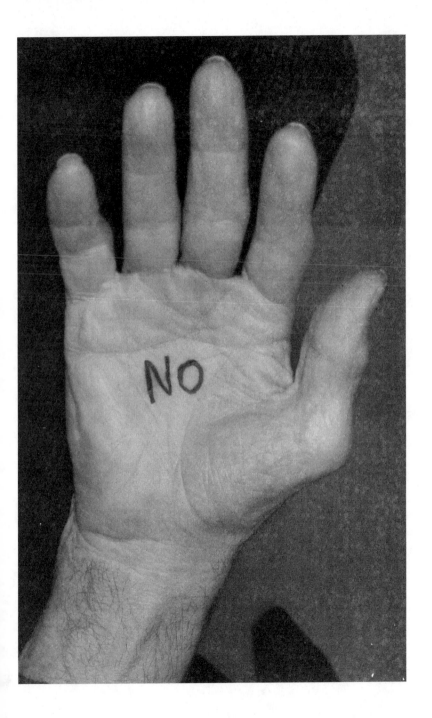

ПОЧЕМУ Я НЕ ТАМ, ГДЕ ТЫ
11/9/03

Я не говорю, прости.

Меня зовут Томас.

Прости.

Все равно прости.

Моему сыну: я написал последнее письмо в день твоей смерти и считал, что больше не напишу ни строки, сколько раз я считал одно, а выходило другое, стоит ли удивляться, что ручка опять у меня в руках? Я пишу в ожидании Оскара, меньше, чем через час, я закрою эту тетрадь и встречусь с ним под фонарем, и мы поедем на кладбище, к тебе, твой отец и твой сын, вот как это случилось. Я оставил записку швейцару в доме твоей матери почти два года назад. С противоположной стороны улицы я наблюдал, как подъехал лимузин, она вышла, взялась за дверцу, совсем состарившаяся, но не для меня, руки состарившиеся, но движения не изменились, она вошла в дом вместе с мальчиком, я не знал, передал ли швейцар записку, не видел ее реакции, мальчик вышел и вошел в дом через дорогу напротив. Вечером я видел, как она стоит у окна, прижав ладони к стеклу, я оставил швейцару другую записку: «Ты хочешь снова увидеться, или мне уйти?» Утром я прочел на окне: «Не уходи», это уже что-то значило, но это не означало «Я хочу снова увидеться». Я набрал горсть мелких камушков и бросил в ее окно, ничего, я бросил еще горсть, никакой реакции, я написал в тетради записку: «Ты хочешь снова увидеться?», вырвал ее и оставил швейцару, я вернулся на другой день, я не хотел причинять ей боль, ей и так досталось, но и просто уйти не хотел, я прочел на окне: «Я не хочу хотеть снова увидеться», это уже что-то значило, но это не означало «да». Я набрал камушков на мостовой и стал бросать ей в окно, надеясь, что она услышит и обо всем догадается, я подождал, никакой реакции, я написал записку: «Что мне делать?» — и оставил ее швейцару, он сказал: «Передам лично в руки», я не смог сказать даже «спасибо». Я вернулся на другой день, на окне была записка, как в первый раз: «Не уходи», я набрал камушков, я стал бросать, они барабанили по стеклу, как пальцы, я написал записку: «Да или нет?», сколько это мо-

21-1239

жет продолжаться? На другой день я зашел в овощную лавку на Бродвее и купил яблоко, если она не хочет, я уйду, все равно — куда, просто развернусь и уйду, записки на окне не было, я бросил яблоко, ожидая, что меня осыпет осколками, я не боялся, яблоко влетело в квартиру, перед домом стоял швейцар, он сказал: «Твое счастье, что окно было открыто, приятель», но я знал, что не это мое счастье, он дал мне ключ. Я поднялся на лифте, дверь была открыта, запах воскресил в памяти все, о чем я сорок лет старался не вспоминать, но не мог забыть. Я убрал ключ в карман, «В гостевую!» — крикнула она из нашей спальни, той самой, где мы спали, и видели сны, и занимались любовью. Так началась наша вторая совместная жизнь... Когда я вышел из самолета после одиннадцати часов в небе и сорока лет вдали, какой-то человек взял мой паспорт и спросил о цели визита, я написал в дневнике: «Скорбеть», а затем: «~~Скорбеть~~ попробовать жить», он окинул меня взглядом и спросил: «Так по делам или развлекаться?», я написал: «Ни то, ни другое». «И как долго вы планируете это делать?» Я написал: «Сколько отпущено». — «Значит, задержитесь?» — «Постараюсь задержаться». — «На выходные или на год?» Я не написал ничего. Человек сказал: «Следующий». Я смотрел, как чемоданы кружатся на ленте транспортера, в каждом чьи-то пожитки, я видел детишек на карусели, возможные жизни, я пошел по стрелкам для тех, кому нечего декларировать, это было смешно, но я не засмеялся. Один из таможенников отвел меня в сторону: «Не многовато ли вещей для человека, которому нечего декларировать?» — спросил он, я кивнул, зная, что у тех, кому нечего декларировать, самая тяжелая ноша, я открыл для него чемоданы: «Не многовато ли бумаг?» — спросил он, я показал ему левую ладонь, «Серьезно, просто жуть сколько бумаг». Я написал: «Это письма моему сыну. Я их так и не решился отправить, пока он был жив. Теперь он умер. Я не говорю. Простите». Мой таможенник переглянулся с другим таможенником, они усмехнулись, я не против, когда усмехаются на мой счет, невелика потеря, меня пропустили не потому, что поверили, а потому, что не захотели даже попытаться понять, я нашел телефон-автомат и позвонил твоей матери, дальше этого я не планировал, сколько раз я считал одно, а выходило другое, я считал, что она жива, что живет в той же квартире, из которой я вышел сорок лет назад, считал, что она меня подберет, и все будет, как было, мы станем скорбеть и попробуем жить, телефон звонил и звонил, мы простим себе, и звонил, ответила женщина: «Алло?» Я знал, что это она, голос состарился, но дыхание не изменилось, промежутки между словами не изменились, я нажал: «2, 5, 5, 6», она сказала «Алло?», я спросил: «4, 7, 4, 8, 7, 3, 2, 5, 5, 9, 9, 6, 8?» Она сказала: «Связь сегодня не на сто долларов. Алло?» Я хотел просунуть руку в мембрану, дотянуться до ее комнаты по проводам, дотянуться до ДА, я спросил: «4, 7, 4, 8, 7, 3, 2, 5, 5, 9, 9, 6, 8?» Она сказала: «Алло?» Я сказал: «4, 3, 5, 7!» — «Слушайте, — сказала она, — не знаю, что сегодня со связью, но я слышу одни гудки. Попробуйте еще раз». Еще раз? Я и пытаюсь пробовать еще раз, я это и делаю! Я знал, что это бесполезно, знал, что ничего не добьюсь, но стоял там, посреди аэропорта, на заре века, на закате жизни, и рассказывал ей все: почему ушел, куда ушел, как узнал о твоей смерти, почему вернулся и что хотел бы успеть за оставшееся у меня время. Я рассказывал, потому что хотел, чтобы она мне поверила, чтобы меня поняла, я считал себя в долгу перед ней, и перед собой, и перед тобой, или это тоже эгоизм? Я разобрал свою жизнь по буквам, для любви нажимал «5, 8, 2, 6, 8», для смерти — «7, 6, 3, 7, 8», если из радости вычесть страдание, что остается? Какова, хотел бы я знать, сумма моей жизни? «6, 9, 6, 2, 6, 3, 4, 7, 3, 5, 4, 3, 2, 5, 8, 6, 2, 6, 3,

4, 5, 8, 7, 8, 2, 7, 7, 4, 8, 3, 3, 2, 8, 8, 4, 3, 2, 4, 7, 7, 6, 7, 8, 4, 6,
3, 3, 3, 8, 6, 3, 4, 6, 3, 6, 7, 3, 4, 6, 5, 3, 5, 7! 6, 4, 3, 2, 2, 6, 7, 4,
2, 5, 6, 3, 8, 7, 2, 6, 3, 4, 3? 5, 7, 6, 3, 5, 8, 6, 2, 6, 3, 4, 5, 8, 7, 8,
2, 7, 7, 4, 8, 3, 9, 2, 8, 8, 4, 3, 2, 4, 7, 7, 6, 7, 8, 4, 6, 3, 3, 3, 8! 4,
3, 2, 4, 7, 7, 6, 7, 8, 4! 6, 3, 3, 3, 8, 6, 3, 9, 6, 3, 6, 6, 3, 4, 6, 5, 3,
5, 7! 6, 4, 3, 2, 2, 6, 7, 4, 2, 5, 6, 3, 8, 7, 2, 6, 3, 4, 3? 5, 7, 6, 3, 5,
8, 6, 2, 6, 3, 4, 5, 8, 7, 8, 2, 7, 7, 4, 8, 3, 3, 2, 8! 7, 7, 4, 8, 3, 3, 2,
8, 3, 4, 3, 2, 4, 7, 6, 6, 7, 8, 4, 6, 8, 3, 8, 8, 6, 3, 4, 6, 3, 6, 7, 3, 4,
6, 7, 7, 4, 8, 3, 3, 9, 8, 8, 4, 3, 2, 4, 5, 7, 6, 7, 8, 4, 6, 3, 5, 5, 2, 6,
9, 4, 6, 5, 6, 7, 5, 4, 6! 5, 2, 6, 2, 6, 5, 9, 5, 2? 6, 9, 6, 2, 6, 5, 4, 7,
5, 5, 4, 5, 2, 5, 2, 6, 4, 6, 2, 4, 5, 2, 7, 2, 2, 7, 7, 4, 2, 5, 5, 2, 9, 2,
4, 5, 2, 6! 4, 2, 2, 6, 5, 4, 2, 5, 7, 4, 5, 2, 5, 2, 6, 2, 6, 5, 4, 5, 2, 7,
2, 2, 7, 7, 4, 2, 5, 5, 2, 2, 2, 4, 5, 2! 7, 2, 2, 7, 7, 4, 2, 5, 5, 2, 2,
2, 4, 5, 2, 4, 7, 2, 2, 7, 2, 4, 6, 5, 5, 5, 2, 6, 5, 4, 6, 5, 6, 7, 5, 4! 4,
3, 2, 4, 3, 3, 6, 3, 8, 4! 6, 3, 3, 3, 8, 6, 3, 9, 6, 3, 6, 6, 3, 4, 6, 5, 3,
5, 3! 2, 2, 3, 3, 2, 6, 3, 4, 2, 5, 6, 3, 8, 3, 2, 6, 3, 4, 3? 5, 6, 8, 3?
5, 3, 6, 3, 5, 8, 6, 2, 6, 3, 4, 5, 8, 3, 8, 2, 3, 4 8, 3, 3, 2, 8! 3, 3, 4,
8, 3, 3, 2, 8, 3, 4, 3, 2, 4, 7, 6, 6, 7, 8, 4, 6, 8, 3, 8, 8, 6, 3, 4, 6, 3!
2, 2, 7, 7, 4, 2, 5, 5, 2, 9, 2, 4, 5, 2, 6! 4, 2, 2, 6, 5, 4, 2, 5, 7, 4,
2, 5, 2, 6, 2, 6, 5, 4, 5, 2, 7, 2, 2, 7, 7, 4, 2, 5, 5, 2, 2, 2, 4, 5, 2!
7, 2, 2, 7, 7, 4, 2, 5, 5, 2, 2, 2, 4' 5, 2, 4, 7, 2, 2, 7, 2, 4, 6, 5, 5,
5, 2, 6, 5, 4, 6, 5, 6, 7, 5, 4! 6, 5, 5, 5, 7! 6, 4, 5, 2, 2, 6, 7, 4, 2, 5,
6, 5, 2, 6! 2, 6, 5, 4, 5? 5, 7, 6, 5, 5, 2, 6, 2, 6, 5, 4, 5, 2, 7, 2, 2, 7,
7, 4, 2, 5, 9, 2, 2, 2, 4, 5, 2, 4, 5, 5, 6, 5, 2, 5, 5, 5, 5, 2! 4, 5, 2, 4,
5, 5, 6, 5! 5, 6, 8, 3? 5, 5, 6, 5, 5, 2, 6, 2, 6, 3, 4, 5, 8, 3, 8, 2, 3, 3,
4, 8, 3, 9, 2, 8, 8, 4, 3, 2, 4, 3, 3, 6, 3, 8, 4, 6, 3, 3' 3, 8! 4, 3, 2, 4,
3, 3, 6, 3, 8, 4, 6, 3! 5, 6, 8, 3? 5, 6, 8, 3? 5, 6, 8, 3! 4, 2, 2, 6, 5,
4, 2, 5, 7, 4, 5, 2, 5, 2, 6, 2, 6, 5, 4, 5, 2, 7, 2, 2, 7, 4, 5, 2, 4, 6, 3,
5, 8, 6, 2, 6, 3, 4, 8, 7, 8, 2, 7, 7, 4, 8, 3, 3, 2, 8! 6, 5, 5, 5, 7! 6, 4,
5, 2, 2, 6, 7, 4, 2, 5, 6, 5, 2, 6! 2, 6, 5, 4, 5? 5, 7, 6, 5, 5, 2, 6, 2, 6,
5, 4, 5, 2, 7, 2, 2, 7, 7, 4, 2, 5, 9, 2, 2, 2, 4' 5, 2, 4! 5, 6, 8, 3? 5,
5, 6, 5, 2, 4, 6, 3, 6, 7, 3, 4, 6, 7, 7, 4, 8, 3, 3, 9, 8, 8, 4, 3, 2, 4, 5,
7, 6, 7, 8, 4, 6, 3, 5, 5, 2, 6, 9, 4, 6, 5, 6, 7, 5, 4, 6! 5, 2, 6, 2, 6, 5,

9, 5, 2? 6, 9, 6, 2, 6, 5, 4, 7, 5, 5, 4, 5, 2, 5, 2, 6, 4, 6, 2, 4, 5, 2,
7, 2, 2, 7, 7, 4, 2, 5, 5, 2, 9, 2, 4, 5, 2, 6! 4, 2, 2, 6, 5, 4, 2, 5, 7,
4, 5, 2, 5, 2, 6, 2, 6, 5, 4, 5, 2, 7, 2, 2, 7, 7, 4, 2, 5, 5, 2, 2, 2, 4,
5, 2! 7, 2, 2, 7, 7, 4, 2, 5, 5, 2, 2, 2, 4, 5, 2, 4, 7, 2, 2, 7, 2, 4, 6, 5,
5, 5, 2, 6, 5, 4, 6, 5, 6, 7, 5, 4! 6, 5, 5, 5, 7! 6, 4, 5, 2, 2, 6, 7, 4, 2,
5, 6, 5, 2, 6! 2, 6, 5, 4, 5? 5, 7, 6, 5, 5, 2, 6, 2, 6, 5, 4, 5, 2, 7, 2, 2,
7, 7, 4, 2, 5, 9, 2, 2, 2, 4, 5, 2, 4! 5, 6, 8, 3? 5, 5, 6, 5, 2, 4, 6, 5,
5, 5, 2! 4, 5, 2, 4, 5, 5, 6, 5! 2, 5, 5, 2, 9, 2, 4, 5, 2, 6! 4, 2, 2, 6, 5,
4, 2! 5, 6, 5, 5, 2, 6, 2, 6, 3, 4, 5, 8, 3, 8, 2, 3, 3, 4, 8, 3, 9, 2, 8, 8,
4, 3, 2, 4, 3, 3, 3, 8, 4, 6, 3, 3, 3, 8! 4, 3, 2, 4, 3, 3, 6, 3, 8, 4! 6, 3,
3, 3, 8, 6, 3, 9, 6, 3, 6, 6, 3, 4, 6, 5, 3, 5, 3! 2, 3, 3, 2, 6, 3, 4, 2,
5, 6, 3, 8, 3, 2, 6, 3, 4, 3? 5, 6, 8, 3? 5, 3, 6, 3, 5, 8, 6, 2, 6, 3, 4,
5, 8, 3, 8, 2, 3, 3, 4, 8, 3, 3, 2, 8! 2, 7, 2, 4, 6, 5, 5, 5, 2, 6, 5, 4, 6,
5, 6, 7, 5, 4! 6, 5, 5, 5, 7! 6, 4, 5, 2, 2, 6, 7, 4, 2, 5, 6, 5, 2, 6! 2, 6,
5, 4, 5? 5, 7, 6, 5, 5, 2, 6, 2, 6, 5, 4, 5, 2, 7, 2, 2, 7, 7, 4, 2, 5, 9,
2, 2, 2, 4, 5, 2, 4, 5, 5, 6, 5, 2, 4, 6, 5, 5, 5, 2! 4, 5, 2, 4, 5, 5, 6, 5!
5, 6, 8, 3? 5, 6, 5, 5, 2, 6, 2, 6, 3, 4, 5, 8, 3, 8, 2, 3, 3, 4, 8, 3, 9, 2,
8, 8, 4, 3, 2, 4, 3, 4, 5, 5, 5, 2! 4, 5, 2, 4, 5, 5, 6, 5! 6, 5, 4, 5? 4,
5? 5, 5, 6, 5, 5, 2, 6, 2, 6, 3, 4, 5, 8, 3, 8, 2, 3, 3, 4, 8, 3, 9, 2, 8,
8, 4, 3, 2, 4, 3, 3, 6, 3, 8, 4, 6, 3, 3, 3, 8! 4, 3, 2, 4, 3, 3, 6, 3, 8, 4!
6, 3, 3, 3, 6, 7, 4, 2, 5, 6, 3, 8, 7, 2, 6, 3, 4, 3? 5, 7, 6, 3, 5, 8, 6, 2,
6, 3, 4, 5, 8, 7, 8, 2, 7, 7, 4, 8, 3, 3, 2, 8! 7, 7, 4, 8, 3, 3, 2, 8, 3, 4,
3, 2, 4, 7, 6, 6, 7, 8, 4, 6, 8, 3, 8, 8, 6, 3, 4, 6, 3, 6, 7, 3, 4, 6, 7, 7,
4, 8, 3, 3, 9, 8, 8, 4, 3, 2, 4, 5, 7, 6, 7, 8, 4, 6, 3, 5, 5, 2, 6, 9, 4, 6,
5, 6, 7, 5, 4, 6! 5, 2, 6, 2, 6, 5, 9, 5, 2? 6, 9, 6, 2, 6, 5, 4, 7, 5, 5, 4,
5, 2, 5, 2, 6, 4, 6, 2, 4, 5, 2, 7, 2, 2, 7, 7, 4, 2, 5, 5, 2, 9, 2, 4, 5,
2, 6! 4, 2, 2, 6, 5, 4, 2, 5, 7, 4, 5, 2, 5, 2, 6, 2, 6, 5, 4, 5, 2, 7, 2,
2, 7, 7, 4, 2, 5, 5, 2, 2, 2, 4, 5, 2! 7, 2, 2, 7, 7, 4, 2, 5, 5, 2, 2, 2.4,
5, 2, 4, 7, 2, 2, 7, 2, 4, 6, 5, 5, 5, 2, 6, 5, 4, 6, 5, 6, 7, 5, 4! 6, 5, 5,
5, 7! 6, 4, 5, 2, 2, 6, 7, 4, 2, 5, 6, 5, 2, 6! 2, 6, 5, 4, 5? 5, 7, 6, 5, 5,
2, 6, 2, 6, 5, 4, 5, 2, 7, 2, 2, 7, 7, 4, 2, 5, 9, 2, 2, 2, 4, 5, 2, 4! 5,
6, 8, 3? 5, 5, 6, 5, 2, 4, 6, 5, 5, 5, 2! 4, 5, 2, 4, 5, 5, 6, 5! 8, 6, 3, 9,
6, 3, 6, 6, 3, 4, 6, 5, 3, 5, 3, 2, 2, 3, 3, 2, 6, 3, 4, 2, 5, 6, 3, 8, 3, 2,

6, 3, 4, 3? 5, 6, 8, 3? 5, 3, 6, 3, 5, 8, 6, 2, 6, 3, 4, 5, 8, 3, 8, 2, 3,
3, 4, 8, 3, 3, 2, 8! 3, 3, 4, 8, 3, 3, 2, 8, 3, 4, 3, 2, 4, 7, 6, 6, 7, 8, 4,
6, 8, 3, 8, 8, 6, 3, 4, 6, 3! 2, 2, 7, 7, 4, 6, 7, 4, 2, 5, 6, 3, 8, 7, 2, 6,
3, 4, 3? 5, 7, 6, 3, 5, 8, 6, 2, 6, 3, 4, 5, 8, 7, 8, 2, 7, 7, 4, 8, 3, 3, 2,
8! 7, 7, 4, 8, 3, 3, 2, 8, 3, 4, 3, 2, 4, 7, 6, 6, 7, 8, 4, 6, 8, 3, 8, 8, 6,
3, 4, 6, 3, 6, 7, 3, 4, 6, 7, 7, 4, 8, 3, 3, 9, 8, 8, 4, 3, 2, 4, 5, 7, 6, 7,
8, 4, 6, 3, 5, 5, 2, 6, 9, 4, 6, 5, 6, 7, 5, 4, 6! 5, 2, 6, 2, 6, 5, 9,5, 2?
6, 9, 6, 2, 6, 5, 4, 7, 5, 5, 4, 5, 2, 5, 2, 6, 4, 6, 2, 4, 5, 2, 7, 2, 2, 7,
7, 4, 2, 5, 5, 2, 9, 2, 4, 5, 2, 6! 4, 2, 2, 6, 5, 4, 2, 5, 7, 4, 5, 2, 5,
2, 6, 2, 6, 5, 4, 5, 2, 7, 2, 2, 7, 7, 4, 2, 5, 5, 2, 2, 2, 4, 5, 2! 7, 2,
2, 7, 7, 4, 2, 5, 5, 2, 2, 2, 4, 5, 2, 4, 7, 2, 2, 7, 2, 4, 6, 5, 5, 5, 2,
6, 5, 4, 6, 5, 6, 7, 5, 4! 6, 5, 5, 5, 7! 6, 4, 5, 2, 2, 6, 7, 4, 2, 5, 6, 5,
2, 6! 2, 6, 5, 4, 5? 5, 7, 6, 5, 5, 2, 6, 2, 6, 5, 4, 5, 2, 7, 2, 2, 7, 7,
2, 5, 9, 2, 2, 2, 4, 5, 2, 4! 5, 6, 8, 3? 5, 5, 6, 5, 2, 4, 6, 5, 5, 5, 2!
4, 5, 2, 4, 5, 6, 5! 2, 5, 5, 2, 9, 2, 4, 5, 2, 6! 4, 2, 2, 6, 5, 4, 2! 5, 5,
6, 5, 5, 2, 6, 2, 6, 3, 4, 5, 8, 3, 8, 2, 3, 3, 4, 8, 3, 9, 2, 8, 8, 4, 3, 2,
4, 3, 3, 6, 3, 8, 4, 6, 3, 3, 3, 8! 4, 3, 2, 4, 3, 3, 6, 3, 8, 4! 6, 3, 3, 3,
8, 6, 3, 9, 6, 3, 6, 6, 3, 4, 6, 5, 3, 5, 3! 2, 2, 3, 2, 6, 3, 4, 2, 5, 6, 3,
8, 3, 2, 6, 3, 4, 3? 5, 6, 8, 3? 5, 3, 6, 3, 5, 8, 6, 2, 6, 3, 5, 8, 3, 8, 2,
3, 3, 4, 8, 3, 3, 2, 8! 2, 7, 2, 4, 6, 5, 5, 5, 2, 6, 5, 4, 6, 5, 6, 7, 5, 4! 6,
5, 5, 5, 7! 6, 4, 5, 2, 2, 6, 7, 4, 2, 5, 6, 5, 2, 6! 2, 6, 5, 4, 5? 5, 7, 6, 5,
5, 2.6, 2, 6, 5, 4, 5, 2, 7, 2, 2, 7, 7, 4, 2, 5, 9, 2, 2, 2, 4, 5, 2, 4, 5,
5, 6, 5, 2, 4, 6, 5, 5, 5, 2! 4, 5, 2, 4, 5, 5, 6, 5! 5, 6, 8, 3? 5, 5, 6, 5,
5, 2, 6, 2, 6, 3, 4, 5, 8, 3, 8, 2, 3, 3, 4, 8, 3, 9, 2, 8, 8, 4, 3, 2, 4, 3,
3, 6, 3, 8, 4, 6, 3, 3, 3, 8! 4, 3, 2, 4, 3, 3, 6, 3, 8, 4, 6, 3! 5, 6, 8, 3?
5, 6, 8, 3? 5, 6, 8, 3! 4, 2, 2, 6, 5, 4, 2, 5, 7, 4, 5, 2, 5, 2, 6, 2, 6,
5, 4, 5, 2, 7, 2, 2, 7, 4, 5, 2, 4, 6, 3, 5, 8, 6, 2, 6, 3, 4, 5, 8, 7, 8, 2,
7, 7, 4, 8, 3, 3, 2, 8! 7, 7, 4, 8, 3, 3, 2, 8, 3, 4, 3, 2, 4, 7, 6, 6, 7, 8,
4, 6, 8, 3, 8, 8, 6, 3, 4, 6, 3, 6, 7, 3, 4, 6, 7, 7, 4, 8, 3, 3, 9, 8, 8, 4,
3, 2, 4, 5, 7, 6, 7, 8, 4, 6, 3, 5, 5, 2, 6, 9, 4, 6, 5, 6, 7, 5, 4, 6! 5, 2,
6, 2, 6, 5, 9, 5, 2? 6, 9, 6, 2, 6, 5, 4, 5, 6, 5, 2, 4, 6, 5, 5, 5, 2, 7, 4,
2, 5, 5, 2, 2, 2, 4, 5, 2! 7, 2, 2, 7, 7, 4, 2, 5, 5, 2, 2, 2, 4, 5, 2, 4,
7, 2, 2, 7, 2, 4, 6, 5, 5, 5, 2, 6, 5, 4, 6, 5, 6, 7, 5, 4! 6, 5, 5, 5, 7!»

На это ушло много времени, точно не знаю, сколько, минуты, часы, сердце ныло, палец ныл, я пытался продолбить пальцем стену между собой и своей жизнью, тык, тык, автомат съел монету, или она повесила трубку, я опять позвонил: «4, 7, 4, 8, 7, 3, 2, 5, 5, 9, 9, 6, 8?» Она сказала: «Это розыгрыш?» Розыгрыш, это не розыгрыш, при чем тут розыгрыш, или это розыгрыш? Она повесила трубку, я опять позвонил: «8, 4, 4, 7, 4, 7, 6, 6, 8, 2, 5, 6, 5, 3!» Она спросила: «Оскар?» Так я впервые услышал его имя... Я был на Дрезденском вокзале, когда лишился всего во второй раз, я писал тебе письмо, зная, что никогда его не отправлю, я часто писал тебе оттуда, или отсюда, или из зоопарка, когда я писал, место не имело значения, мир вокруг переставал существовать, я как будто снова шел к Анне с низко опущенной головой, скрываясь от взглядов, почему и сбил ее с ног, почему и не заметил, как люди начали скапливаться у телевизоров. Только когда врезался второй самолет и кто-то невольно вскрикнул, я поднял голову, у телевизоров теперь стояла толпа, откуда столько народу? Я встал и посмотрел на экран, я не понимал, что показывают, рекламу, новый фильм? Я написал: «Что случилось?» и показал молоденькому бизнесмену, который тоже смотрел, он отхлебнул кофе и сказал: «Пока неизвестно», этот кофе преследует меня, это «пока» преследует меня. Так я и стоял, песчинка в толпе, но только ли смотрел на экран или все было намного сложнее? Я попробовал сосчитать этажи над проломами в зданиях, огонь будет рваться вверх, оттуда людей не спасти, а сколько погибло в самолетах, а сколько на улице, я думал и думал. По дороге домой я остановился у магазина электротоваров, в витрине была целая стена из телевизоров, во всех, кроме одного, горели здания, размноженное изображение, точно мир ни о чем другом не мог говорить, люди столпились на тротуаре, один телевизор, крайний, показывал фильм про животных, лев раздирал фламинго, толпа оживилась, кто-то невольно вскрикнул, розовые перья, я перевел взгляд на соседний экран, в нем продолжало гореть уже только одно здание, сотня потолков стала сотней полов, превратившись в ничто, только я знал, как это бывает, усеянное бумагами небо, розовые перья. Вечером рестораны были полны, люди смеялись, очереди в кинотеатры, в них хотели комедий, мир так велик и так мал, мы были одновременно и близко, и далеко. Шли дни и недели, и я читал списки погибших в газете: мать троих детей, студент-второкурсник, болельщик «Янкиз»[1], брат, биржевой брокер, фокусник-самоучка, любитель розыгрышей, сестра, филантроп, средний сын, собачник, уборщик, единственный сын, предприниматель, официантка, дедушка четырнадцати внуков, профессиональная сиделка, бухгалтер, практикант, джазовый саксофонист, любящий дядя, резервист, поэт-полуночник, сестра, мойщик окон, игрок в скрэбл, пожарник-волонтер, отец, отец, механик лифтов, знаток вина, офис-менеджер, секретарь, повар, финансист, исполнительный директор, орнитолог, посудомойка, ветеран вьетнамской войны, молодая мать, книгочей, единственный сын, профессиональный шахматист, футбольный тренер, брат, аналитик, метрдотель, черный пояс, президент компании, партнер по бриджу, архитектор, водопроводчик, специалист по связям с общественностью, отец, художник, городской проектировщик, молодожен, инвестиционный банкир, шеф-повар, электронный инженер, молодой отец, который был простужен и хотел в то утро не пойти на работу... а потом настал день, когда я увидел тебя, Томас Шелл, моей первой мыслью было, что это я умер. «Остались жена и сын», я подумал, мой сын, я подумал, мой внук, я думал, и думал, и думал, а потом перестал... Когда самолет снизился, и я увидел Манхэттен после сорокалетнего перерыва, я не понял, посадка это или взлет, огни были звездами, ни одного знако-

---

[1] *Yankees* — бейсбольная команда Нью-Йорка.

мого здания, я сказал какому-то человеку: «~~Скорбеть~~ попробовать жить», я ничего не декларировал, я позвонил твоей матери, но объясниться не смог, я опять позвонил, она решила, что это розыгрыш, я опять позвонил, она спросила: «Оскар?» Я пошел в киоск, где продавали журналы, и наменял монет, я опять позвонил, длинные гудки, опять позвонил, длинные гудки, я подождал и еще раз попробовал, я опустился на пол, не понимая, что делать дальше, не понимая, хочу ли я, чтобы было дальше, я опять позвонил: «Добрый день, вы попали в квартиру Шеллов. С вами говорят голосом автоответчика. Если вы звоните мне или бабушке, говорите после сигнала бип. Би-и-ип. Алло?» Это был детский голос, мальчика. «Это не автоответчик. По правде. Bonjour?» Я повесил трубку. Бабушка? Мне о многом нужно было подумать, в такси не успеть, в автобусе тоже, чего я боялся? Я погрузил чемоданы на тележку и пошел пешком, удивительно, но меня никто не остановил ни когда я выкатил тележку на улицу, ни когда выбрался с ней на обочину шоссе, чем дальше, тем все ярче и жарче, я быстро понял, что не дойду, я открыл один чемодан и достал пачку писем, «Моему сыну», я их писал в 1977-м, «Моему сыну», «Моему сыну», я подумал, что мог бы вывалить их на дорогу, наглядное подтверждение тому, как много я тебе не сказал, без них моя ноша стала бы выносимее, но я не посмел, я должен был все донести до тебя, до моего сына. Я взял такси, уже смеркалось, когда мы подъехали к дому твоей матери, я понимал, что должен найти гостиницу, поесть, принять душ и все обдумать, я вырвал из дневника страницу и написал: «Прости», я отдал ее швейцару, он сказал: «Для кого?» Я написал: «Для миссис Шелл», он сказал: «Такая здесь не проживает», я написал: «Проживает», он сказал: «Слушайте, если я вам говорю, что нет, значит, нет», но ведь по телефону я слышал ее голос, могла ли она переехать, сохранив номер, как я ее найду, нужен телефонный справочник. Я написал «Квартира 3D» и показал швейцару. Он сказал: «Мисс Шмидт». Я придвинул дневник к себе и написал: «Это ее девичья фамилия»... Я поселился в гостевой спальне, она оставляла еду на пороге, я слышал ее шаги и изредка звяканье стакана о дверь, тот ли это стакан, из которого я пил когда-то, касались ли его твои губы? Я обнаружил свои старые дневники в корпусе напольных часов, те, что вел до ухода, я бы на ее месте их выкинул, но она сохранила, в одних записей было мало, в других — много, я все перебрал, я нашел нашу встречу и первый день после свадьбы, нашел наше первое Ничто и нашу последнюю прогулку вокруг резервуара, нашел фото перил, и раковин, и каминов, а поверх одной стопки лежал дневник, который я вел, когда впервые решил от нее уйти: «Я не всегда был нем, когда-то я говорил, и говорил, и говорил». Не знаю, над кем она сжалилась, надо мной или над собой, но со временем стала ненадолго ко мне заглядывать, сначала молча, только чтобы прибраться, смахнуть из углов паутину, пропылесосить ковер, поправить картины, но однажды, стирая пыль с ночного столика, сказала: «Можно простить уход, но как простить возвращение?», она вышла и закрыла за собой дверь, я не видел ее три дня, а потом, как ни в чем не бывало, она выкрутила лампочку, которая прекрасно работала, взяла и тут же положила на место несколько вещей, она сказала: «Я не собираюсь делить с тобой мое горе», она закрыла за собой дверь, был ли я заключенным или охранником? Ее приходы участились, мы говорили мало, она старалась на меня не смотреть, но что-то происходило, мы становились ближе, или дальше, я решил рискнуть, я спросил, может ли она мне попозировать, как в нашу первую встречу, она открыла рот, но слов в нем не оказалось, она взяла мою левую руку, бессознательно стиснутую в кулак, означало ли это «да» или просто прикосновение? Я пошел за глиной в магазин художественных принадлежностей, у меня разбежались глаза, пастели в длинных коробках, мастихины, рулоны разнообразной бумаги ручного отлива, я перепробовал все образцы, расписался синей ручкой и зеленой масляной краской, оранжевым карандашом и углем, точно подписывал главную сделку жизни. Я пробыл там больше часа, а купил всего одну упаковку глины, когда я пришел домой, она ждала меня в гостевой спальне, стояла у постели в халате: «Ты много скульптур вылепил за эти годы?» Я написал, что пробовал, но не смог. «Ни одной?» Я показал правую ладонь. «Но думал об этом? Мысленно лепил?» Я показал левую ладонь, она сняла халат и опустилась на диван, я не смог на нее посмотреть, я достал из сумки глину и положил на карточный столик. «Ты хоть раз мысленно меня лепил?» Я написал: «Как ты хочешь позировать?» Она сказала, что это мне решать, я спросил, давно ли здесь этот ковер, она сказала: «Посмотри на меня», я попытался, но не смог, она сказала: «Либо посмотри на меня, либо уходи. Только не стой вот так». Я попросил ее лечь на спину, но это было не то, попросил сесть, не то, скрести руки, поверни голову, все не то, она сказала: «Покажи, как», я подошел, распустил ей волосы, сдавил плечи, как же я хотел ее приласкать, она сказала: «Я истосковалась по ласке. Ты ушел — и некому приласкать». Я отдернул руку, она взяла ее в свои и прижала к плечу, я не знал, что сказать, она спросила: «А тебя?» Зачем лгать, если не во спасение? Я показал левую ладонь. «Кто тебя ласкал?» Места в дневнике не осталось, и я написал на стене: «Так хотелось быть, как все». — «Кто?» Я подивился той честности, с какой рука вывела: «За плату». Она не шелохнулась: «Они хоть были хорошенькие?» — «Не разглядывал». — «Но хорошенькие?» — «Случалось». — «Значит, ты платил им — и все?» — «Мы разговаривали. Я рассказывал о тебе». — «Думаешь, мне от этого легче?» Я посмотрел на глину. «Ты им говорил, что я была беременна?» Я показал левую ладонь. «Говорил про Анну?» Я показал левую ладонь. «Тебе хоть одна из них нравилась?»

Я посмотрел на глину, она сказала: «Спасибо, что не обманываешь», она сняла мою руку с плеча и положила себе между ног, она не отвернулась, не закрыла глаза, она смотрела на наши руки между своих ног, мне почудилось, что я кого-то душу, она расстегнула на мне ремень, опустила ширинку, ее рука проникла в трусы, «Я волнуюсь», — сказал я улыбкой, «Ничего», — сказала она, «Прости», — сказал я улыбкой, «Ничего», — сказала она, она закрыла за собой дверь, потом приоткрыла и спросила: «Ты хоть раз мысленно меня лепил?»... Эта тетрадь слишком тонкая, в нее не уместить всего, что я должен тебе сказать, я могу писать мельче, могу расщепить каждый лист надвое, могу писать по написанному, а потом? По вечерам к ней кто-то приходил, я слышал, как открывается дверь, и шаги, шажочки, обрывки разговора, детский голос, почти как пение, я уже слышал его, когда звонил из аэропорта, они могли болтать часами, однажды, когда она пришла позировать, я спросил, кто ее навещает, она сказала: «Мой внук». — «У меня есть внук». — «Нет, — сказала она. — У меня есть внук». — «Как его зовут?» Мы опять попробовали жить, мы раздели друг друга с неспешностью людей, познавших цену своих ошибок, она легла на постель лицом вниз, на поясе — след от брюк, которые уже много лет на ней не сходились, бедра в складках, я зажал их между ДА и НЕТ, она сказала: «Ни на что не обращай внимания», я раздвинул ей ноги, она вдохнула, я видел самую скрытую часть ее тела, а она даже не могла на меня посмотреть, я подсунул под нее руку, она согнула ноги в коленях, я закрыл глаза, она сказала: «Ляг на меня», написать, что я волнуюсь, было негде, она сказала: «Ляг на меня». Я боялся ее раздавить, она сказала: «Навались всем весом», я погрузился в нее, она сказала: «Как же я этого хотела», что мне стоило промолчать, зачем было что-то еще писать, лучше бы поломал себе пальцы, я взял ручку с ночного столика и написал: «Могу я его увидеть?» на своем предплечье. Она повернулась, выплеснув меня из себя: «Нет». Я умоляюще сложил руки. «Нет». — «Пожалуйста». «Пожалуйста». «Он не будет знать, кто я. Только увидеть». — «Нет». — «Почему нет?» — «Потому». — «Объясни». — «Потому что я меняла ему пеленки. И два года не могла спать на животе. И учила его разговаривать. И плакала вместе с ним. А когда он капризничал, он на меня кричал». «Я бы мог спрятаться в гардеробной и посмотреть через замочную скважину». Я думал, она скажет нет, но она сказала: «Если он тебя увидит, считай, что ты меня предал». Пожалела она меня, хотела помучить? Утром она отвела меня в гардеробную напротив гостиной, она тоже туда вошла, мы простояли там целый день, хотя она знала, что он не придет до вечера, было тесно, мы не могли так близко, мы нуждались в Ничто, она сказала: «Вот каково мне было, только одной». Мы смотрели друг на друга в молчании много часов. Когда раздался звонок, она вышла в прихожую, я встал на четвереньки, чтобы примоститься к замочной скважине, я увидел открывающуюся дверь, белые ботиночки, «Оскар!» — сказала она, отрывая его от пола, «Я в порядке», — сказал он, наша напевность, в его голосе я услышал свой голос, и голос моего отца, и деда, и впервые в жизни — твой, «Оскар!» — повторила она, снова его подхватывая, я увидел его лицо, глаза Анны, «Я в порядке», — повторил он, он спросил, где она была, «Разговаривала с жильцом», — сказала она. Жилец? «Он дома?» — спросил он, «Нет, — сказала она, — пошел по делам». — «Но когда же он успел выйти?» — «Прямо перед твоим приходом». — «Ты же сказала, что вы разговаривали». Он знал обо мне, не знал, кто я, но знал о том, что у нее кто-то есть, и знал, что она его обманывает, это было ясно по голосу, по моему голосу, по твоему голосу, я должен был поговорить с ним, но что я скажу? Я твой дед, я тебя люблю, прости? Может, сказать ему все, что я не сказал тебе, отдать письма, которые для тебя писались. Но она мне этого никогда не позволит, и предать я ее не могу, значит, нужен какой-то другой способ... Как мне быть, бумага кончается, а я еще столько всего тебе не сказал, слова напирают на стены тюрьмы страницы, назавтра твоя мать пришла в гостевую спальню позировать, я помял глину своими ДА и НЕТ, она стала податливой, я вдавил большие пальцы в мякоть ее щек, высвободив нос, оставив на лице отпечатки своих пальцев, я прорезал зрачки, обозначил линию бровей, сделал углубление между нижней губой и подбородком, я взял дневник и подошел к ней. Я стал писать про то, где был и что делал все эти годы, как зарабатывал, с кем проводил время, над чем размышлял, что слушал, что ел, но она вырвала эту страницу: «Мне все равно», — сказала она, не знаю, насколько искренне, на следующей чистой странице я написал: «Я расскажу все, о чем бы ты ни спросила», она сказала: «Понимаю, что так тебе будет легче, но ничего не хочу знать». Возможно ли это? Я попросил рассказать, каким был ты, она сказала: «Не наш сын, а мой», я попросил рассказать, каким был ее сын, она сказала: «На День Благодарения я всегда готовила индейку и тыквенный пирог. Расспрашивала мальчишек в школьном дворе, какие им нравятся игрушки. Их и покупала. Дома мы разговаривали только по-английски. Но он все равно превратился в тебя». — «В меня?» — «На все только «да» и «нет». — «Он куда-нибудь поступил после школы?» — «Я его умоляла найти университет поближе, но он уехал в Калифорнию. Даже в этом был похож на тебя». — «На кого он учился?» — «На адвоката, но потом занялся нашим бизнесом. Он ненавидел драгоценности». — «Почему ты не продала магазин?» — «Я его умоляла. Умоляла стать адвокатом». — «А он?» — «Он хотел быть, как отец». Прости, если это правда, мне меньше всего хотелось, чтобы ты стал похож на меня, я ведь и ушел для того, чтобы ты стал похож на себя. Она сказала: «Он пытался тебя разыскать. Я дала ему то единственное письмо, которое ты прислал. Он был как в лихорадке, перечитывал его без конца. Не знаю, что ты написал, но он задался целью тебя найти». На следующей чистой странице я написал: «Как-то я открыл дверь — а там он». — «Он нашел тебя?» — «Мы ни о чем не поговорили». — «Я не знала, что он тебя нашел». — «Он не представился. Волновался, наверное. А может, увидел и разочаровался. Он выдал себя за журналиста. Так это было неловко. Сказал, что пишет статью об уцелевших жителях Дрездена». — «Ты рассказал ему про ту ночь?» — «Это было в письме». — «Что ты написал?» — «Ты не читала?» — «Ты же не мне его послал». — «Ужасно. Мы столько всего не смогли друг другу сказать. Комната пропиталась нашим неразговором». Я не сказал, что перестал есть, когда ты ушел, так исхудал, что после мытья вода оставалась в выемках между костей, почему никто тогда не спросил, что со мной? Спросили бы — и никогда бы уже к еде не притронулся. «Но как ты узнал, что это твой сын, если он не сказал?» — «Разве можно не узнать сына?» Она положила руку мне на грудь, на мое сердце, я положил руки на ее бедра, я обнял ее, она расстегнула мои брюки, «Я волнуюсь», что бы я ни делал, скульптура выходила все больше и больше похожей на Анну, она закрыла за собой дверь, бумага кончается... Днем я чаще всего бродил по городу, узнавал его заново, сходил в старую Колумбийскую булочную, которой не оказалось, на ее месте был магазин «99 центов», где все стоило дороже, чем девяносто девять центов. Я прошел мимо ателье, в котором раньше подшивал брюки, вместо ателье был банк, без банковской карточки даже дверь не откроешь, я все обошел, вниз по правой стороне Бродвея, вверх — по левой, на месте часовой мастерской был видеопрокат, на месте цветочного базара — магазин видеоигр, бывшая лавка мясника называлась суши, что такое суши и куда теперь носят сломанные часы? Я полюбил собачью площадку у Музея естественной истории, бультерьер, лабрадор, голден ретривер, один я без собаки, сидел и думал, думал, как мне сблизиться с Оскаром, оставаясь в тени, не предав тебя, не предав твоей матери и не предав себя, я готов был всюду таскать за собой дверь гардеробной, чтобы смотреть на него в замочную скважину, я сделал то, что посчитал возможным. Я решил все про него узнать, когда уходит в школу, когда возвращается домой, где живут его друзья, любимые магазины, я ходил за ним по пятам, но не предал твоей матери, потому что он меня не увидел. Я думал, что так и будет, но вот опять в какой уже раз ошибся. Не помню, когда мне впервые показалось странным, что он так много гуляет и так далеко уходит, почему, кроме меня, никто за ним не следит, как его отпускают в такую даль совсем одного. По выходным, с утра, он появлялся на улице со стариком, и они шли куда-то через весь город, я составил карту их маршрутов, но не увидел системы, системы не было, чем они занимались? И кем был этот старик, друг, учитель, суррогат деда? И почему они заходили в дома всего на несколько минут — пытались что-то продать, собирали информацию? Что знает об этом его бабушка, волнуется ли о нем кто-нибудь, кроме меня? Я дождался, пока они ушли из какого-то дома в Статен Айленде, и постучал в дверь, «Глазам не верю, — сказала женщина, — еще один!» — «Простите, — написал я, — я не говорю. К вам только что заходил мой внук. Вы не могли бы сказать, зачем?» Женщина сказала: «Хороша семейка». Я подумал: мы семейка. «Я только что говорила с его матерью». Я написал: «Зачем он приходил?» Она сказала: «За ключом». Я спросил: «Каким ключом?» Она сказала: «От замка». — «Какого замка?» — «Вы разве не знаете?» Я ходил за ним восемь месяцев и расспрашивал людей, которых он расспрашивал, я узнавал про него, как он узнавал про тебя, он пытался найти тебя, как ты пытался найти меня, сердце мое разорвалось на мелкие кусочки, их уже никогда не составить вместе, почему мы никогда не говорим друг другу того, что думаем?

Как-то я поехал за ним в центр города, в метро мы сели напротив, старик покосился на меня, прожег ли его мой взгляд, заметил ли он руки, тянущиеся к нему через проход, догадался ли, что занимает мое место рядом с Оскаром. Они зашли в кафе, на обратном пути я их потерял, обычное дело, ведь так трудно держаться близко, оставаясь в тени, а предать ее я не мог. Возвратившись на Верхний Вест-сайд, я зашел в книжный, я не мог сразу идти домой, нужно было подумать, в конце прохода стоял человек, который показался мне похожим на Симона Голдберга, он тоже выбирал детские книги, чем дольше я на него смотрел, тем больше сомневался, тем больше хотел, чтобы это был он, могли ли его отправить на каторгу, а не на смерть? Кулаки дрожали в моих карманах, мелочь звенела, я старался не жечь его взглядом, старался не тянуть к нему рук, может ли это быть, узнал ли он меня, он писал когда-то: «Очень надеюсь, что наши пути, сколь бы длинными и запутанными ни оказались, пересекутся вновь». Пятьдесят лет спустя на нем были все те же очки с толстыми линзами и рубашка ослепительной белизны, он неохотно возвращал книги на полку, я подошел. «Я не говорю, — написал я. — Прости». Он обхватил меня руками и стиснул, его сердце стучало мне в грудь, оно было совсем рядом с моим, но бухало вразнобой, ничего не сказав, он отвернулся и поспешно вышел из магазина на улицу, я почти уверен, что это был не он, мне нужна нескончаемая чистая тетрадь и вечность… Назавтра Оскар и старик поднялись на Эмпайр Стейт Билдинг, я остался на улице. Я запрокинул голову, надеясь его разглядеть, моя шея горела, заметил ли он меня сверху, связывало ли нас нечто, о чем мы и сами не догадывались? Через час распахнулся лифт, и из него вышел старик, уж не бросил ли он Оскара там, на такой высоте, совсем одного, беззащитного? Я его ненавидел. Я начал что-то писать, он подошел и схватил меня за воротник. «Слушайте, — сказал он, — кто бы вы ни были, мне не нравится, что вы за нами следите. Совсем. По-хорошему прошу: отвалите». Тетрадь упала на пол, поэтому ответить я не мог. «Если я еще раз замечу вас возле мальчика…» Я указал на пол, он выпустил воротник, я поднял тетрадь и написал: «Я его дед. Я не говорю. Простите». — «Дед?» Я отлистнул назад и указал на то, что начал писать до этого: «Где он?» — «У Оскара нет деда». Я ткнул в страницу. «Он спускается по лестнице». Я торопливо принялся объяснять, почерк становился все неразборчивее, он сказал: «Оскар не стал бы меня обманывать». Я написал: «Он не обманывает. Он не знает». Старик достал из-под рубашки цепочку и посмотрел на нее, кулон был компасом, он сказал: «Оскар мой друг. Я должен ему сказать». — «Он мой внук. Прошу вас, не говорите». — «Это вы должны были его сопровождать». — «Я и сопровождал». — «А его мама?» — «Что мама?» Мы услышали пение Оскара за углом, оно становилось громче, старик сказал: «Он хороший мальчик» и ушел. Я вернулся домой, в пустую квартиру. Я подумал о том, чтобы сложить чемоданы, я подумал о том, чтобы выброситься из окна, я сидел на постели и думал, я думал о тебе. Что ты любил есть, какую музыку слушал, как звали девочку, которую ты впервые поцеловал, и где, и как, бумага кончается, мне нужна нескончаемая чистая тетрадь и вечность, я не знаю, сколько прошло времени, время перестало существовать, мне больше незачем было за ним следить. В дверь позвонили, я не шелохнулся, какое мне дело, кто звонит, я хотел быть один по другую сторону окна. Дверь открылась, я услышал его голос, вот он — мой смысл, «Бабушка?» Он был в квартире, мы с ним впервые оказались одни, дед и внук. Я слышал, как он ходит по комнатам, что-то двигает, открывает и закрывает, что он ищет, почему он все время ищет? Он подошел к моей двери: «Бабушка?» Я не хотел ее предавать, я выключил свет, чего я боялся? «Бабушка?» Он заплакал, мой внук заплакал. «Пожалуйста. Ты мне очень нужна. Если ты там, открой, пожалуйста». Я включил свет, почему я перестал бояться? «Пожалуйста». Я открыл дверь, и мы увидели друг друга, я увидел себя. «Вы жилец?» Я вернулся в комнату и взял из шкафа эту тетрадь, она уже почти на исходе, я подошел к нему и написал: «Я не говорю. Прости». Я таял под его взглядом, он спросил, кто я, я не знал, что сказать, я предложил ему зайти, он спросил, был ли я незнакомым, я не знал, что сказать, он продолжал плакать, я не знал, как его обнять, бумага кончается. Мы подошли к постели, он сел, я ни о чем не спросил и не сказал о том, что про него знаю, мы не говорили о пустяках, не стали друзьями, я мог оказаться кем угодно, он начал с начала, ваза, ключ, Бруклин, Квинс, я знал это наизусть. Бедное дитя, излить душу первому встречному, я хотел возвести вокруг него стены, отделить внутреннее от внешнего, я хотел дать ему нескончаемую чистую тетрадь и вечность, он рассказал про то, как поднялся на Эмпайр Стейт Билдинг, как его друг сказал, что завязывает, такого поворота я не ожидал, но если это соединило меня с внуком, значит, так было надо, оно того стоило. Мне хотелось обнять его, сказать, что даже если все его предадут, я не предам, он говорил без умолку, слова падали в бездонную пропасть его печали, «Папа, — сказал он, — мой папа», он побежал через дорогу и принес телефон: «Вот его последние слова».

СООБЩЕНИЕ ПЯТОЕ.

10:04. ЭТО ПА   Й ПАПА. ЧЕР   Й ПАПА. ЗНАЮ
СЛЫШ   ЛИ   ЧТО-ЛИ   ЭТО Я АЛЛО?
СЛЫШИШЬ МЕНЯ? МЫ   НА КРЫШУ   ВСЁ
ОК   ПОРЯДОК   СКОРО   ПРОСТИ
СЛЫШИШЬ МЕНЯ   ОЧЕНЬ   СЛУЧИЛОСЬ,
ПОМНИ —

Запись обрывалась, голос у тебя был совсем спокойный, перед смертью так не звучат, жаль, что нам уже не посидеть за столом напротив друг друга, часами разговаривая о пустяках, жаль, что больше нельзя терять время, мне нужна нескончаемая чистая тетрадь и вечность. Я сказал Оскару, что лучше не говорить бабушке про нашу встречу, он не спросил, почему, интересно, что он подумал, я сказал, чтобы он бросил камушек в окно гостевой спальни, если захочет со мной поговорить, я спущусь и буду ждать его на углу, я боялся, что никогда больше его не увижу, не растаю под его взглядом, в ту ночь мы с твоей матерью занимались любовью первый раз после моего возвращения и последний раз в жизни, я не думал, что это последний, я поцеловал Анну в последний раз, увидел родителей в последний раз, говорил в последний раз, почему же я так и не научился жить, как в последний раз, почему я так верил в будущее, она сказала: «Я хочу тебе что-то показать», она повела меня во вторую спальню, ее рука сжимала мое ДА, она распахнула дверь и указала на кровать: «Здесь он спал», я потрогал простыни, опустился на пол и втянул запах твоей подушки, я хотел втянуть все, твою пыль, она сказала: «Много-много лет назад. Тридцать лет». Я лег на кровать, я хотел знать, что ты чувствовал, хотел все тебе рассказать, она легла рядом, она спросила: «Ты веришь в рай и ад?» Я приподнял правую ладонь, «И я нет, — сказала она. — По-моему, после смерти — это как до рождения», ее ладонь была раскрыта, я вложил в нее свое ДА, наши пальцы сплелись, она сказала: «Подумай, сколько всего еще не родилось. Сколько разных детишек. А некоторым так и не суждено родиться. Грустно, да?» Я не знал, грустно ли это, родители, которые так и не найдут друг друга, аборты, я закрыл глаза, она сказала: «Незадолго до бомбежек отец отвел меня в сарай. Дал попробовать виски, разрешил затянуться трубкой. Я себя почувствовала такой взрослой, такой особенной. Он спросил, что я знаю про секс. Я закашлялась. Он засмеялся, а потом стал серьезным. Он спросил, сумею ли уложить чемодан, знаю ли, что нельзя соглашаться на первое предложение, смогу ли развести огонь, если придется. Я так любила отца. Я страстно его любила. Но я не знала, как ему об этом сказать». Я повернул голову и припал к ее плечу, она положила руку на мою щеку, совсем как моя мама когда-то, что бы она ни делала, мне это кого-то напоминало, «Жаль, — сказала она, — что жизнь так бесценна», я повернулся набок и обнял ее, бумага кончается, я закрыл глаза и поцеловал ее в губы, в губы моей матери, в губы Анны, в твои губы, я не умел быть с ней и больше ни с кем. «Сколько нервов из-за нее тратим», — сказала она, расстегивая свою рубашку, я расстегнул свою, она сняла свои брюки, я снял свои, «Столько нервов», я коснулся ее и коснулся всех, «Одна нервотрепка», это был наш последний раз, я был с ней и я был со всеми, когда она встала, чтобы сходить в ванную, на простынях была кровь, спать я ушел в гостевую спальню, как же еще много всего осталось, о чем тебе уже никогда не узнать. Утром я проснулся от стука в окно, я сказал твоей матери, что иду гулять, она ни о чем не спросила, что она знала, почему позволила мне уйти? Оскар стоял под фонарем, он сказал: «Я хочу раскопать его могилу». В эти два последних месяца мы с ним виделись ежедневно, мы разрабатывали наш план во всех подробностях, мы пробовали копать в Центральном парке, подробности напомнили мне наши правила, я не могу есть

ПРОСТОЕ РЕШЕНИЕ
НЕРАЗРЕШИМОЙ ЗАДАЧИ

На следующий день после того, как мы с жильцом раскопали папину могилу, я пошел к мистеру Блэку. Я считал, что ему следует об этом знать, хоть он и завязал. Но когда я постучал, открыл мне не мистер Блэк. «Слушаю тебя», — сказала женщина. Ее очки болтались на цепочке вокруг шеи, и она держала папку, из которой торчало много бумаг. «Вы не мистер Блэк». — «Кто?» — «Мистер Блэк, который тут живет. Где он?» — «К сожалению, не знаю». — «С ним все в порядке?» — «Очевидно. Я не знаю». — «Вы кто?» — «Риелтор». — «Что это?» — «Я продаю эту квартиру». — «Почему?» — «Очевидно потому, что владелец решил ее продать. Я только выручаю коллегу». — «Выручаете коллегу?» — «Риелтор этой квартиры заболел». — «Вы не знаете, как мне найти владельца?» — «Боюсь, что нет». — «Это мой друг».

Она сказала: «Они еще утром должны были приехать и все отсюда забрать». — «Кто?» — «Они. Я не знаю. Подрядчики. Мусорщики. Они». — «Может, грузчики?» — «Я не знаю». — «Его вещи выкинут?» — «Или продадут. Будь у меня запредельно много денег, я бы купил все и отвез в хранилище. Я сказал: «Я оставил там одну вещь. Она моя, поэтому ее нельзя ни продать, ни выкинуть. Мне надо ее забрать. Разрешите».

Я пошел к биографическому индексу. Само собой, я не мог спасти его целиком, но хотел кое-что сделать. Я выдвинул ящичек «Б» и перелистал карточки. Я нашел карточку на мистера Блэка. Я знал, что поступаю правильно, поэтому достал ее и спрятал в нагрудный карман комбинезона.

Потом уже без всякой цели я подошел к ящичку «Ш». Айрис Шармель, Джек Уорнер Шейфер, Барри Шек, Жан де Шеландр... И вдруг: Шелл.

Сначала я обрадовался, поняв, что мои усилия не пропали зря, потому что теперь папа был Выдающимся и биографически значимым, и его не забудут. Но потом я присмотрелся и увидел, что карточка не на папу.

ОСКАР ШЕЛЛ: СЫН

Жаль, я не знал, что больше не увижу мистера Блэка, когда мы пожимали друг другу руки. Я бы его руку не выпустил. Или настоял бы, чтобы он продолжал искать вместе со мной. Или рассказал бы ему, как не ответил на папин звонок. Но я не знал, как не знал этого и про папу, когда он в последний раз укладывал меня спать, потому что этого никогда не знаешь. Поэтому когда он сказал: «Я завязываю. Надеюсь, ты понимаешь», я сказал: «Понимаю», хотя и не понимал. А на смотровую площадку Эмпайр Стейт Билдинг я к нему не пошел, потому что верить, что он там, было лучше, чем знать.

Я продолжал искать замок и после того, как он сказал, что завязывает, но это было уже не то.

Я сходил в Фар Рокавей, и в Бойрум Хилл, и в Лонг Айленд Сити.

Я сходил в Дамбо, и в Испанский гарлем, и в Митпэкинг дистрикт.

Я сходил во Флэтбуш, и Тюдор-сити, и в Литл Итали.

Я сходил в Бедфорд-Стайвесант, и Инвуд, и Ред Хук[1].

Не знаю, почему — потому ли, что рядом не было мистера Блэка, потому ли, что стал обсуждать с жильцом, как мы раскопаем папину могилу, потому ли, что так долго не было результата, — но я больше не чувствовал, что поиск приближает меня к папе. Кажется, я и в замок-то перестал верить.

Моим последним Блэком был Питер. Он жил в районе Шугар Хилл, который находится в Гамильтон Хайтс, а это в Гарлеме. Когда я подошел к дому, на ступеньке крыльца сидел человек. На коленях у него была малышка, и он с ней беседовал, хотя малыши, само собой, не понимают слов. «Вы Питер Блэк?» — «А ты кто?» — «Оскар Шелл». Он похлопал рукой по ступеньке, приглашая меня сесть рядом, если я хочу, что мне понравилось, хотя я предпочел стоять. «Ваша малышка?» — «Малыш». — «Ваш малыш?» — «Да». — «Можно его погладить?» — «Конечно», — сказал он. Я не ожидал, что у малыша окажется такая нежная головка, такие крохотные глазки и пальчики. «Он совсем беззащитный», — сказал я. «Да, — сказал Питер, — но с нами ему нечего бояться». — «Он уже ест еду?» — «Еще нет. Только пьет молочко». — «Он часто плачет?» — «Как сказать. По мне, так даже слишком». — «Но это не потому, что ему грустно, да? Просто от голода или типа того». — «Кто это знает». Мне понравилось, как малыш сжимал кулачки. Я задумался, есть ли у него мысли или он больше как детеныш

---

[1] Районы в Бруклине, Квинсе и Манхэттене.

животного. «Хочешь его подержать?» — «Не думаю, что это хорошая мысль» — «Почему нет?» — «Я не умею держать малышей». — «Если хочешь, я тебя научу. Это нетрудно». — «О'кей». — «Тогда садись, — сказал он. — Ну, вот. Одну руку подложи вот сюда. Совершенно верно. Хорошо. А второй придерживай ему головку. Правильно. Теперь легонько прижми к груди. Правильно. Так-так. А говоришь, не умеешь. Смотри, как ему нравится». — «Нормально?» — «Отлично». — «Как его зовут?» — «Питер». — «Я думал, Питер — это вы». — «Мы оба Питеры». Тут я впервые задумался, почему меня не зовут, как папу, хотя я не задумался, почему жильца зовут Томас. Я сказал: «Эй, Питер. Я тебя защищу».

Вернувшись в тот день домой (через восемь месяцев после начала поиска), я был измотан, раздражен и подавлен, а мне хотелось радоваться.

Я пошел в свою лабораторию, но экспериментировать было неохота. Неохота было ни играть на тамбурине, ни кормить конфетами Бакминстера, ни раскладывать по альбомам марки, ни листать «Всякую всячину, которая со мной приключилась».

Мама и Рон по-семейному сидели в столовой, хотя он не был членом нашей семьи. Я пошел на кухню взять сухого мороженого. Я посмотрел на телефон. Новый телефон. Он посмотрел на меня. Когда он звонил, я кричал: «Телефон!», потому что не хотел до него дотрагиваться. Мне было неприятно даже находиться с ним в одной комнате.

Я нажал на кнопку «Прослушать сообщения», чего не делал с наихудшего дня, когда еще был старый телефон.

Сообщение первое. Суббота, 11:52. *Добрый день, сообщение для Оскара Шелла. Оскар, это Абби Блэк. Ты только что был у меня и интересовался ключом. Я сказала неправду и, наверное, могла бы тебе помочь. Позвони, пожа —*

Здесь запись обрывалась.

Абби была моим вторым Блэком, я заходил к ней восемь месяцев назад. Она жила в самом узком доме Нью-Йорка. Я ей сказал, что она зыкинская. Она раскололась. Я ей сказал, что она зыкинская. Она назвала меня сладким. Она заплакала, когда я сказал, что у слонов нет Э.С.В. Я спросил, можно ли нам поцеловаться. Она не сказала нет. Ее сообщение ждало меня восемь месяцев.

«Мам?» — «Да?» — «Я пошел по делам». — «Хорошо». — «Буду позже». — «Хорошо». — «Когда — не знаю. Может, жутко поздно». — «Хорошо». Почему она ни о чем не спросила? Почему не остановила меня, не бросилась защищать?

Поскольку уже темнело и на улице все куда-то неслись, я столкнулся с гуголплексом людей. Кто они? Куда идут? Что ищут? Я хотел слышать их сердцебиение и хотел, чтобы они услышали мое.

Остановка метро была всего в двух кварталах от ее дома, и когда я пришел, дверь была чуточку приоткрыта, как если бы она знала, что я приду, хотя, само собой, откуда ей было знать. Тогда почему дверь была приоткрыта?

«Здрасьте? Кто-нибудь дома? Это Оскар Шелл».

Она подошла к двери.

У меня отлегло от сердца, а то я боялся, что вдруг ее изобрел.

«Вы меня помните?» — «Конечно, Оскар. Ты вырос». — «Правда?» — «Значительно. Сантиметров на пять». — «Я был так занят поиском, что давно себя не измерял». — «Проходи, — сказала она. — Я уже не ждала, что ты появишься. Сколько времени прошло». Я сказал: «Я боюсь телефона».

Она сказала: «Я много про тебя думала». Я сказал: «В том сообщении». — «Давнем?» — «Про какую вы говорите неправду?» — «Я сказала, что ничего не знаю про ключ». — «Хотя знали?» — «Да. То есть, нет. Не я. Мой муж». — «Почему же вы не сказали?» — «Не могла». — «Почему не могли?» — «Не почему, просто». — «Это не ответ». — «Мы поругались». — «Я же про папу спрашивал!» — «А я с мужем поругалась». — «Его убили!»

«Я это сделала ему назло». — «Почему?» — «В отместку». — «Почему?» — «Потому что люди делают друг другу больно. Мы так устроены». — «Я не так устроен». — «Я знаю». — «Я восемь месяцев потратил на то, что мог узнать за восемь секунд!» — «Я тебе сразу же позвонила. Как только ты ушел». — «Вы мне сделали больно!» — «Ну, прости меня».

«*Вы это*, — сказал я. — Не договорили про мужа». Она сказала: «Он тебя разыскивает». — «*Он — меня?*» — «Да». — «А *я его!*» — «Он все тебе объяснит. Позвони ему». — «Я сержусь, что вы мне сказали неправду». — «Я знаю». — «Вы чуть не загубили мне жизнь».

Она была запредельно близко.

Я чувствовал запах ее дыхания.

Она сказала: «Если хочешь меня поцеловать, я разрешаю». — «Что?» — «В тот раз ты спрашивал, можем ли мы поцеловаться. Я не разрешила, а теперь разрешаю». — «Мне совестно за тот раз». — «Ну и напрасно». — «Я не хочу, чтобы вы разрешали из жалости». — «Ты меня поцелуешь, — сказала она. — А я тебя». Я спросил: «Может, лучше обнимемся?»

Она прижала меня к себе.

Я заплакал и стиснул ее изо всех сил. У нее намокло плечо, и я подумал: *Может, правда, что можно выплакать все слезы. Может, бабушка права.* Это было бы кстати, потому что я хотел, чтобы нечему стало течь.

И потом внезапно мне было озарение, и пол куда-то ушел, и я, типа, повис.

Я отпрянул.

«Почему у вашего сообщения нет конца?» — «Я не понимаю». — «Вы мне оставили сообщение. Оно обрывается посредине». — «Наверное, потому что твоя мама подняла трубку».

«Моя мама подняла трубку?» — «Да». — «И дальше?» — «В каком смысле?» — «Вы поговорили?» — «Недолго». — «Что вы ей сказали?» — «Я не помню». — «Но сказали, что я к вам приходил?» — «Конечно. Зря?»

Я не знал, зря или не зря. Я не понимал, почему мама ничего не сказала мне про этот разговор или хотя бы про сообщение.

«А ключ? Вы про ключ ей сказали?» — «Я думала, она знает». — «И про поиск?»

Я ничего не понимал.

Почему мама ничего не сказала?

Не помогала мне?

Не волновалась за меня?

И вдруг мне все стало ясно.

Вдруг я понял, почему, когда мама спрашивала, куда я иду, и я отвечал «По делам», она ничего не уточняла. Зачем уточнять, если она и так знала.

Так вот почему Ада знала, что я живу в Верхнем Вест-сайде, а Кэрол испекла печенье к моему приходу, а Shveitsar215@hotmail.com сказал «Удачи, Оскар», когда мы попрощались, хотя я на девяносто девять процентов уверен, что не говорил ему, как меня зовут.

Они меня ждали.

Мама всех их предупредила.

Даже мистера Блэка. Конечно же, он знал, что я к нему приду, потому что она ему сказала. Возможно, она же и попросила его всюду ходить со мной, чтобы мне было веселее, а ей — спокойнее. Может, я вообще ему не нравился? Может, все его крутейшие истории выдуманные? А слуховой аппарат? А кровать с притяжением? Может, пули и розы вовсе не пули и розы?

С первого дня.

Все.

Всё.

Наверное, бабушка тоже знала.

Наверное, даже жилец.

Может, и жилец не жилец?

Поиск был пьесой, которую сочинила мама, и она знала финал, когда я был еще в самом начале.

Я спросил у Абби: «Ваша дверь была приоткрыта, потому что вы меня ждали?» Несколько секунд она ничего не говорила. Потом она сказала: «Да».

«Где ваш муж?» — «Он больше не мой муж». — «Я. Ничего. Не. ПОНИМАЮ!» — «Он мой бывший муж». — «Где он?» — «На работе» — «В воскресенье вечером?» Она сказала: «Он занимается внешними рынками». — «Что?» — «В Японии уже утро понедельника».

«Вас хочет видеть молодой человек», — сказала женщина за столом в телефон, и было странно представлять его на другом конце, тем более что я совсем запутался, кто «он». «Да, — сказала она, — очень молодой человек». Потом она сказала: «Нет». Потом она сказала: «Оскар Шелл». Потом она сказала: «Да. Он говорит, что хочет вас видеть».

«Простите, вы по какому вопросу?» — спросила она меня. «Он говорит, по папиному», — сказала она в телефон. Потом она сказала: «Так он сказал». Потом она сказала: «Поняла». Потом она сказала: «Пройдите по коридору. Третья дверь налево».

На стенах висели картины, видимо, знаменитые. За окнами были запредельно красивые виды, папа бы заценил. Но я ничего не рассматривал и не щелкал фотиком. Я сосредоточился по максимуму, потому что замок был совсем рядом. Я постучал в третью дверь слева, на которой была табличка УИЛЬЯМ БЛЭК. Изнутри сказали: «Войдите».

«Так в чем, собственно, дело?» — сказал мужчина за рабочим столом. Ему было столько же лет, сколько могло быть папе, а может, и было, если покойники взрослеют. У него были пепельно-коричневые волосы, бородка и круглые коричневые очки. Он казался знакомым, и сначала я подумал, что видел его в бинокль со смотровой площадки Эмпайр Стейт Билдинг. Но потом понял, что это невозможно, потому что мы были на Пятьдесят седьмой улице, а это, само собой, севернее. На его столе было несколько фоток. Первым делом я посмотрел на них, чтобы узнать, нет ли там папы.

Я спросил: «Вы знали моего папу?» Он откинулся на стуле и сказал: «Возможно. Как его звали?» — «Томас Шелл». Он задумался. Мне не понравилось, что ему пришлось задуматься. «Нет, — сказал он. — Шеллов среди моих знакомых нет». — «Не было». — «То есть?» — «Он умер, так что уже и не будет». — «Мои соболезнования». — «Но вы не могли его не знать». — «Нет. Я абсолютно уверен». — «Вы его *знали*».

Я сказал: «Я нашел конверт с вашим именем и думал, что, может, он вашей жены, то есть бывшей жены, но она сказала, что нет, а вас зовут Уильям, а до «у» я бы еще долго не дошел...» — «Жены?» — «Я был у нее, и она мне про вас сказала». — «Где был?» — «В самом узком доме Нью-Йорка». — «Как она?» — «В каком смысле?» — «Вообще». — «Грустила». — «Почему ты решил?» — «Она была грустной». — «Что она делала?» — «Ничего. Уговаривала меня поесть, хотя я сказал, что не голоден. Там еще кто-то был в другой комнате, когда мы разговаривали». — «Мужчина?» — «Ага». — «Ты его видел?» — «Один раз он прошел мимо двери, а так, в основном, кричал». *«Кричал?»* — «Жутко громко». — «Что кричал?» — «Я не вслушивался». — «Что-нибудь угрожающее?» — «Это как?» — «Пугающее?» — «Я хочу знать про папу». — «Когда это было?» — «Восемь месяцев назад». — «Восемь месяцев назад?» — «Семь месяцев и двадцать восемь дней». Он улыбнулся. «Почему вы улыбаетесь?» Он уткнулся в ладони, как будто хотел заплакать, но не запла-

353

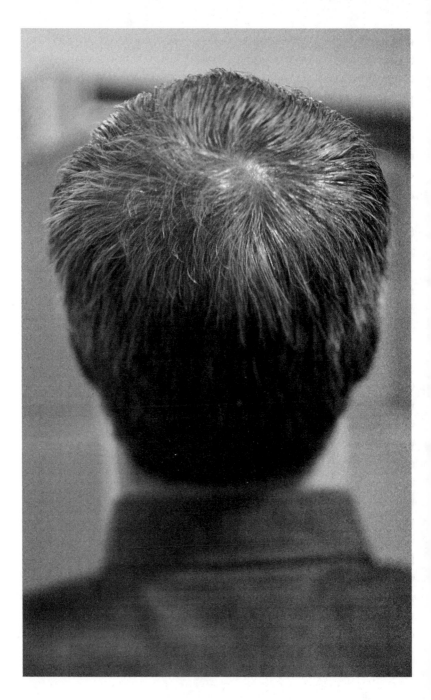

кал. Он поднял на меня глаза и сказал: «Этим мужчиной был я».

«Вы?» — «Восемь месяцев назад. Да. Я думал, ты говоришь про только что». — «Но у него не было бороды». — «Он отрастил бороду». — «И очков». Он снял очки и сказал: «Он изменился». Я подумал про пиксели и падающее тело, и как чем оно к тебе ближе, тем труднее его разглядеть. «Почему вы кричали?» — «Долгая история». — «Я могу долго слушать», — сказал я, потому что хотел знать все, что приближало меня к папе, даже то, что могло причинить боль. «Очень долгая». — «Пожалуйста». Он закрыл блокнот, лежавший у него на столе, и сказал: «Долгая-предолгая».

Я сказал: «Правда, странно, как восемь месяцев назад мы были в одной квартире, а теперь мы в этом офисе?»

Он кивнул.

«Странно, — сказал я. — Мы были запредельно близко».

Он сказал: «Так что там за история с конвертом?» — «Не с конвертом, а с тем, что было *внутри*...» — «Что же там было?» — «Вот что». Я потянул за веревочку у себя на шее и передвинул ключ от нашей квартиры за спину, а папин ключ — на карман комбинезона с биографией мистера Блэка над пластырем и над сердцем. «Можно посмотреть?» — спросил он. Я снял веревочку с шеи и отдал ему. Он повертел ключ и спросил: «На конверте было что-нибудь написано?» — «Только «Black»». Он поднял на меня глаза. «Ты его нашел в синей вазе?» — «Бабай!»

Он сказал: «Невероятно». — «Что невероятно?» — «Такого просто не бывает». — «*Какого?*» — «Я уже два года пытаюсь найти этот ключ». — «А я уже восемь месяцев пытаюсь найти замок». — «Значит, мы два года ищем друг друга». Наконец-то я мог задать мой самый главный вопрос: «От чего он?»

«От сейфа в банке». — «А папа при чем?» — «Папа?» — «В этом же все *дело*: я нашел ключ в папиной кладовке, но папа умер, и не у кого было спросить, от чего он, вот я и начал искать». — «Ключ был в кладовке?» — «Да». — «В высокой синей вазе?» Я кивнул. «С этикеткой на донышке?» — «Я не знаю. Этикетки я не заметил. Не помню». Будь я один, я бы себе наставил огромный синяк. Во все тело.

«Почти два года назад у меня умер отец, — сказал он. — Пошел на медицинский осмотр, и врач сказал, что ему осталось два месяца. Через два месяца он умер». Я не хотел слышать про смерть. Все только о ней и говорили, даже когда говорили не о ней. «Надо было что-то делать с его вещами. Книгами, мебелью, одеждой». — «Разве вам не хотелось все сохранить?» — «Мне хотелось от всего избавиться». Я подумал, что это странно — мне, кроме папиных вещей, ничего в жизни не хотелось. «Короче говоря...» — «Не надо говорить короче». — «Я устроил распродажу. И зачем-то на ней остался. Надо было нанять продавца. Или раздать все бесплатно. А так пришлось самому говорить, что по дешевке его вещи не уступлю. Ни его свадебный костюм. Ни его темные очки. Это был один из худших дней моей жизни. Может быть, наихудший».

«Вы в порядке?» — «Совершенно. Хотя два этих года мне дались нелегко. Я не был близок с отцом». — «Вас не обнять?» — «Ну, вот еще». — «Почему нет?» — «Что почему нет?» — «Почему вы не были близки с вашим папой?» Он сказал: «Долгая история». — «Расскажите уже, пожалуйста, про моего папу».

«Отец стал писать письма, когда ему сказали про рак. Раньше он их нечасто писал. Может, вообще никогда. Но два последних месяца писал как одержимый. Каждую свободную минуту». Я спросил, почему, хотя вообще-то хотел спросить, почему я тоже стал писать письма, когда папа умер. «Он прощался. Написал даже случайным знакомым. Как будто заболел не раком, а письмами. На днях у меня была деловая встреча с одним человеком, и вдруг посреди разговора он спросил, не прихожусь ли я родственником Эдмунду Блэку. Я сказал, да, это был мой отец. Он сказал: «Мы с вашим отцом оканчивали одну школу. Незадолго до смерти он мне прислал удивительное письмо. На десяти страницах. Я и тогда-то едва его знал. А потом пятьдесят лет мы вообще не общались. Но ничего подобного я в своей жизни не читал». Я спросил, можно ли мне посмотреть. Он сказал: «Оно очень личное». Я сказал, что мне это важно. Он сказал: «Там есть и о вас». Я сказал, что понимаю.

«Я взял отцовский «Ролодекс»[1]...» — «Что это?» — «Телефонная книжка. Я позвонил всем. Его двоюродным братьям, партнерам по бизнесу, людям, о которых даже не слышал. Он написал каждому. Всем до одного. Кто-то соглашался показать мне его письмо. Кто-то — нет».

«Что же вы обнаружили?»

«Самое короткое уместилось в одно предложение. Самое длинное — на двух десятках страниц. Были письма почти как пьесы. И были с вопросами к тем, кому он писал». — «Какого типа вопросами?» — «Знала ли ты, что я любил тебя в то лето в Норфолке?», «Удержат ли с них налог, если им завещаю вещи, допустим, пианино?», «Почему горят лампочки?». — «Это я мог бы ему объяснить». — «Можно ли по правде умереть во сне?»

Были смешные письма. То есть по-настоящему остроумные. Я не знал, что он умел так острить. Были философские. Он писал о том, как радовался и как грустил, о вещах, которые хотел сделать, но не сделал, и о вещах, которые сделал, но не хотел».

«А вам он разве не написал?» — «Написал». — «О чем?» — «Я не мог заставить себя прочесть. Несколько недель не мог». — «Почему не могли?» — «Было слишком больно». — «Мне было бы жутко интересно». — «Моя жена, бывшая

---

[1] Перекидная картотека.

357

жена, сказала, что я просто болван». — «Вместо сочувствия?» — «Но она была права. Это был каприз. Блажь. А я ведь уже не ребенок». — «Да, но вы его ребенок».

«Но я его ребенок. Правда. О чем я? Короче говоря...» — «Не говорите короче», — сказал я, потому что хоть мне и хотелось, чтобы он рассказывал о моем папе, а не о своем, мне так же хотелось, чтобы его рассказ длился как можно дольше, потому что я боялся конца. Он сказал: «Я его прочел. Наверное, я ждал каких-то откровений. Не знаю. Сердитых слов или извинений. Чтобы все вдруг увидеть по-новому. Но оно было скупым. Просто инструкция, а не письмо, если ты меня понимаешь». — «Ну, типа». — «Не знаю. Может, и глупо, но я ждал, что он попросит прощения, скажет, что любит меня. Последнее прощай. А там ничего. Даже «Я люблю тебя» нет. Завещание, страховой полис — все эти отвратительные канцелярские подробности, о которых и вспоминать-то не хочется, когда кто-нибудь умирает».

«Вы расстроились?» — «Я рассердился». — «Обидно все-таки». — «Нет. Ничего обидного. Я много про это думал. Постоянно. Отец ввел меня в курс своих дел и кое-что поручил закончить. Он был ответственным. Хорошим. Дать волю эмоциям легко. Всегда можно устроить сцену. Вспомни меня восемь месяцев назад? Это было легко». — «Судя по крику, не очень». — «Элементарно. Подъемы и спады — это снаружи, не так важно». — «А что же важно?» — «Быть ответственным важно. Быть хорошим».

«Но при чем здесь ключ?» — «В самом конце он написал: «Теперь что касается тебя. В синей вазе на полке в спальне найдешь ключ. Он от сейфа в нашем банке. Надеюсь, ты поймешь, почему я хотел, чтобы это к тебе попало». — «И что же там было?» — «Я прочел письмо уже после того, как продал его вещи. Я продал вазу. Я продал ее твоему отцу». — «*Ты чё?*»

«Вот почему я пытался тебя найти». — «Вы видели папу?» — «Только однажды и совсем коротко». — «Вы его помните?» — «От силы несколько минут». — «Но вы его помните?» — «Мы перебросились парой фраз». — «И?» — «Он мне понравился. Думаю, он понял, как мне непросто расставаться с вещами». — «Опишите его, пожалуйста». — «Да я мало что помню». — *Пожалуйста*. — «Он был высокий, наверное, метр восемьдесят. Коричневые волосы. В очках». — «Какие это были очки?» — «С толстыми линзами». — «Во что он был одет?» — «В костюм, кажется». — «Какой костюм?» — «Серый, может быть?» — «Точно! Он ходил на работу в сером костюме! А дырку между двух передних зубов вы заметили?» — «Не помню». — «Попытайтесь».

«Он сказал, что шел домой и увидел объявление о распродаже. Сказал, что на следующей неделе у него годовщина». — «14 сентября!» — «Хотел сделать сюрприз твоей маме. Сказал, что ваза — идеальный подарок. Что она в ее вкусе». — «Он хотел сделать маме сюрприз?» — «Он заказал столик в ее любимом ресторане. Сказал, что собирается вывести ее в свет».

Смокинг.

«Что еще он сказал?» — «Что еще он сказал...» — «Хоть что-нибудь». — «У него был заразительный смех. Это я помню. Он даже меня рассмешил своим смехом. Мне это помогло».

«Что еще?» — «У него был наметанный глаз». — «Что это?» — «Он знал, какую вещь искал. Знал, что ее нашел». — «Правда. У него был запредельно наметанный глаз». — «Помню, я смотрел, как он держит вазу. Он поднял ее на просвет и потом несколько раз повертел в руках. Я отметил, какой он внимательный». — «Он был жутко внимательный».

Мне хотелось, чтобы он вспомнил и другие детали, типа расстегнутой верхней пуговицы на папиной рубашке, или как он пах бритьем, или как насвистывал *I am the Walrus*. Держал ли он «Нью-Йорк Таймс» под мышкой? Покусывал ли губы? Была ли у него в кармане красная ручка?

«Только вечером, оставшись один в опустевшей квартире, я прочел отцовское письмо. Я прочел про вазу. Я понял, что предал его». — «Но разве нельзя было пойти в банк и сказать, что ключ потерялся?» — «Я пошел. Но там сказали, что сейфа у отца не было. Я попросил посмотреть на мое имя. Не было. И на имя матери не было, и на имя деда. Я растерялся». — «Неужели в банке вам ничем не могли помочь?» — «Сочувствовали, но все упиралось в ключ». — «Вот почему вам нужен был мой папа».

«Сначала я надеялся, что он сам меня найдет, когда обнаружит ключ. Но как? Квартиру отца мы продали, ну, пришел бы он туда — и дальше? И потом где гарантия, что он не выкинет его, как хлам? Я бы именно так и поступил. А шансов найти его у меня не было. Вообще никаких. Я ничего о нем не знал, даже имени. Несколько недель подряд ходил мимо бывшего дома отца по дороге с работы, хотя мне это совсем не по дороге. По часу на это тратил. Надеялся его встретить. Объявления развесил: «Если вы купили вазу на распродаже на Семьдесят пятой улице в эти выходные, пожалуйста, позвоните...» Но это было вскоре после 11 сентября. Объявления были повсюду».

«Мама тоже развесила про него объявления». — «Зачем?» — «Он умер 11 сентября. Он был в башне». — «Боже мой. Я не сообразил. Прости». — «Ничего». — «Даже не знаю, что сказать». — «Не надо ничего говорить». — «Я не смотрел на объявления. Если бы смотрел... Не знаю, что бы было». — «Вы бы нас нашли». — «Возможно». — «Ваши объявления могли висеть совсем рядом с мамиными».

Он сказал: «Я повсюду его искал: в вашем районе, в центре, в метро. Я заглядывал прохожим в глаза в надежде его узнать. Однажды мне показалось, что вижу твоего отца по другую сторону Бродвея, на Тайм-сквер, но он затерялся в толпе. В другой раз подумал, что он садится в такси на Двадцать третьей улице. Хотел окликнуть, но не знал, как». — «Томас». — «Томас. Жаль, что я этого не знал».

Он сказал: «Я полчаса ходил за кем-то по Центральному парку. Думал, это твой отец. Все гадал, почему он так странно идет — зигзагами. И все время возвращается к одному и тому же месту. Просто загадка». — «Почему вы к нему не подошли?» — «В конце концов подошел». — «И что?» — «Я обознался. Это был кто-то другой». — «Но вы спросили, почему он так странно шел?» — «Потерял что-то, хотел найти».

«Зато вы можете больше не искать», — сказал я. Он сказал: «Я так долго ищу, что в это даже не верится». — «Неужели у вас нет желания поскорее узнать, что же он вам оставил?» — «Дело не в желании». — «А в чем?»

Он сказал: «Прости. Ты ведь тоже что-то искал. И совсем не то, что нашел». — «Ничего». — «Не мне судить, но, по-моему, у тебя был хороший отец. Мы с ним недолго говорили, но я успел это почувствовать. Большая удача — иметь такого отца. Лучше бы ты нашел его, чем я ключ». — «Лучше бы нам обоим не пришлось искать». — «Ты прав».

Мы посидели молча. Я еще раз изучил фотки у него на столе. На всех была Абби.

Он сказал: «Хочешь пойти со мной в банк?» — «Я бы с удовольствием, но нет». — «Ты уверен?» Я не то чтобы не хотел. Я запредельно хотел. Но боялся, что запутаюсь еще больше.

Он сказал: «Ты чего?» — «Ничего». — «Ты в порядке?» Я хотел удержать слезы внутри, но не смог. Он сказал: «Ну, прости, прости меня».

«Можно я вам расскажу то, чего еще никому не рассказывал?»

«Конечно».

«В тот день нас отпустили домой уже с первого урока. Без объяснений, сказали только, что что-то случилось. Мы не поняли, что. Вернее, не поняли, что это касается нас. За многими заехали родители, но поскольку школа всего в пяти кварталах от нашего дома, я пошел сам. Мы с другом договорились созвониться, поэтому дома я сразу подошел к телефону и проверил автоответчик. На нем было пять сообщений. Все от него». — «От друга?» — «От папы».

Он закрыл рот ладонью.

«Он повторял, что с ним все в порядке, и что все будет хорошо, и чтобы мы не волновались».

Слеза скатилась по его щеке и остановилась на пальце.

«Но вот о чем я никому не рассказывал. Когда сообщения кончились, зазвонил телефон. Было 10:22. Я посмотрел на определитель номера и увидел, что это его мобильник». — «О Боже». — «Вы не положите руку мне на плечо, чтобы я смог закончить?» — «Конечно», — сказал он, и объехал на стуле вокруг стола, и оказался совсем близко.

«Я не мог поднять трубку. Просто не мог. Телефон звонил, а я не мог пошевелиться. Я хотел ее поднять — и не мог. Включился автоответчик, и я услышал свой голос.

Привет, это квартира Шеллов. Прикольный факт дня: в Якутии, которая в Сибири, так холодно, что воздух при выдохе потрескивает и замерзает, и это называется шепотом звезд. В жуткий мороз города окутаны туманом от дыхания людей и животных. Пожалуйста, оставьте сообщение.

Был короткий гудок.
Потом я услышал папин голос.

Ты там? Ты там? Ты там?

Он меня звал, а я не мог поднять трубку. Не мог — и все. Не мог. *Ты там?* Он спросил одиннадцать раз. Я знаю, потому что считал. Мне не хватило одного пальца. Зачем он это спрашивал? Надеялся, что кто-нибудь войдет и услышит?

Тогда почему не сказал «вы»? *Вы там?* «Ты» — это всего один человек. Иногда мне кажется, он знал, что я дома. Может, он и спрашивал для того, чтобы я мог набраться храбрости и ответить. Там еще были такие долгие паузы. Пятнадцать секунд между третьим и четвертым вопросом, и это самая долгая. В ней было слышно, как вокруг него кричат и плачут люди. И еще звук разбивающегося стекла, почему я и думаю, что, может, они выпрыгивали.

Ты там? Ты там? Ты там? Ты там? Ты там? Ты там? Ты там? Ты там? Ты там? Ты там? Ты т

И все.

Я засек время, и получилось, что сообщение длится одну минуту и двадцать семь секунд. Из чего следует, что оно кончилось в 10:24. А это как раз, когда обрушилось здание. Может, так он и умер».

«Прости, прости», — сказал он.

«Я об этом никому не рассказывал».

Он сжал меня, почти обнял, и я догадался, что он качает надо мной головой.

Я спросил: «Вы меня прощаете?»

«Я?»

«Ага».

«За то, что ты не ответил?»

«За то, что никому про это не рассказал».

Он сказал: «Прощаю».

Я перевесил веревочку с ключами со своей шеи на его.

«Здесь еще какой-то ключ», — сказал он.

Я сказал: «Это от нашей квартиры».

Когда я вернулся домой, жилец стоял под фонарем. Мы встречались там каждый вечер для обсуждения деталей нашего плана, типа, во сколько следует выехать и что будем делать, если пойдет дождь или если нас заметит охранник.

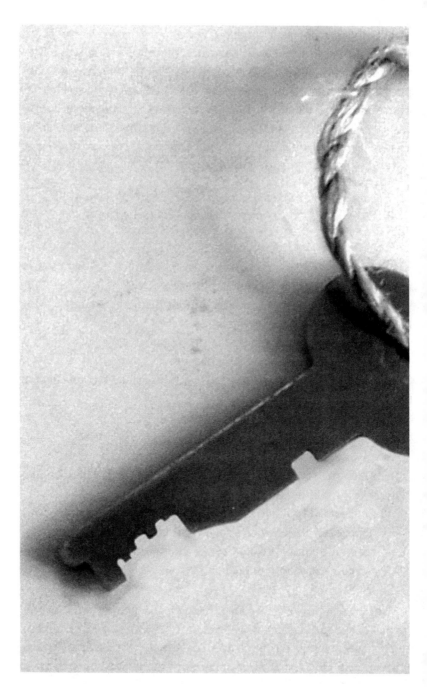

Реальные детали кончились уже после двух встреч, но мы почему-то откладывали. Мы стали придумывать фантастические детали, типа объездных путей на случай, если обрушится мост Пятьдесят девятой улицы, или способов проникновения на кладбище, если забор окажется под напряжением, или легенд для полицейских, если нас арестуют. Мы запаслись всякими картами, и шифрами, и инструментами. Мы бы, наверное, собирались до бесконечности, если бы я не нашел Уильяма Блэка и не узнал того, что знаю.

Жилец написал: «Ты опоздал». Я пожал плечами, совсем как папа. Он написал: «Я достал веревочную лестницу — на всякий пожарный». Я кивнул. «Где ты был? Я волновался». Я сказал: «Я нашел замок».

«Нашел замок?» Я кивнул. «И?»

Я не знал, что «и». Нашел и теперь перестану искать? Нашел, и он не имеет отношения к папе? Нашел, и отныне у меня на всю жизнь останутся гири на сердце?

«Лучше бы я его не находил». — «Думал, что найдешь что-то другое?» — «Да нет». — «Что же тогда?» — «Я больше не смогу искать». Я увидел, что он не понял. «Пока я искал, мне казалось, что папа где-то поблизости». — «Он всегда будет где-то поблизости». Я знал правду. «Нет».

Он кивнул, точно думая о своем, или думая о чужом, или обо всем сразу, если это вообще возможно. Он написал: «Не пора ли привести наш замысел в исполнение?»

Я открыл левую ладонь, понимая, что если попробую что-нибудь сказать, снова расплачусь.

Мы договорились на ночь четверга, который как раз выпадал на вторую годовщину папиной смерти, в чем мы увидели знак.

Перед моим уходом он дал мне письмо. «Что это?» Он написал: «Стэн отошел за кофе. Попросил тебе передать, если не успеет вернуться». — «От кого оно?» Он пожал плечами и пошел через дорогу.

Уважаемый Оскар Шелл!

Я читал все письма, которые Вы мне посылали в эти два года. В ответ я отправил Вам множество типовых писем с надеждой, что когда-нибудь сумею ответить так, как Вы того заслуживаете. Но чем больше Вы писали и чем больше я Вас узнавал, тем сложнее становилась моя задача.

Я сижу под грушевым деревом и надиктовываю это письмо, любуясь садами в усадьбе друга. Вот уже несколько дней я прихожу здесь в себя после очередного курса лечения, отнявшего у меня остатки физических и душевных сил. Утром в приступе жгучей жалости к самому себе я вдруг осознал, как осознают в минуты озарения простое решение неразрешимой задачи: дальше откладывать нельзя.

В своем первом письме Вы спрашивали, можете ли быть моим протеже. Не знаю про протеже, но с удовольствием приму Вас у себя в Кембридже в качестве гостя. Я мог бы представить Вас своим коллегам, угостить лучшим карри за пределами Индии и продемонстрировать, до чего скучной бывает жизнь астрофизика.

Вас ожидает большое будущее в науках, Оскар. Буду рад сделать все от меня зависящее, чтобы этому способствовать. Приятно представлять, что произойдет, когда зерна Вашего воображения упадут в научную почву.

Но Оскар, образованные люди обращаются ко мне постоянно. В своем пятом письме Вы спрашивали: «Что если я всю жизнь буду изобретать?» Мне не дает покоя этот вопрос.

Я мечтал быть поэтом. Не говорил об этом никогда и никому, но Вам признаюсь, потому что Вы представляетесь мне человеком, которому можно довериться. Всю жизнь я пытался постичь Вселенную, в основном, силой своего воображения. Я сумел многого добиться, познал успех. Изучал истоки времени и пространства вместе с величайшими мыслителями современности. Но всегда жалел, что я не поэт.

Альберт Эйнштейн, мой кумир, однажды написал: «Ситуация у нас следующая. Мы стоим перед закрытым ящиком и не можем его открыть».

Не мне Вам говорить, что значительную часть Вселенной составляет темное вещество. Непрочное равновесие зависит от вещей, которые нам никогда не удастся увидеть, услышать, понюхать, попробовать или потрогать. Сама жизнь зависит от них. Что реально? Что призрачно? Может, мы вообще задаем неправильные вопросы. От чего зависит жизнь?

Я так ничего и не сделал, чтобы ее защитить.

Что если Вы всю жизнь будете изобретать?

Может, тогда Вам суждено это сделать.

Меня зовут к завтраку, придется закруглиться. Я еще о многом хочу Вам сказать и о многом хочу от Вас услышать. Все-таки несправедливо, что мы живем по разные стороны океана. Как будто мало в мире несправедливостей.

Как же сейчас красиво. Солнце низко, тени продолговаты, воздух прохладен и свеж. Вам еще спать не меньше пяти часов, но мне почему-то кажется, что мы любуемся этим чистым и божественным утром вместе.

Ваш друг
Стивен Хокинг

МОИ ЧУВСТВА

Посреди ночи меня разбудил стук.

Мне снились места, в которые нет возврата.

Я набросила халат и подошла к двери.

Кто это может быть?   Почему не позвонили снизу? Сосед?

Но с какой стати?

Опять стук.   Я посмотрела в глазок.   Это был твой дедушка.

Входи.   Где ты был?   Ты в порядке?

Обшлага брюк в грязи.

Ты в порядке?

Он кивнул.

Входи.   Дай я тебя почищу.   Что случилось?

Он пожал плечами.

На тебя напали?

Он показал правую ладонь.

Тебе плохо?

Мы подошли к кухонному столу и сели.   Рядом.   За окнами была тьма.   Он опустил руки себе на колени.

Я придвинулась ближе, прижалась бедром к его бедру. Положила голову ему на плечо.   Хотела с ним слиться.

Я сказала: Ты должен рассказать, что случилось, иначе я не смогу помочь.

Он достал ручку из нагрудного кармана рубашки, но не на чем было написать.

Я подставила ладонь.

Он написал: Хочу принести тебе журналов.

В моем сне все обрушившиеся потолки заново сложились над нами.   Пламя вернулось в бомбы, которые падали вверх, исчезая в чреве самолетов, чьи винты вращались справа налево, как минутные стрелки часов во всем Дрездене, только быстрее.

Я хотела дать ему пощечину написанными словами.

Хотела крикнуть: Так нечестно, — и барабанить кулаками по столу, как маленькая.   Что-нибудь особенное? — написал он на руке.

Все особенное, — сказала я.

Журналы об искусстве?

Да.

О природе?

Да.

О политике?

Да.

О знаменитостях?

Да.

Я попросила его взять с собой чемодан, чтобы все уместилось. Не хотела, чтобы он уехал без вещей.

В моем сне весна пришла после лета, лето — после осени, осень — после зимы, зима — после весны.

Я приготовила ему завтрак.   Старалась изо всех сил. Хотела, чтобы у него остались хорошие воспоминания — может, из-за них он снова когда-нибудь вернется.   Или хотя бы соскучится.

Я протерла края тарелки перед тем, как поставить ее на стол.   Я развернула салфетку у него на коленях.   Он ничего не сказал.

Подошло время, и я проводила его вниз.

Бумаги не было, поэтому он написал на мне.

Я могу вернуться поздно.

24-1239

Я сказала, что знаю.

Он написал: Принесу тебе журналов.

Я сказала: Не хочу никаких журналов.

Сейчас не хочешь, а потом будешь рада.

У меня глаза паршивят.

У тебя глаза в порядке.

Обещай за собой следить.

Он написал: Я иду за журналами.

Не плачь, — сказала я, прижав пальцы к своему лицу, собрав с щек воображаемые слезинки и стряхнув их обратно в глаза.

Я злилась на свои слезы.

Я сказала: Ты идешь за журналами.

Он показал мне левую ладонь.

Я старалась ничего не упустить, потому что хотела запомнить все досконально.   Я забыла всё самое важное.

Не помню, как выглядела входная дверь отчего дома. Или кто первым устал целоваться — я или сестра.   Или вид из всех окон, кроме моего.   Бывает, по ночам я долго лежу с открытыми глазами, пытаясь вспомнить мамино лицо.

Он повернулся и пошел.

Я поднялась к себе в квартиру и села на диван ждать.   Чего ждать?

Я не помню последних слов отца.

На него обрушился потолок.   Он был весь в штукатурке, которая краснела.

Он сказал: Всего не почувствовал.

Я не знала, пытается ли он сказать, что ничего не почувствовал.

Он спросил: А мамочка где?

Я не знала, моя или его.

Я попробовала приподнять над ним потолок.

Он сказал: Можешь найти мои очки?

Я сказала, попробую.   Но все было завалено.

Раньше я никогда не видела, чтобы отец плакал.

Он сказал: В очках я бы тебе помог.

Я сказала: Я постараюсь тебя высвободить.

Он сказал: Найди мои очки.

Снаружи кричали, чтобы все выходили.   Остатки потолка

могли вот-вот рухнуть.

Я хотела быть с ним.

Но знала, что он хочет, чтобы я ушла.

Я сказала: Папочка, мне придется уйти.

Тогда он что-то сказал.

Это были его последние слова.

Я их не помню.

В моем сне слезы катились по его щекам вверх и растворя-

лись в глазах.

Я встала с дивана и уложила в чемодан печатную машинку

и бумагу, сколько вошло.

Я написала записку и прилепила ее скотчем к окну.   Я не

знала, кому ее оставляю.

Я обошла все комнаты, погасила всюду свет.   Проверила,

не текут ли краны.   Отключила отопление и выдернула

все шнуры из розеток.   Закрыла окна.

Уже из такси я увидела свою записку.   Я не смогла ее

прочесть — у меня глаза паршивят.

В моем сне художники вымешали из зеленого желтое и си-

нее.

Из коричневого — радугу.

Дети выбелили книжки-раскраски цветными карандашами,

а матери, потерявшие детей, расштопали свои траурные оде-

жды ножницами.

Я думаю обо всем, что сделала, Оскар.   И обо всем, чего

не сделала.   Ошибки, которые я совершила, для меня

мертвы.   Но несовершенного не исправишь.

Он был в международном терминале.   Сидел за столом, руки на коленях.

Я все утро на него смотрела.

Когда он спрашивал у кого-нибудь время, ему показывали на часы на стене.

Я научилась за ним подсматривать.   Это было моим главным занятием. Из окна моей спальни.   Из-за деревьев. Через кухонный стол.

Я хотела быть с ним.

С кем-нибудь.

Не знаю, любила ли я твоего дедушку.

Я любила не быть одна.

Я подошла совсем близко.

Хотела стать воплем у него в ушах.

Я дотронулась до его плеча.

Он склонил голову.

Как ты мог?

Он прятал от меня глаза.   Ненавижу молчание.

Скажи что-нибудь.

Он достал ручку из нагрудного кармана рубашки и взял салфетку из стопки на столе.

Он написал: Тебе было лучше, когда меня не было.

Как ты мог такое подумать?

Мы лжем сами себе и друг другу.

В чем мы лжем? Ну, и пусть лжем.

Я дрянной человек.

Ну и пусть.   Мне все равно, какой ты.

Не могу.

Что тебя гложет?

Он взял новую салфетку из стопки.

Он написал: Ты меня гложешь.

И тут уже я промолчала.

Он написал: Не даешь забыть.

Я положила руки на стол и сказала: У тебя есть я.

Он взял новую салфетку и написал: Анна была беременна.

Я сказала: Я знаю.   Она мне сказала.

Знаешь?

Я не думала, что ты знал.   Она сказала мне по секрету.

Я рада, что ты знаешь.

Он написал: Я жалею, что знаю.

Лучше потерять, чем никогда не иметь.

Я потерял, никогда не имея.

Ты все имел.

Когда она тебе сказала?

Мы лежали в постели.

Он указал на «Когда».

Перед самым концом.

Что она сказала?

Она сказала: Я жду ребенка.

Ее это радовало?

Радовало до небес.

Почему ты мне ничего не сказала?

А ты?

В моем сне люди извинялись за предстоящие ссоры, и свечи зажигались от вдохов.

Я встречался с Оскаром, — написал он.

Я знаю.

Знаешь?

Конечно, знаю.

Он отлистнул на «Почему ты мне ничего не сказала?»

А ты?

Алфавит шел так: я, ю, э, ь ....

Часы шли так: так-тик, так-тик...

Он написал: Этой ночью я был с ним.   Я был там.   Я закопал письма.

Какие письма?

Письма, которые не смог отправить.

Где ты их закопал?

В земле.   Я был там.   Я и ключ закопал.

Какой ключ?

От твоей квартиры.

От нашей квартиры.

Он положил руки на стол.

Влюбленные помогли друг другу надеть трусы, застегнули друг на друге рубашки, и одевались, одевались, одевались.

Я сказала: Не молчи.

Когда я в последний раз видел Анну.

Дальше.

Когда мы.

Дальше!

Он положил руки себе на колени.

Я хотела его ударить.

Хотела его прижать.

Хотела стать воплем у него в ушах.

Я спросила: Что же теперь?

Не знаю.

Хочешь вернуться?

Он отлистнул на «Не могу».

Значит, уедешь?

Он указал на «Не могу».

Что же остается?

Мы посидели.

Жизнь кипела вокруг нас, но не между нами.

Над нами экраны вели учет посадкам и взлетам.

Мадрид вылетает.

Рио прилетает.

Стокгольм вылетает.

Париж вылетает.

Милан прилетает.

Все шли куда-то или откуда-то.

Весь мир был в движении.

Никто не стоял на месте.

Я сказала: Что если нам остаться?

Остаться?

Здесь. Что если нам остаться в этом аэропорту?

Он написал: Все шутишь?

Я покачала головой — нет.

Как мы можем здесь остаться?

Я сказала: Телефоны тут есть — я смогу звонить Оскару и говорить, что со мной все в порядке.   Канцтовары есть — ты сможешь покупать ежедневники и ручки. Есть, где поесть.   И банкоматы.   И туалеты.   Даже телевизоры.

Без куда и откуда.

Без нечто и ничто.

Без да и нет.

Мой сон дошел до самого начала.

Ливень втянулся в тучи, и по сходням сошли звери.

Каждой твари по паре.

Пара жирафов.

Пара пауков.

Пара коз.

Пара львов.

Пара мышей.

Пара обезьян.

Пара змей.

Пара слонов.

Дождь начался после радуги.

Я печатаю эти строки, сидя за столиком напротив него. Столик небольшой, но нам хватает.   Он держит в руках чашку с кофе, а я пью чай.

Когда в машинке страница, я не вижу его лица.

И тогда я с тобой.

Мне не надо его видеть.

Не надо чувствовать на себе его взгляд.

И дело не в том, что я перестала бояться его ухода.

Я знаю, что это ненадолго.

Лучше быть мной, чем им.

Легко слетают слова.

Легко слетают страницы.

В конце моего сна Ева повесила яблоко на ветку.   Древо сложилось в землю.   Стало проростком, ставшим зерном.

Бог соединил сушу и воду, небо и воду, воду и воду, вечер и утро, нечто и ничто.

Он сказал: Да будет свет.

И стала тьма.

Оскар.

Ночь, после которой я все потеряла, была самой обычной.

Мы с Анной долго не спали.   Хихикали.   Юные сестры в постели под крышей отчего дома.   Девицы не надивиться.

Может ли что-либо менее заслуживать уничтожения?

Я думала, мы будем куролесить всю ночь.   Будем куролесить всю жизнь.

Промежутки между нашими словами удлинились.

Стало трудно понять, говорим мы или молчим.

Наши руки едва касались.

Было поздно, мы утомились.

Мы считали, что будут другие ночи.

Дыхание Анны замедлилось, а я все еще не наговорилась.

Она повернулась набок.

Я сказала: Я хочу что-то тебе сказать.

Она сказала: Скажешь завтра.

Я ей никогда не говорила, что очень ее люблю.

Она была моей сестрой.

Мы спали в одной постели.

С какой стати вдруг это говорить.

Ни к чему.

В отцовском сарае вздыхали книги.

Одеяло вздымалось и опадало надо мной в такт дыханию Анны.

Я подумала, не разбудить ли ее.

Но к чему.

Будут другие ночи.

Да и как сказать люблю тому, кого любишь?

Я повернулась набок и заснула рядом с ней.

Вот то главное, что я пытаюсь тебе сказать, Оскар.

Это всегда к чему.

Я люблю тебя.

Бабушка

КРАСОТА И ПРАВДА

В тот вечер мама сделала на ужин спагетти. Рон тоже ел. Я спросил, не раздумал ли он покупать мне установку из пяти барабанов с тарелками Zildjian. Он сказал: «А что. Я с удовольствием». — «И с двойной педалью для баса?» — «Не знаю, что это, но заранее согласен». Я спросил, почему у него нет своей семьи. Мама сказала: «Оскар!» Я сказал: «Что?» Рон отложил нож и вилку и сказал: «Все нормально». Он сказал: «У меня была семья, Оскар. Были жена и дочь». — «Вы развелись?» Он засмеялся и сказал: «Нет». — «Тогда где же они?» Мама смотрела в свою тарелку. Рон сказал: «Они попали в аварию». — «В какую аварию?» — «В автомобильную». — «Я об этом не знал». — «Мы с твоей мамой встретились в группе поддержки для людей, потерявших близких. И мы подружились». Я не смотрел на маму, а она не смотрела на меня. Почему она мне не сказала, что ходит в группу поддержки?

«А что же вы не погибли в аварии?» Мама сказала: «Хватит, Оскар». Рон сказал: «Меня не было в машине». — «Почему вас не было в машине?» Мама посмотрела в окно. Рон провел пальцем по краю тарелки и сказал: «Не знаю». — «Что странно, — сказал я, — так это, что я ни разу не видел, чтобы вы плакали». Он сказал: «Я плачу все время».

Рюкзак я уже собрал и все остальное тоже, типа альтиметр, и батончики гранолы, и складной нож Swiss Army, найденный мной в Центральном парке, — больше дел не было. Мама меня уложила в 21:36.

«Хочешь, я тебе почитаю?» — «Нет, спасибо». — «Хочешь мне что-нибудь сказать?» Если ей нечего, то и мне нечего, поэтому я покачал головой, что нет. «Хочешь, сочиним какую-нибудь историю?» — «Нет, спасибо. — «Или поищем ошибки в газете?» — «Спасибо, мам, но лучше не надо». — «Я рада, что Рон сказал тебе про свою семью». — «Ну, типа». — «Попробуй с ним подружиться. Он мне так помог, а ведь ему тоже нужна помощь». — «Я устал».

Я поставил будильник на 23:50, хотя знал, что не засну.

Лежа в постели в ожидании заветного часа, я кучу всего изобрел.

Я изобрел биоразлагающийся автомобиль.

Я изобрел книгу с перечислением всех слов на всех языках. Она будет довольно бесполезной, но зато если взять ее в руки, то все, что ты мог бы сказать, окажется у тебя в руках.

Что если сделать гуголплекс телефонов?

Что если натянуть повсюду страховочные сети?

В 23:50 я жутко тихо встал, достал вещи из-под кровати и начал по миллиметру открывать дверь — для бесшумности. Мне повезло, что Барт (ночной швейцар) спал за стойкой — не пришлось снова врать. Жилец ждал под фонарем. Мы пожали друг другу руки, что было странно. Ровно в 24:00 на лимузине подъехал Джеральд. Он открыл нам дверцу, и я сказал: «Я знал, что вы приедете вовремя». Он похлопал меня по спине и сказал: «Я бы не опоздал». Это был мой второй раз в лимузине.

По дороге я воображал, как будто мы стоим на месте, а мир за окнами движется. Жилец весь путь неподвижно просидел на своей половине, а я видел башню Трампа, которую папа считал самым уродливым небоскребом в Америке, и здание Объединенных Наций, которое папа считал запредельно красивым. Я опустил стекло и выставил руку наружу. Я изогнул ее по типу крыла самолета. Будь у меня рука побольше, лимузин мог бы взлететь. Что если изобрести громаднейшие перчатки?

Джеральд улыбнулся мне в зеркальце заднего вида и спросил, не включить ли нам музыку. Я спросил, есть ли у него дети. Он сказал, что у него есть две дочери. «Что им нравится?» — «Что им *нравится?*» — «Ага». — «Дай подумать. Келли, масюся моя, любит Барби, щенков и браслеты из бисера». — «Я ей сделаю браслет из бисера». — «Он ей очень понравится». — «Что еще?» — «Все, что розовое и пушистое». — «Я тоже люблю розовое и пушистое». Он сказал: «Ну и хорошо». — «А ваша вторая дочь?» — «Джанет? Ей нравится заниматься спортом. Особенно баскетболом, и, я тебе скажу, играет она неслабо. Без скидок на то, что девочка. Первоклассный игрок».

«Они обе особенные?» Он раскололся и сказал: «Конечно, их папочка скажет, что они особенные». — «А объективно?» — «Это как?» — «Типа, фактически. По правде». — «Откуда мне знать — я ведь их папочка».

Я еще немного посмотрел в окно. Мы проехали ту часть моста, которая не относилась ни к какому округу, и я обернулся и смотрел, как уменьшаются здания. Я вычислил, какой кнопкой открывается люк, и некоторое время ехал стоя, высунувшись в него наполовину. Я пощелкал звезды дедушкиным фотиком и посоединял их в своей голове в слова, какие захочу. Перед тем, как въехать под мост или в тоннель, Джеральд просил меня пригибаться, чтобы не стать обезглавленным — я про эту казнь знаю, хотя если честно, *очень-очень честно*, предпочел бы не знать. У себя в мозгу я составил «ботинок», и «инерция», и «непобедимый».

Было 00:56, когда Джеральд въехал на газон и остановил лимузин у самого кладбища. Я надел рюкзак, а жилец взял лопату, и мы забрались на крышу лимузина, чтобы перелезть через забор.

Джеральд шепнул: «Может, передумаете?»

Я сказал из-за забора: «Это не должно занять больше двадцати минут. Максимум, тридцать». Он перебросил нам чемоданы жильца и сказал: «Я вас жду».

Было так темно, что пришлось включить карманный фонарик.

Я посветил на плиты, надеясь увидеть папину.

Марк Кроуфорд

Диана Стрейт

Джейсон Баркер, младший

Моррис Купер

Мэй Гудман

Хелен Стайн

Грегори Робертсон Джад

Джон Филдер

Сюзан Кидд

Я подумал, что все эти имена принадлежали людям, которые умерли, и что это единственное, что у них после смерти осталось.

Было 1:22, когда мы нашли папину могилу.

Жилец протянул мне лопату.

Я сказал: «Вы первый».

Он вложил лопату мне в руки.

Я воткнул ее в землю и надавил всем своим весом. Я не знал, сколько это, — я был так занят поиском папы, что давно не взвешивался.

Это был жутко тяжелый труд, и я зачерпывал изо всех сил, но получалось все равно по чуть-чуть. У меня запредельно устали плечи, но это еще ничего, потому что, поскольку лопата была одна, мы копали по очереди.

Прошло двадцать минут и потом еще двадцать.

Мы копали, а результата не было.

Прошло еще двадцать минут.

Потом батарейки в фонарике сели, и мы перестали видеть даже свои руки. На этот случай у нас не было ни плана, ни запасных батареек, хотя они, само собой, должны были быть. Как я забыл про такую простую и важную вещь?

Я позвонил на мобильник Джеральду и попросил его съездить и купить несколько батареек. Он спросил, все ли в порядке. Было так темно, что даже плохо слышно. Я сказал: «Ага, мы в порядке, только батарейки нужны». Он сказал, что ближайший магазин отсюда минутах в пятнадцати. Я сказал: «Я вам заплачу». Он сказал: «Не в этом дело».

К счастью, поскольку мы занимались раскапыванием могилы, видеть руки оказалось необязательно. Грести лопатой можно и на ощупь.

И мы гребли во тьме и молчании.

Я думал про все подземное, типа червей, и корни, и глину, и клады.

Мы гребли.

Я подумал, сколько всего живого умерло с тех пор, как что-то первое родилось. Триллион? Гуголплекс?

Мы гребли.

Я подумал, о чем думает жилец?

Наконец мой телефон заиграл «Полет шмеля», и я посмотрел на определитель номера. «Джеральд». — «Привез». — «Вы не принесете их сюда, чтобы нам не тратить зря время». Он несколько секунд молчал. «Хорошо, принесу». Я не мог ему описать, где мы, и просто громко выкрикивал его имя, и он пришел на голос.

Все-таки видеть было намного лучше. Джеральд сказал: «Что-то медленно у вас продвигается». Я сказал: «Мы плохие копатели». Он снял водительские перчатки, убрал их в карман пиджака, поцеловал крест, который висел у него на груди, и взял у меня лопату. Он был очень сильный и зачерпывал сразу много земли.

Было 2:56, когда лопата уткнулась в гроб. Мы услышали звук и переглянулись.

Я поблагодарил Джеральда.

Он подмигнул мне и потом пошел обратно к машине, и

потом растворился во тьме. «А Джанет, — услышал я и посветил фонариком в направлении его голоса, — старшая-то моя, обожает сухие завтраки. Весь день бы ими хрустела — только позволь».

Я сказал: «Я их тоже обожаю».

Он сказал: «Ну, и хорошо», и шаги его стали совсем тихими.

Я спустился в яму и размел оставшуюся землю кисточкой.

Что меня удивило, так это что гроб был мокрый. Видно, я этого не ожидал, потому что откуда под землей столько воды?

Что еще меня удивило, так это что гроб в нескольких местах треснул — очевидно, под тяжестью всей этой земли. Если бы папа в нем был, его бы съели муравьи и черви, пролезшие в эти трещины, или какие-нибудь микроорганизмы. Я знал, что это не имеет значения, потому что, умерев, мы ничего не чувствуем. Тогда почему меня это волновало?

Что еще меня удивило, так это что гроб был без замка и вообще едва прикрыт. Крышка просто лежала сверху, и ее любой мог открыть. Мне это не понравилось. Но с другой стороны, кому нужно открывать гроб?

Я открыл гроб.

Я опять удивился, и опять непонятно почему. Я удивился, что папы там не было. У себя в мозгу я знал, что, само собой, его не будет, но в душе, видно, все-таки на что-то надеялся. А может, я удивился запредельности увиденной пустоты. Мне показалось, что я смотрел на словарное определение этого слова.

Выкопать папин гроб я придумал в ночь после моей встречи с жильцом. Когда я лежал в постели, мне было озарение, типа как простое решение неразрешимой задачи. Утром я бросил камушек в окно гостевой спальни, как говорилось в записке, но я не очень меткий бросатель, и за меня добросил Стэн. Когда жилец пришел на угол, я рассказал ему про свою идею.

Он написал: «Для чего ты хочешь это сделать?» Я сказал: «Чтобы перепроверить — папа любил правду». — «Что перепроверить?» — «Что он мертв».

После этого мы встречались каждый вечер и обсуждали детали, как для военной операции. Мы обсудили, как добраться до кладбища, и разные способы перелезания через забор, и где достать лопату и другие необходимые инструменты, типа карманный фонарик, и кусачки, и пакетики с соком. Мы обсудили все, но почему-то ни разу не поговорили о том, что сделаем, когда откроем гроб.

Только за день до того, как мы условились ехать, жилец задал этот очевидный вопрос.

Я сказал: «Наполним, само собой».

Тогда он задал другой очевидный вопрос.

Сначала я предложил наполнить гроб вещами из папиной жизни, типа его красными ручками, и его увеличительным стеклом ювелира, которое называется лупа, и даже его смокингом. Наверное, мне это пришло в голову из-за Блэков, которые сделали друг про друга музей. Но чем больше мы это обсуждали, тем это казалось бессмысленнее, потому что — какая тут польза? Папе это все ни к чему, потому что он мертвый, и еще жилец сказал, что все-таки будет лучше, если его вещи останутся дома.

«Можно наполнить гроб драгоценностями, как делали для знаменитых египтян, о чем я знаю». — «Но он не египтянин». — «И терпеть не мог драгоценности». — «Он не любил драгоценности?»

«Может, мне зарыть то, за что мне стыдно», — предложил я, думая в голове про старый телефон, и блок марок «Выдающиеся американские изобретатели», за который обозлился на бабушку, и инсценировку «Гамлета», и письма, полученные от незнакомых людей, и свою дурацкую самодельную визитку, и тамбурин, и недовязанный шарф. Но это тоже выглядело бессмысленным, особенно когда жилец мне напомнил, что зарыть еще не значит *забыть*. «Что же тогда?» — спросил я.

«Есть идея, — написал он. — Завтра покажу».

Почему я так ему доверял?

Назавтра мы встретились на углу в 23:50, и у него было два чемодана. Я не спросил, что в них, а почему-то решил дожидаться, когда он мне сам расскажет, хотя это был *мой* папа, а значит, и гроб был тоже мой.

Через три часа, когда я спустился в яму, размел землю и открыл крышку, жилец открыл чемоданы. Они были набиты бумагами. Я спросил, что это. Он написал: «Я потерял сына». — «Потеряли?» Он показал левую ладонь. «Как он умер?» — «Я его потерял до того, как он умер». — «Как?» — «Я ушел». — «Почему?» Он написал: «От страха». — «Какого страха?» — «От страха его потерять». — «Вам было страшно, что он умрет?» — «Мне было страшно, что ему предстоит жить». — «Почему?» Он написал: «Жизнь страшнее смерти».

«А что это за бумаги?»

Он написал: «Все, что я ему не сказал. Письма».

Честно говоря, я не знаю, что тогда понял.

Я вряд ли догадался, что он мой дедушка, если только самым краешком мозга. И точно не связал письма в его чемоданах с конвертами в бабушкином комоде, хотя и следовало.

Но что-то я должен был понять, просто *обязан*, потому что зачем я тогда открыл левую ладонь?

Когда я вернулся домой, было 4:22. Мама сидела на кушетке около двери. Я думал, она запредельно рассердится, но она ни слова не сказала. Только поцеловала в лоб.

«Ты даже не спросишь, где я был?» Она сказала: «Я тебе доверяю». — «Неужели тебе неинтересно?» Она сказала: «Я думаю, ты сам расскажешь, если захочешь». — «Ты меня уложишь?» — «Вообще-то я здесь до утра собиралась сидеть». — «Ты на меня сердишься?» Она покачала головой, что нет. «А Рон сердится?» — «Нет». — «Ты уверена?» — «Да».

Я пошел в свою комнату.

Руки у меня были грязными, но я их не вымыл. Пусть будут грязными хотя бы до утра. Я надеялся, что чуть-чуть земли под ногтями останется надолго, а какие-нибудь микроскопические ее частицы, возможно, и навсегда.

Я выключил свет.

Я положил рюкзак на пол, разделся и лег в кровать.

Я смотрел на фальшивые звезды.

Что если на крыше каждого небоскреба будет по ветряной мельнице?

Что если сделать браслет из лески для воздушного змея?

Или браслет из рыболовных снастей?

Что если бы небоскребы пускали корни?

Что если бы их надо было поливать, ставить им классическую музыку и знать, где они лучше растут — на солнце или в тени?

Что бы придумать с чайником?

Я встал с кровати и выбежал в коридор в одних трусиках.

Мама сидела на кушетке. Она не читала, не слушала музыку, а просто.

Она сказала: «Ты не спишь».

Я заплакал.

Она развела руки и сказала: «Ну, что такое?»

Я подбежал к ней и сказал: «Я не хочу госпитализироваться».

Она притянула меня к себе так, чтобы лоб уткнулся в мягкость ее плеча, и стиснула. «Тебя никто не собирается госпитализировать».

Я сказал: «Я, честное слово, скоро выздоровлю».

Она сказала: «Ты и так здоров».

«Я буду радоваться и стану нормальным».

Ее пальцы обвили сзади мою шею.

Я сказал: «Я запредельно старался. Не знаю, можно ли было стараться запредельнее».

Она сказала: «Папа бы очень тобой гордился».

«Ты думаешь?»

«Я знаю».

Я еще поплакал. Я хотел рассказать, как часто ее обманывал. И хотел услышать в ответ, что это ничего, потому что иногда, чтобы сделать что-то хорошее, приходится сделать что-то плохое. Потом я хотел рассказать ей про телефон. И хотел услышать в ответ, что папа все равно бы мною гордился.

Она сказала: «Папа позвонил мне в то утро оттуда».

Я отпрянул.

«Что?»

«Он позвонил из здания».

«На мобильник?»

Она кивнула, и я увидел, что впервые после папиной смерти она не пытается сдержать слезы. Это были слезы облегчения? Или слезы отчаяния? Или благодарности? Или усталости?

«Что он сказал?»

«Сказал, что он на улице, что он вышел. Сказал, что идет домой».

«Он обманул».

«Да».

Я разозлился? Или обрадовался?

«Он обманул, чтобы ты не волновалась».

«Именно».

Расстроился? Напрягся? Приободрился?

«Но он знал, что ты знаешь».

«Знал».

Я обвил пальцами ее шею — там, где начинаются волосы.

Не знаю, сколько было времени.

Наверное, я заснул, но этого не помню. Я столько плакал, что все вокруг слилось. Помню, как она несла меня в комнату. Потом помню себя в кровати. И как она склоняется и смотрит. Я не верю в Бога, но верю, что в мире все жутко сложно, а сложнее того, как она тогда на меня смотрела, вообще ничего нет. Хотя, в сущности, все запредельно просто. В моей единственной жизни она моя мама, а я ее сын.

Я сказал: «Я не обижусь, если ты снова влюбишься».

Она сказала: «Я не влюблюсь».

Я сказал: «Я этого хочу».

Она поцеловала меня и сказала: «Никогда больше не влюблюсь».

Я сказал: «Ты просто обманываешь, чтобы я не волновался».

Она сказала: «Я тебя люблю».

Я повернулся на бок и слушал, как она идет обратно к кушетке.

Я слышал, как она плачет. Я представил ее намокшие манжеты. Ее усталые глаза.

Одна минута пятьдесят одна секунда...

Четыре минуты тридцать восемь секунд...

Семь минут...

Я пошарил рукой между стеной и кроватью и нашел «Всякую всячину, которая со мной приключилась». Места в ней больше не было. Скоро придется заводить новую тетрадь. Я где-то читал, что башни сгорели из-за бумаги. Все эти блокноты, и ксероксы, и распечатанные имейлы, и фото детей, и книги, и доллары в бумажниках, и документы в папках... все это было топливом. Может, если бы у нас было безбумажное общество, к которому, как говорят ученые, мы рано или поздно придем, папа и сегодня бы жил. Может, не стоит заводить новую тетрадь.

Я достал из рюкзака свой фонарик и посветил им в книгу. Я увидел карты и рисунки, вырезки из журналов и газет, и распечатки из Интернета, и фото, которые я сделал дедушкиным фотиком. Целый мир. Наконец я дошел до снимков падающего тела.

Это папа?

Возможно.

Но даже если не папа, то все равно человек.

Я вырвал эти страницы.

Я сложил их в обратном порядке: последнюю — сначала, первую — в конце.

Когда я их пролистал, получилось, что человек не падает, а взлетает.

Если бы у меня еще были снимки, он мог бы влететь в окно, внутрь здания, и дым бы всосался в брешь, из которой бы вылетел самолет.

Папа записал бы свои сообщения задом наперед, пока бы они не стерлись, а самолет бы долетел задом наперед до самого Бостона.

Лифт привез бы его на первый этаж, и перед выходом он нажал бы на последний.

Пятясь, он вошел бы в метро, и метро поехало бы задом назад, до нашей остановки.

Пятясь, папа прошел бы через турникет, убрал бы в карман магнитную карту и попятился бы домой, читая на ходу «Нью-Йорк Таймс» справа налево.

Он бы выплюнул кофе в кружку, загрязнил зубной щеткой зубы и нанес бритвой щетину на лицо.

Он бы лег в постель, и будильник прозвенел бы задом наперед, и сон бы ему приснился от конца к началу.

Потом бы он встал в конце вечера перед наихудшим днем.

И припятился в мою комнату, насвистывая *I am the Walrus* задом наперед.

Он нырнул бы ко мне в кровать.

Мы бы смотрели на фальшивые звезды, мерцавшие под нашими взглядами.

Я бы сказал: «Ничего» задом наперед.

Он бы сказал: «Что, старина?» задом наперед.

Я бы сказал: «Пап?» задом наперед, и это прозвучало бы, как обычное «Пап».

Он рассказал бы мне про Шестой округ, начав с консервной банки с голосом и закончив началом, от «Я тебя люблю» до «В давние времена»...

Нам бы ничего не угрожало.

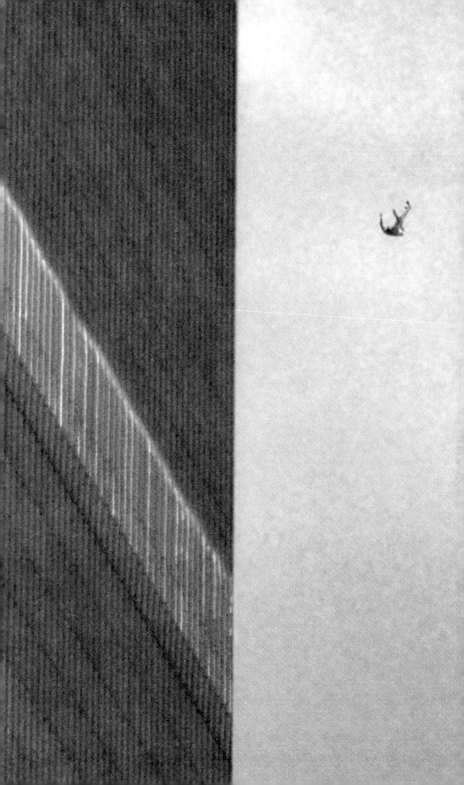

СОДЕРЖАНИЕ

Литературно-художественное издание

Джонатан Сафран Фоер
ЖУТКО ГРОМКО И ЗАПРЕДЕЛЬНО БЛИЗКО

Ответственный редактор *М. Яновская*
Художественный редактор *Н. Кудря*
Технический редактор *Н. Носова*
Компьютерная верстка *О. Шувалова*
Корректор *С. Горшкова*

ООО «Издательство «Эксмо»
127299, Москва, ул. Клары Цеткин, д. 18/5. Тел. 411-68-86, 956-39-21.
Home page: **www.eksmo.ru** E-mail: **info@eksmo.ru**

Оптовая торговля книгами «Эксмо»:
ООО «ТД «Эксмо». 142700, Московская обл., Ленинский р-н, г. Видное,
Белокаменное ш., д. 1, многоканальный тел. 411-50-74.
E-mail: **reception@eksmo-sale.ru**

*По вопросам приобретения книг «Эксмо» зарубежными оптовыми
покупателями* обращаться в отдел зарубежных продаж ООО «ТД «Эксмо»
E-mail: **foreignseller@eksmo-sale.ru**

International Sales: *For Foreign wholesale orders, please contact International Sales Department at*
foreignseller@eksmo-sale.ru

По вопросам заказа книг «Эксмо» в специальном оформлении
обращаться в отдел корпоративных продаж ООО «ТД «Эксмо» E-mail: **project@eksmo-sale.ru**

*Оптовая торговля бумажно-беловыми
и канцелярскими товарами для школы и офиса «Канц-Эксмо»:*
Компания «Канц-Эксмо»: 142702, Московская обл., Ленинский р-н, г. Видное-2,
Белокаменное ш., д. 1, а/я 5. Тел./факс +7 (495) 745-28-87 (многоканальный).
e-mail: **kanc@eksmo-sale.ru**, сайт: **www.kanc-eksmo.ru**

Полный ассортимент книг издательства «Эксмо» для оптовых покупателей:
В Санкт-Петербурге: ООО СЗКО, пр-т Обуховской Обороны, д. 84E. Тел. (812) 365-46-03/04.
В Нижнем Новгороде: ООО ТД «Эксмо НН», ул. Маршала Воронова, д. 3. Тел. (8312) 72-36-70.
В Казани: ООО «НКП Казань», ул. Фрезерная, д. 5. Тел. (843) 570-40-45/46.
В Ростове-на-Дону: ООО «РДЦ-Ростов», пр. Стачки, 243А. Тел. (863) 268-83-59/60.
В Самаре: ООО «РДЦ-Самара», пр-т Кирова, д. 75/1, литера «Е». Тел. (846) 269-66-70.
В Екатеринбурге: ООО «РДЦ-Екатеринбург», ул. Прибалтийская, д. 24а. Тел. (343) 378-49-45.
В Киеве: ООО ДЦ «Эксмо-Украина», ул. Луговая, д. 9. Тел./факс: (044) 537-35-52.
Во Львове: ТП ООО ДЦ «Эксмо-Украина», ул. Бузкова, д. 2. Тел./факс (032) 245-00-19.
В Симферополе: ООО «Эксмо-Крым» ул. Киевская, д. 153. Тел./факс (0652) 22-90-03, 54-32-99.

Мелкооптовая торговля книгами «Эксмо» и канцтоварами «Канц-Эксмо»:
117192, Москва, Мичуринский пр-т, д. 12/1. Тел./факс: (495) 411-50-76.
127254, Москва, ул. Добролюбова, д. 2. Тел.: (495) 780-58-34.

Подписано в печать 30.07.2007.
Формат 60x90 $^1/_{16}$. Гарнитура «Лазурский».
Печать офсетная. Бумага офсетная. Усл. печ. л. 26,0.
Тираж 12 100 экз. Заказ № 1239 .

Отпечатано в ОАО «Можайский полиграфический комбинат».
143200, г. Можайск, ул. Мира, 93.